Ensaios de
sociologia da ciência

Ensaios de sociologia da ciência

Robert K. Merton

Organização e posfácio
Anne Marcovich e Terry Shinn

Tradução
Sylvia Gemignani Garcia e Pablo Rubén Mariconda

São Paulo, 2013

Copyright © Editora 34 Ltda. (edição brasileira), 2013
Organização e posfácio @ Anne Marcovich e Terry Shinn, 2013
Ensaios de Robert K. Merton @ Harriet Zuckerman

"The sociology of knowledge", *Isis*, 27, 1937;
"Science and the social order", *Philosophy of Science*, 5, 1938;
"The normative structure of science", in: Robert K. Merton,
The Sociology of Science, Norman Storer (Ed.), 1973;
"The Matthew Effect in Science II", *Isis*, 79, 1988
@ University of Chicago Press

Projeto editorial: Associação Filosófica Scientiæ Studia
Direção editorial: Pablo Rubén Mariconda e Sylvia Gemignani Garcia
Projeto gráfico: Camila Mesquita
Editoração: Bracher & Malta Produção Gráfica
Revisão: Beatriz de Freitas Moreira

Serviço de Biblioteca e Documentação da FFLCH-USP
───
M131e
Merton, Robert K., 1910-2003
 Ensaios de sociologia da ciência / Robert K. Merton;
organização e posfácio de Anne Marcovich e Terry Shinn;
tradução de Sylvia Gemignani Garcia e Pablo Rubén
Mariconda. — São Paulo: Associação Filosófica Scientiae
Studia/Editora 34, 2013 (1ª Edição).
304 p. (Sociologia da Ciência e da Tecnologia).

ISBN 978-85-61260-08-8 (Associação Scientiæ Studia)
ISBN 978-85-7326-514-9 (Editora 34)

 1. Sociologia da ciência. 2. Sociologia do conhecimento.
I. Marcovich, Anne. II. Shinn, Terry. III. Garcia, Sylvia
Gemignani. IV. Mariconda, Pablo Rubén. V. Título. VI. Série.

                                    CDD 501
                                    121.8
───

editora■34

Associação Filosófica Scientiæ Studia
Rua Santa Rosa Júnior, 83/102
05579-010 São Paulo SP
Tel/Fax (11) 3726-4435
www.scientiaestudia.org.br

Rua Hungria, 592
Jardim Europa
01455-000 São Paulo SP
Tel/Fax (11) 3811-6777
www.editora34.com.br

Sumário

Prefácio 9

PARTE 1   FATORES EXTERNOS DO SURGIMENTO
E DESENVOLVIMENTO DA CIÊNCIA

CAPÍTULO 1   Puritanismo, pietismo e ciência   15

    1 O *éthos* puritano   15
    2 O ímpeto puritano para a ciência   29
    3 A influência puritana na educação científica   32
    4 A integração valorativa do puritanismo e da ciência   35
    5 A integração valorativa do pietismo e da ciência   37
    6 A filiação religiosa do recrutamento científico   40
    Pós-escrito bibliográfico   47

CAPÍTULO 2   A ciência e a técnica militar   63

    1 O crescimento dos armamentos   64
    2 As demandas tecnológicas associadas: a balística interior   65
    3 A balística exterior   69
    4 Considerações detalhadas   72

CAPÍTULO 3   Influências extrínsecas à pesquisa científica   81

    1 Uma enunciação do procedimento   82
    2 Sumário dos resultados   87
    Adenda   90

PARTE 2   DOS OMBROS DE GIGANTES
A ESTÍMULOS E ARMADILHAS COGNITIVAS

CAPÍTULO 4   A sociologia do conhecimento (1937)   95

CAPÍTULO 5   A sociologia do conhecimento (1945)   109

    1 O contexto social   110
    2 Paradigma para a sociologia do conhecimento   116
    3 A base existencial   118

4 Tipos de conhecimento   126
5 As relações entre o conhecimento e a base existencial   140
6 As funções do conhecimento existencialmente condicionado   151
7 Problemas adicionais e estudos recentes   153

CAPÍTULO 6   A ciência e a ordem social   159

1 As fontes da hostilidade à ciência   160
2 As pressões sociais sobre a autonomia da ciência   164
3 As funções das normas da ciência pura   168
4 A ciência esotérica como misticismo popular   173
5 A hostilidade pública ao ceticismo organizado   174
6 Conclusões   177

PARTE 3   A ESTRUTURAÇÃO DA COMUNIDADE CIENTÍFICA E A DINÂMICA SOCIAL DA TECNOLOGIA

CAPÍTULO 7   A ciência e a estrutura social democrática   181

1 Ciência e sociedade   181
2 O éthos da ciência   185
   Universalismo   185
   "Comunismo"   190
   Desinteresse   194
   Ceticismo organizado   197

CAPÍTULO 8   O efeito Mateus na ciência II: a vantagem cumulativa e o simbolismo da propriedade intelectual   199

1 O efeito Mateus   201
2 A acumulação de vantagem e desvantagem pelos cientistas   206
3 A acumulação de vantagem e desvantagem entre os jovens   212
4 A acumulação de vantagem e desvantagem entre as instituições científicas   218
5 Os processos compensatórios   220
6 O simbolismo da propriedade intelectual na ciência   223

CAPÍTULO 9 A máquina, o trabalhador e o engenheiro 233
1 Consequências sociais das mudanças tecnológicas 235
A anatomia social do emprego 235
Efeitos institucionais e estruturais 237
2 As implicações para o engenheiro 242
A especialização 243
A ética profissional 243
O *status* burocrático 244
3 As necessidades da pesquisa social 246
A organização da equipe de pesquisa 247
O financiamento da pesquisa 247
As direções da pesquisa 249

Posfácio   Robert K. Merton, fundador da sociologia da ciência:
comentários, *insights*, críticas
Anne Marcovich e Terry Shinn 253

Referências bibliográficas 273
Índice de termos 293
Índice de nomes 298

PREFÁCIO

A ideia desta coletânea que a Coleção de Estudos de Ciência e Tecnologia apresenta ao público leitor brasileiro surgiu da percepção da dificuldade, em nosso país, de acesso aos textos seminais de Robert K. Merton (1910-2003), intensamente citados ou indiretamente referidos no debate contemporâneo sobre a natureza, o funcionamento e o *éthos* da ciência.

Anne Marcovich e Terry Shinn aceitaram o convite para escrever um ensaio crítico sobre a abordagem mertoniana da ciência e, como sempre, envolveram-se tão seriamente com o projeto que acabaram por organizar o volume. O resultado é um conjunto extraordinário que põe lado a lado contribuições distintivas de Robert Merton à sociologia da ciência ao longo de mais de cinquenta anos de trabalho, fornecendo ao leitor uma visão, a um só tempo, ampla e aprofundada de sua abordagem da organização institucional da produção de conhecimento científico na modernidade ocidental.

O livro divide-se em três partes, cada uma delas com três textos de Merton. A primeira parte discute a influência de fatores externos sobre o nascimento e o desenvolvimento da ciência moderna na Inglaterra do século XVII, abordando correlações entre o interesse na pesquisa científica e as crenças religiosas, o desenvolvimento econômico e as demandas tecnológicas da guerra. A segunda parte reúne as duas versões do texto sobre os fundamentos teóricos e os problemas de pesquisa da sociologia do conhecimento e completa-se com o conhecido artigo que aborda as relações entre a ciência e a política de Estado, na Alemanha nazista e na sociedade liberal. Finalmente, a última parte agrega o famoso ensaio no qual Merton define o *éthos* da ciência moderna e o último artigo de elaboração do conceito de "efeito Mateus" para explicar, em termos psicossociais, a hierarquia

Ensaios de sociologia da ciência

simbólica da comunicação científica por um sistema de recompensas cumulativas. O texto que encerra a seção introduz o tema das consequências da inovação tecnológica para os trabalhadores e da responsabilidade social dos engenheiros, reivindicando para a pesquisa sociológica o planejamento do ritmo e da implantação da automação produtiva.

Desse modo, a coletânea dá uma visão abrangente das contribuições de Merton à sociologia da ciência, englobando fundamentos teóricos, conceitos centrais e pesquisas empíricas distintivas, e além disso permite apreciar seu estilo de intervenção intelectual no debate público de sua época envolvendo a ciência e a tecnologia, de uma perspectiva significativa para a história geral da sociologia.

Além dessa dimensão histórica mais ampla, o conjunto de textos aqui reunidos permite retraçar os contornos do surgimento da sociologia da ciência como uma especialidade acadêmica delimitada. Como fundador dessa área subdisciplinar, Merton define problemas, conceitos e procedimentos que condicionam o desenvolvimento posterior dos estudos sociológicos da ciência, na medida em que eles se constituem pelo diálogo crítico com o paradigma mertoniano e os resultados a que permite chegar. É desse ponto de vista que a coletânea se encerra com um ensaio crítico, escrito por renomados especialistas da sociologia da ciência contemporânea, que atualiza a discussão sobre a interpretação sociológica do conhecimento científico, fornecendo um roteiro das abordagens que se complementam e se enfrentam ao longo do período de intenso desenvolvimento desse campo de estudos. De especial valia para os pesquisadores que, hoje, trabalham com os temas ligados à ciência e à tecnologia de uma perspectiva sociológica, a leitura crítica de Marcovich e Shinn se faz da perspectiva de uma sociologia da ciência altamente especializada, que ali mesmo onde supera seu fundador é herdeira de seu legado.

A concretização desta coletânea deve-se à atuação de Harriet Zuckerman, que viabilizou a aquisição dos direitos autorais das

10

PREFÁCIO

diversas obras aqui reunidas. A ela nosso reconhecimento, em nome dos editores e dos leitores e leitoras. Agradecemos também à *University of Chicago Press* pela cessão de alguns dos textos publicados neste volume.

Na tradução dos originais, contamos com as contribuições de Iris Michaelis e, principalmente, de Stefan Fornos Klein para a tradução das citações e expressões em alemão, aos quais agradecemos pela generosa cooperação.

Os ensaios aqui compilados provêm de diferentes publicações de Merton, embora a maior parte deles tenha sido reunida em sua obra *Social theory and social structure* (STSE), publicada pela primeira vez em 1949, em edição revista e ampliada em 1957 e, em 1968, com a Introdução ampliada e nova organização dos capítulos. Para estas traduções, utilizamos a edição de 1957. As datas originais dos textos contidos em STSE foram retiradas da *Bibliographical note* (Nota bibliográfica) dessa edição.

O capítulo 1 desta coletânea, "Puritanismo, pietismo e ciência", publicado originalmente em 1936, na *Sociological Review*, 28, é o capítulo 18 de STSE (na edição de 1968, capítulo 20). Os capítulos 2 e 3 correspondem aos capítulos 9 e 10 de sua tese de doutorado, *Science, technology and society in seventeenth century England*, publicada originalmente em *Osiris*, em 1938.

O capítulo 4, "A sociologia do conhecimento", foi publicado em 1937 em *Isis*, 27, 3, p. 493-503. O capítulo 5, com o mesmo título, foi publicado em 1945, em *Twentieth century sociology*, organizado por G. Gurvitch e W. E. Moore, e tornou-se o capítulo 12 de STSE (na edição de 1968, capítulo 14) e, com o título "*Paradigm for the sociology of knowledge*", o capítulo 1 do livro *The sociology of science*, de 1973. O capítulo 6, "A ciência e a ordem social", publicado em *Philosophy of Science*, 5, em 1938, constitui o capítulo 15 de STSE (capítulo 17 da edição de 1968) e o capítulo 12 de *The sociology of science*.

O capítulo 7, "A ciência e a estrutura social democrática"

Ensaios de sociologia da ciência

("*Science and democratic social structure*"), que foi publicado em 1942, com o título "*A note on science and democracy*", no *Journal of Legal and Political Sociology*, 1, tornou-se o capítulo 16 de STSE (na edição de 1968, capítulo 18) e, desta feita intitulado "*The normative structure of science*", o capítulo 13 de *The sociology of science*. O capítulo 8, "O efeito Mateus II", foi publicado em 1988, no número 79 de *Isis*. Finalmente, o capítulo 9, "A máquina, o trabalhador e o engenheiro", publicado em *Science*, 105, em 1947, é o capítulo 17 de STSE (na edição de 1968, capítulo 19).

Os editores apresentam este pequeno volume ao público brasileiro de estudantes, pesquisadores e interessados na sociologia da ciência acreditando que ele possa contribuir para um conhecimento maior — necessariamente crítico — do legado de Robert K. Merton aos estudos sobre a ciência e a tecnologia, de modo que ele possa continuar sendo muito citado, mas também razoavelmente lido.

Sylvia Gemignani Garcia

Parte 1:
Fatores externos do surgimento e desenvolvimento da ciência

CAPÍTULO 1

Puritanismo, pietismo e ciência

(1936)

Em seus prolegômenos a uma sociologia da cultura, Alfred Weber discriminou entre os processos da sociedade, da cultura e da civilização (A. Weber, 1920).[1] Como seu interesse primário reside em diferenciar essas categorias de fenômenos sociológicos, Weber, em larga medida, ignora suas inter-relações específicas, um campo de estudo que é fundamental para o sociólogo. É precisamente essa interação entre certos elementos da cultura e da civilização, com especial referência ao século XVII na Inglaterra, que constitui a matéria do presente ensaio.

1 O *éthos* PURITANO

A primeira seção deste ensaio delineia o sistema puritano de valores na medida em que ele esteve relacionado com o notável aumento do interesse na ciência durante a última parte do século XVII, enquanto a segunda seção apresenta os materiais empíricos relevantes no que tange ao cultivo diferenciado da ciência natural por protestantes e por afiliados das outras religiões.

A tese deste estudo é que a ética puritana, enquanto uma expressão típico-ideal das atitudes de valor básicas para o protestantismo ascético em geral, canalizou os interesses dos ingleses no século XVII de modo a constituir-se em um *elemento* importante

---

1 Ver a classificação similar de MacIver (1931, cap. 12), e a discussão desses estudos por Ginsberg (1934, p. 45-52).

na intensificação do cultivo da ciência. Os *interesses*[2] religiosos profundamente enraizados na época demandavam, em suas forçosas implicações, o estudo sistemático, racional e empírico da natureza para a glorificação de Deus em sua obra e para o controle da corrupção do mundo.

É possível determinar a extensão em que os valores da ética puritana estimularam o interesse pela ciência através de um levantamento das atitudes dos cientistas da época. Sem dúvida, há uma possibilidade acentuada de que, no estudo dos motivos professados pelos cientistas, estejamos lidando com racionalizações, com derivações, mais do que com formulações acuradas dos verdadeiros motivos. Embora elas possam aplicar-se a casos específicos isolados nesses exemplos, o valor de nosso estudo não está de modo algum viciado, pois essas racionalizações concebíveis são elas próprias evidências (*Erkenntnismitteln* de Weber) dos motivos que são vistos como socialmente aceitáveis, já que, como expressou Kenneth Burke, "uma terminologia de motivos é moldada para conformar nossa orientação geral aos propósitos, às instrumentalidades, à vida boa etc.".

Robert Boyle foi um dos cientistas que tentaram explicitamente ligar o papel da ciência na vida social com outros valores culturais, particularmente em seu *A utilidade da filosofia natural experimental* (*Usefulness of experimental natural philosophy*), de 1664. Tentativas similares foram igualmente feitas por John Ray,

---

2 "Relevante não é a teoria ética dos compêndios teológicos, que apenas serve (eventualmente de modo importante) como meio de conhecimento, mas antes os estímulos práticos para a ação, fundados sobre os nexos psicológicos e pragmáticos das religiões (sob a 'ética econômica' de uma religião)" (M. Weber, 1920-1921, 1, p. 238). Como indica acertadamente Weber, pode-se reconhecer livremente o fato de que a religião é somente *um* elemento na determinação da ética religiosa, mas, apesar disso, neste momento, a determinação de *todos* os elementos componentes dessa ética é uma tarefa insuperável e, para nossos propósitos, desnecessária. Esse problema aguarda análises futuras e localiza-se fora do escopo deste estudo.

PURITANISMO, PIETISMO E CIÊNCIA

autor de um trabalho pioneiro em história natural, e considerado por Haller como o maior botânico da história da humanidade; Francis Willughby, que foi talvez tão eminente em zoologia quanto Ray em botânica; John Wilkins, um dos líderes espirituais do "colégio invisível" que se desdobrou na Sociedade Real (*Royal Society*); Oughtred, Wallis e outros. Para evidências adicionais, podemos voltar-nos para o corpo científico que, surgindo perto de meados do século, provocou e estimulou o avanço científico mais do que qualquer outra agência imediata: a Sociedade Real. Neste caso, somos particularmente afortunados por termos um relato contemporâneo, escrito sob a constante supervisão dos membros da Sociedade, que deve ser representativo de suas visões, dos motivos e dos objetivos dessa associação. Trata-se do muito lido *História da Sociedade Real de Londres* (*The history of the Royal Society of London*), de Thomas Sprat, publicado em 1667, após ter sido examinado por Wilkins e outros representantes da Sociedade.[3]

Até mesmo um exame sumário desses escritos é suficiente para descortinar um fato notável importante: certos elementos da ética protestante penetraram no domínio do esforço científico e deixaram sua marca indelével nas atitudes dos cientistas em relação a seu trabalho. As discussões sobre a causa e o propósito da ciência mantêm uma correlação ponto a ponto com os ensinamentos puritanos sobre o mesmo tema. Uma força tão dominante como era a religião naqueles dias não foi, e talvez não pudesse ser, compartimentalizada e delimitada. Assim, em sua altamente

---

3 Cf. Sonnichsen (1931), no qual são apresentadas evidências substanciais do fato de que a *History* é representativa das visões da Sociedade Real. É do maior interesse que as afirmações sobre os objetivos da Sociedade no livro de Sprat apresentam, sob qualquer escore, uma distintiva similaridade com as caracterizações de Boyle sobre os motivos e objetivos dos cientistas em geral. Essa similaridade evidencia a dominância do *éthos* que inclui essas atitudes.

qualificada apologia da ciência, Boyle sustenta que o estudo da natureza serve à maior glória de Deus e ao bem do homem.[4] Esse motivo recorre constantemente. A justaposição do espiritual e do material é característica. Essa cultura repousava seguramente em um substrato de normas utilitárias que constituíam a régua de medida de quanto eram desejáveis as várias atividades. A definição da ação como destinada à maior glória de Deus era tênue e vaga, mas os padrões utilitários podiam ser facilmente aplicados.

No início do século, esse tom foi soado na eloquência ressonante daquele "verdadeiro apóstolo das sociedades cultivadas", Francis Bacon. Sem ter realizado nenhuma descoberta científica, incapaz de apreciar a importância de seus grandes contemporâneos, Gilbert, Kepler e Galileu, acreditando ingenuamente na possibilidade de um método científico que "situa todas as capacidades e entendimentos aproximadamente no mesmo nível", um empirista radical que sustentava a matemática não ter uso na ciência, ele foi, apesar de tudo, enormemente bem-sucedido como um dos principais protagonistas de uma avaliação social positiva da ciência e do abandono de um escolasticismo estéril. Como se poderia esperar do filho de uma "mulher educada, eloquente e religiosa, cheia de fervor puritano", que foi admitidamente influenciado pelas atitudes da mãe, ele fala, em *O progresso do conhecimento (Advancement of learning)*, do verdadeiro fim da atividade científica como a "glória do criador e o alívio da condição humana". Como é bastante claro em muitos documentos oficiais e particulares, os ensinamentos de Bacon constituíam os princípios básicos nos quais a Sociedade Real foi moldada, assim não é de estranhar que o mesmo sentimento esteja expresso na carta de fundação da Sociedade.

---

4   Ver Boyle (1664, p. 22 ss.). Cf. também as cartas de William Oughtred (Rigaud, 1841, p. xxxiv ss.), ou as cartas de John Ray (Lankester, 1848, p. 389, 395, 402 ss.).

PURITANISMO, PIETISMO E CIÊNCIA

Em seu último desejo e testamento, Boyle ecoa a mesma atitude, exortando os pares da Sociedade nessa sabedoria: "que eles também tenham um feliz êxito em seus notórios esforços para descobrir a verdadeira natureza das obras de Deus; e rogo que eles e todos os outros pesquisadores das verdades físicas possam cordialmente oferecer suas realizações à glória do grande Autor da natureza e ao conforto da humanidade" (Boyle *apud* Gilbert, 1692, p. 25). John Wilkins proclamou que o estudo experimental da natureza é o meio mais efetivo de provocar no homem a veneração de Deus (Wilkins, 1710, p. 236 ss.). Francis Willughby consentiu em publicar seus trabalhos — que havia evitado até então — somente quando Ray insistiu que isso era um meio de glorificar a Deus (Ray, 1846, p. 14 ss.). O livro de Ray, *A sabedoria de Deus* (*The wisdom of God*) — tão bem recebido que teve cinco grandes edições em cerca de vinte anos — é um panegírico daqueles que glorificam a Deus estudando a Sua obra (1691, p. 126-9 ss.).

Para um moderno, comparativamente intocado pelas forças religiosas, e observando a quase completa separação, se não até oposição, que existe hoje em dia entre a ciência e a religião, a recorrência dessas frases pias pode significar simplesmente um uso costumeiro, sem nada de convicções motivadoras profundamente enraizadas. Para ele, esses excertos poderiam parecer como um caso de *qui nimium probat nihil probat* (quem prova pouco, nada prova). Mas tal interpretação somente é possível quando se negligencia a tradução ao referencial dos valores do século XVII. É claro que um homem como Boyle, que gastou somas consideráveis para ter a Bíblia traduzida em línguas estrangeiras, não estava apenas falando da boca para fora. Como nota muito apropriadamente a esse respeito G. N. Clark,

há (...) sempre uma dificuldade em estimar o grau em que o que nós chamamos de religião adere a qualquer coisa que foi dita em linguagem religiosa no século XVII. Ela não se resolve por ignorar todos os termos teológicos e tratá-los meramente como forma comum. Ao contrário, é mais frequente ser necessário lembrarmo-nos de que essas palavras eram então raramente usadas sem estarem acompanhadas de sentido e que seu uso, em geral, implicava uma intensidade extrema de sentimento. (1929, p. 323)

O segundo dogma dominante no *éthos* puritano designava o bem-estar social, o bem da maioria como um objetivo a ter sempre em mente. Aqui novamente os cientistas da época adotaram um objetivo prescrito pelos valores correntes. A ciência devia ser alimentada e cultivada como conduzindo à dominação da natureza por meio da invenção tecnológica. A Sociedade Real, conta-nos seu historiador mais honorável, "não pretendia limitar-se a nenhum benefício particular, mas ir à raiz de todas as nobres invenções" (Sprat, 1667, p. 78-9). Mas aqueles experimentos que nada trazem de ganho imediato não devem ser condenados, pois, como declarou o nobre Bacon, os experimentos luminíferos conduzem, em última instância, a todo um conjunto de invenções úteis para a vida e a condição humanas. Esse poder da ciência de melhorar a condição material do homem, continua ele, é, além de seu valor puramente mundano, um bem à luz da doutrina evangélica da salvação de Jesus Cristo.

Do mesmo modo, nos dogmas do puritanismo havia a mesma correlação ponto a ponto entre eles e os atributos, metas e resultados da ciência. Esse era o combate dos protagonistas da ciência naquele tempo. O puritanismo simplesmente articulou os valores básicos do período. Se o puritanismo demanda trabalho metódico, sistemático, e diligência constante, o que, pergunta Sprat, pode ser mais ativo, industrioso e sistemático que a arte do experimento, que "nunca pode ser concluída pelo trabalho perpétuo de um só homem nem pelo esforço sucessivo da maior assembleia?" (Sprat, 1667, p. 341-2). Há aqui trabalho suficiente para a mais

PURITANISMO, PIETISMO E CIÊNCIA

infatigável indústria, pois mesmo os mais recônditos tesouros da natureza podem ser descobertos com esforço e paciência (cf. Ray, 1691, p. 125).

O puritano evita o ócio porque ele conduz a pensamentos pecaminosos (ou porque ele interfere na busca da vocação de cada um)? "Que espaço pode haver para as coisas baixas e pequenas em uma mente tão útil e exitosamente empregada [como na filosofia natural]?" (Sprat, 1667, p. 344-5). As peças teatrais e os livros de teatro são perniciosos e para a satisfação da carne (e subvertem empreendimentos mais sérios)? (Baxter, 1825 [1664], 1, p. 152; 2, p. 167).[5] Então, essa é a "estação mais apropriada para o surgimento dos experimentos, para ensinar-nos a sabedoria que escorre das profundezas do conhecimento, para abalar as trevas e dissipar as névoas [das distrações espirituais produzidas pelo teatro]" (Sprat, 1667, p. 362). E finalmente não se deve preferir uma vida de atividade séria no mundo ao ascetismo monástico? É reconhecido, assim, o fato de que o estudo da filosofia natural "não nos serve muito bem para o segredo do claustro: esse estudo nos torna subservientes ao mundo" (Sprat, 1667, p. 365-6).[6] Em suma, a ciência incorpora dois valores altamente prezados: o utilitarismo e o empirismo.

Em certo sentido, essa coincidência explícita entre os dogmas puritanos e as qualidades da ciência como uma vocação é casuís-

---

5   Ver Robert Barclay, o apologista *quaker*, que sugere especificamente "experimentos matemáticos e geométricos" como diversões inocentes a serem praticadas em vez das perniciosas peças de teatro (cf. Barclay, 1805 [1675], p. 554-5).

6   Com perspicácia Sprat sugere que o ascetismo monástico induzido por escrúpulos religiosos foi parcialmente responsável pela falta de empirismo dos escolásticos. "Mas que tipos lamentáveis de filosofia deviam produzir as necessidades dos escolásticos, quando fazia parte de sua religião afastarem-se, tanto quanto podiam, da conversão da humanidade? Quando estavam tão longe de serem capazes de descobrir os segredos da natureza, que eles pouco tinham a oportunidade de olhar suficientemente para suas obras comuns?" (Sprat, 1667, p. 19).

tica. Ela é uma tentativa expressa de adequar o cientista, *qua* leigo crente, ao referencial dos valores sociais prevalecentes.

Ela é um convite à sanção religiosa e social, pois tanto a posição constitucional como a autoridade pessoal do clero eram muito mais importantes então do que são agora. Mas esta não é toda a explicação. Os esforços justificatórios de Sprat, Wilkins, Boyle ou Ray não constituem simplesmente um obséquio oportunista, mas são antes uma tentativa séria de justificar os caminhos da ciência perante Deus. A Reforma transferiu o ônus da salvação individual da Igreja para o indivíduo, e é esse "senso de responsabilidade, irresistível e esmagador, por sua própria alma" que explica o agudo interesse religioso. Se a ciência não fosse demonstravelmente uma vocação legítima e desejável, ela não teria merecido a atenção daqueles que se sentem "sempre sob o olho do Grande Mestre" (*Taskmaster*). É a essa intensidade de sentimento que são devidas essas apologias.

A exaltação da faculdade da razão no *éthos* puritano — baseada parcialmente na concepção da racionalidade como um estratagema refreador das paixões — conduziu inevitavelmente a uma atitude simpática para com aquelas atividades que demandam a aplicação constante do raciocínio rigoroso. Mas, contrastando novamente com o racionalismo medieval, a razão é julgada subserviente ao empirismo e sua auxiliar. Sprat é rápido em indicar a proeminente adequação da ciência a esse respeito (cf. Sprat, 1667, p. 361).[7] É nesse ponto provavelmente que o puritanismo e a têmpera científica estão na mais saliente concordância, pois a combinação de racionalismo e empirismo que é tão pronunciada na ética puritana

---

7   De um modo bem representativo dos puritanos, Baxter desacredita a intromissão do "entusiasmo" na religião. A razão deve "manter sua autoridade no comando e governo de seus pensamentos" (Baxter, 1825 [1664], 2, p. 199). Com um espírito semelhante, aqueles que cerraram fileiras com Wilkins para lançar as fundações da Sociedade Real "estavam invencivelmente armados contra todos os encantamentos do entusiasmo" (Sprat, 1667, p. 53).

PURITANISMO, PIETISMO E CIÊNCIA

constitui a essência do espírito da ciência moderna. O puritanismo foi inundado pelo racionalismo neoplatônico, amplamente derivado de uma modificação apropriada dos ensinamentos de Agostinho. Mas não parou nisso. Associada à já referida necessidade de tratar com êxito das questões práticas da vida no interior deste mundo — uma derivação a partir da peculiar reviravolta geralmente produzida pela doutrina calvinista da predestinação e pela *certitudo salutis* (certeza da salvação) da atividade mundana exitosa — encontrava-se uma ênfase no empirismo. Essas duas correntes levadas à convergência pela lógica de um sistema de valores inerentemente consistente estavam de tal modo associadas com os outros valores da época que prepararam o caminho para a aceitação de uma coalescência similar na ciência natural.

O empirismo e o racionalismo eram, por assim dizer, canonizados, beatificados. Pode muito bem acontecer que o *éthos* puritano não tenha influenciado diretamente o método da ciência e de que isso tenha sido simplesmente um desenvolvimento paralelo na história interna da ciência, mas é evidente que, por meio da compulsão psicológica para certos modos de pensamento e conduta, esse complexo valorativo tornou recomendável uma ciência empiricamente fundada, ao invés de, como no período medieval, repreensível ou, quando muito, aceitável por tolerância. Isso não podia mais do que dirigir alguns talentos para os campos científicos que, de outro modo, ter-se-iam engajado em profissões mais consideradas. O fato de que hoje a ciência seja ampla, se não completamente, divorciada das sanções religiosas é em si mesma interessante como um exemplo do processo de secularização.

O começo dessa secularização, vagamente perceptível no final da Idade Média, manifesta-se no *éthos* puritano. Foi nesse sistema de valores que a razão e a experiência foram de início notoriamente consideradas como meios independentes de asseverar até mesmo as verdades religiosas. A fé que não é questionável e "racionalmente ponderada", diz Baxter, não é fé, mas um sonho, fantasia ou opinião. Com efeito, isso concede à ciência um poder que pode afinal limitar aquele da teologia.

Assim, uma vez que esses processos são claramente entendidos, não é surpreendente ou inconsistente que Lutero em particular, e Melanchton menos intensamente, tenham execrado a cosmologia de Copérnico, e que Calvino tenha reprovado a aceitação de muitas descobertas científicas de sua época, enquanto a ética religiosa que se originava desses líderes convidava à investigação da ciência natural.[8] Enquanto as atitudes dos teólogos dominaram a ética religiosa, com efeito subversiva — como ocorreu com a autoridade de Calvino em Genebra até o início do século XVIII —, a ciência pôde ser amplamente impedida. Mas com o relaxamento dessa influência hostil e o desenvolvimento de uma ética, que se originou nela, mas, ainda assim, dela diferia significativamente, a ciência tomou nova vida, como foi de fato o caso em Genebra.

Talvez o elemento mais diretamente efetivo da ética protestante para a sanção da ciência natural tenha sido aquele que sustentava que o estudo da natureza permite uma apreciação completa de Seus trabalhos, conduzindo, assim, a admirar o poder, a sabedoria e a

---

8 Com base nessa análise, é surpreendente notar a enunciação creditada a Max Weber de que a oposição dos reformadores é uma razão suficiente para não acoplar o protestantismo com os interesses científicos (cf. M. Weber, 1924, p. 314). Essa consideração é particularmente imprevista, uma vez que ela não concorda em absoluto com a discussão que Weber faz do mesmo ponto em outros trabalhos (cf. 1920-1921, 1, p. 141, 564; 1921, p. 19-20). A provável explicação é que a primeira não é uma enunciação de Weber, uma vez que o *Wirtschatsgeschichte* foi compilado a partir de notas de aula de dois de seus estudantes que podem ter negligenciado as distinções necessárias. É improvável que Weber tivesse feito o erro elementar de confundir a oposição dos reformadores a certas descobertas científicas com as consequências imprevistas da ética protestante, particularmente porque ele alerta expressamente para a falha de deixar de fazer tais discriminações em seu *Religionssoziologie*. Para antecipações perceptivas, porém vagas, da hipótese de Weber, ver Comte (1864, 4, p. 127-30).

bondade de Deus, tal como se manifesta em Sua criação. Embora essa concepção não fosse desconhecida do pensamento medieval, as consequências que dela se deduziam eram inteiramente diferentes. Assim, Arnaldus de Villanova, ao estudar os produtos da oficina divina, adere estritamente ao ideal medieval de determinar as propriedades dos fenômenos por meio de *tabelas* (nas quais todas as combinações são estabelecidas segundo os cânones da lógica). Mas, no século XVII, a ênfase da época no empirismo conduziu a investigar a natureza primariamente através da observação (cf. Pagel, 1935, p. 214-5). Essa diferença na interpretação de, substancialmente, a mesma doutrina somente pode ser entendida à luz dos diferentes valores que permeiam as duas culturas.

Para Barrow, Boyle ou Wilkins, Ray ou Grew,[9] a ciência encontra seu fundamento, ao final e durante toda a existência, na glorificação de Deus. Assim, para Boyle,

(...) o amor de Deus, como Ele merece, [deve] ser honrado em todas as nossas faculdades e, consequentemente, ser glorificado e reconhecido pelos atos da razão, assim como por aqueles da fé, deve certamente existir uma grande disparidade entre aquela ideia geral, confusa e indolente, que comumente temos de Seu poder e sabedoria, e as noções distintas, racionais e efetivas daqueles atributos, que são formadas por uma inspeção atenta daquelas criaturas em que eles são mais legíveis, e que foram feitas principalmente para esse mesmo fim. (Boyle, 1664, p. 53)

Ray leva essa concepção a sua conclusão lógica, pois, se a natureza é a manifestação de Seu poder, então nada na natureza está

---

9   Cf. Ray (1691, p. 132); Wilkins (1710, p. 236 ss.); Barrow (1697, 4, p. 88 ss.); Grew (1701). Este último autor observa que "Deus é o Fim original" e que "estamos obrigados a estudar Seus trabalhos".

impedido de ser estudado pela ciência (Ray, 1691, p. 130 ss.).[10] O universo e o inseto, o macrocosmo e o microcosmo são igualmente indicações da "razão divina, escorrendo como um veio áureo por toda a mina plúmbea da natureza bruta".

Até este ponto estivemos preocupados principalmente com a sanção da ciência diretamente sentida pelos valores puritanos. Enquanto isso teve grande influência, existiu outro tipo de relação que, por mais sutil e de difícil apreensão que seja, teve talvez igual significação. Relaciona-se à preparação de um conjunto de supostos que produziram a pronta aceitação da têmpera científica característica do século XVII e dos séculos subsequentes. Não se trata simplesmente de que o puritanismo envolvia implicitamente a livre investigação, *libre examen*, ou depreciava o ascetismo monástico. Esses aspectos são importantes, mas não exaustivos.

Tornou-se manifesto que, em cada época, existe um sistema de ciência que descansa sobre um conjunto de suposições, usualmente implícito e raramente questionado pelos cientistas da época (cf. Heath, 1927, p. 133 ss.; Burtt, 1925). A suposição *básica* da ciência moderna "é uma convicção difundida, instintiva, na existência de uma *ordem das coisas* e, em particular, de uma ordem da natureza" (Whitehead, 1931, p. 5 ss.). Essa crença, essa fé — pois pelo menos desde Hume ela deve ser reconhecida como tal — é simplesmente "inacessível à demanda de uma racionalidade consistente". Nos sistemas de pensamento científico de Galileu, Newton e seus sucessores, o testemunho do experimento é o critério último de verdade, mas a própria noção de experimento é cancelada sem a suposição prévia de que a natureza constitui uma ordem inteligível, de modo que, quando as questões apropriadas são formuladas, ela, por assim dizer, responderá. Logo, essa suposição é

---

10 Max Weber atribui a Swammerdam a frase: "aqui lhes apresento a prova da providência divina na anatomia de um piolho" (M. Weber, 1921, p. 19).

PURITANISMO, PIETISMO E CIÊNCIA

final e absoluta (Burtt, 1927, p. 139).[11] Como indicou o professor Whitehead, essa "fé na possibilidade da ciência, gerada com antecedência ao desenvolvimento da teoria científica moderna, é uma derivação inconsciente da teologia medieval". Mas essa convicção, por mais que seja pré-requisito da ciência moderna, não foi suficiente para induzir seu desenvolvimento. Era necessário um interesse constante na procura por essa ordem na natureza de uma maneira empírico-racional, isto é, um interesse *ativo* neste mundo e suas ocorrências, mais que uma disposição específica da mente. Com o protestantismo, a religião proporcionava esse interesse: ela efetivamente impunha obrigações de intensa concentração sobre a atividade secular, com ênfase na experiência e na razão como bases para a ação e para a crença.

Mesmo a Bíblia, enquanto autoridade final e completa, estava sujeita à interpretação individual nessas bases. A similaridade desse sistema com aquele da ciência da época, em abordagem e atitude intelectual, é mais do que um interesse passageiro. Ele não podia deixar de moldar uma atitude de olhar para o mundo dos fenômenos sensíveis que contribuiu amplamente para a pronta aceitação e, de fato, preparação para a mesma atitude na ciência. Que essa similaridade está profundamente enraizada e não é superficial pode ser obtido do seguinte comentário sobre a teologia de Calvino:

> Os pensamentos são objetivados, construídos e rematados na forma de um sistema objetivo de ensino. Torna-se praticamente uma imagem exata; ela é clara, de fácil compreensão e formulação, como tudo o que pertence ao mundo exterior, mais claramente modelável do que aquilo que se passa nas profundezas. (H. Weber, 1930, p. 23)

---

11   Para a exposição clássica da fé científica, ver as "Regras para raciocinar na filosofia" de Newton em seu *Principia* (1729, 2, p. 160 ss.).

A convicção na lei imutável é tão pronunciada na teoria da predestinação como na investigação científica: "a lei imutável está aí e deve ser reconhecida" (H. Weber, 1930, p. 31).[12] A similaridade entre essa concepção e a suposição científica é claramente extraída por Hermann Weber:

(...) ter atingido a doutrina da predestinação em seu núcleo mais profundo, quando ela é compreendida como um fato no sentido dado pela ciência natural, porém, o princípio superior, que também está subjacente a todo o complexo de manifestações das ciências naturais, é a *gloria dei* vivenciada de modo intenso. (H. Weber, 1930, p. 31)

O ambiente cultural estava permeado com essa atitude para com os fenômenos naturais que derivava tanto da ciência como da religião e que ampliava a contínua prevalência das concepções características da nova ciência.

Falta completar uma parte supremamente importante deste estudo. Não é uma verificação suficiente de nossa hipótese que as atitudes intelectuais induzidas pela ética protestante eram favoráveis à ciência. Nem tampouco que a motivação conscientemente expressa por muitos cientistas eminentes era proporcionada por essa ética. Muito menos ainda que a disposição de pensamento que é característica da ciência moderna, a saber, a combinação de empirismo e racionalismo e a fé na validade do postulado básico de uma ordem apreensível na natureza, é mais do que uma congruência fortuita com os valores envolvidos no protestantismo. Tudo isso não pode mais do que proporcionar alguma evidência de certa probabilidade da conexão que estamos defendendo. O

---

12 A significação da doutrina da presciência de Deus para o reforço da crença na lei natural é observada por Buckle (1925, p. 482).

teste mais significativo da hipótese será encontrado no confronto dos resultados *deduzidos* da hipótese com os dados empíricos relevantes. Se a ética protestante envolvia um conjunto de atitudes favoráveis à ciência e à tecnologia de tantas maneiras, então deveríamos encontrar entre os protestantes maior propensão para esses campos de esforço do que se poderia esperar simplesmente com base em sua representação na população total. Além disso, se, como frequentemente se sugeriu,[13] a impressão deixada por essa ética durou até muito depois que sua base teológica foi amplamente desacreditada, então mesmo em períodos subsequentes ao século XVII, essa conexão do protestantismo com a ciência deveria persistir em algum grau. A seção seguinte estará, então, dedicada a esse teste ulterior da hipótese.

2 O ÍMPETO PURITANO PARA A CIÊNCIA

Nos primeiros tempos da Sociedade Real, encontra-se um nexo estreito entre ciência e sociedade. A própria Sociedade originara--se de um interesse anterior na ciência e as atividades subsequentes de seus membros proporcionaram um considerável ímpeto ao posterior avanço científico. O início desse grupo situa-se nos encontros ocasionais de adeptos da ciência em 1645 e nos anos seguintes. Entre os principais espíritos estavam John Wilkins, John Wallis e, logo a seguir, Robert Boyle e Sir William Petty; para todos eles, as forças religiosas parecem ter tido uma influência singularmente forte.

---

13 Como Troeltsch afirma: "o mundo atual não vive pela consistência lógica mais do que qualquer outro, as forças espirituais podem exercer uma influência dominante mesmo onde elas são abertamente repudiadas" (Troeltsch, 1911, p. 22; cf. Harkness, 1931, p. 7 ss.).

Wilkins, posteriormente bispo anglicano, foi educado na casa de seu avô materno, John Dod, um proeminente teólogo não conformista, e "sua primeira educação forneceu-lhe um forte viés para os princípios puritanos" (Ray, 1846, p. 18-9; cf. Henderson, 1910, p. 36).[14] A influência de Wilkins como diretor do *Wadham College* foi profunda; em sua direção, vieram Ward, Rooke, Wren, Sprat e Walter Pope (seu meio-irmão), todos os quais foram membros originais da Sociedade Real (cf. Henderson, 1910, p. 72-3). John Wallis, de cuja *Arithmetica infinitorum* Newton era reconhecidamente devedor em muitas de suas principais concepções matemáticas, era um clérigo com fortes inclinações para os princípios puritanos. O pietismo de Boyle já foi notado; como ele disse, a única razão pela qual não fez a ordenação sacerdotal foi devida à "ausência de um chamado interior" (*Dictionary of national biography*, 2, p. 1028).[15]

Thedore Haak, o virtuoso alemão que teve uma parte tão proeminente na formação da Sociedade Real, era um calvinista declarado. Denis Papin, que durante sua prolongada estada na Inglaterra contribuiu notavelmente para a ciência e a tecnologia, era um calvinista francês forçado a deixar seu país para evitar a perseguição religiosa. Thomas Sydenham, algumas vezes denominado de "o Hipócrates inglês", era um puritano ardente que lutou como um dos homens de Cromwell e, em seus escritos, evidencia abertamente as influências do puritanismo. De Sir Robert Moray,

---

14 Além disso, após Wilkins tomar os votos sagrados, tornou-se capelão de Lord Viscount Say and Seale, um puritano resoluto e praticante.

15 Essa razão, efetiva também para que Sir Samuel Morland se voltasse para a matemática antes que para o ministério, é um exemplo do trabalho direto da ética protestante que, tal como esposada por Baxter, por exemplo, sustentava que apenas aqueles que sentem um "chamado interior" devem entrar no clero, e que os outros podem servir melhor à sociedade adotando outras atividades seculares reconhecidas (cf. Morland, 1841, p. 116 ss.).

PURITANISMO, PIETISMO E CIÊNCIA

descrito por Huyghens como a "alma da Sociedade Real", podia-se dizer que "a religião era o motivo principal de sua vida e, entre cortes e batalhas, ele dispendia várias horas por dia em devoção" (*Dictionary of national biography*, 13, p. 1299).

Não é uma circunstância fortuita que as principais figuras desse grupo nuclear da Sociedade Real sejam clérigos ou iminentes homens de religião, embora não seja totalmente correto manter, como fez o doutor Richardson, que o começo da Sociedade Real ocorreu com um pequeno grupo de homens letrados dentre os quais predominavam os clérigos puritanos (cf. Richardson, 1928, p. 177). Mas é claramente verdade que os espíritos originadores da Sociedade estavam marcadamente influenciados pelas concepções puritanas.

A diretora Dorothy Stimson, em um artigo recentemente publicado, chegou independentemente a essa mesma conclusão (cf. Stimson, 1935). Ela aponta que dos dez homens que constituíam o "colégio invisível" em 1645, apenas um, Scarbrough, não era claramente puritano. Acerca de dois dos outros membros existe alguma incerteza, embora Merret tivesse um treinamento puritano. Todos os outros eram definitivamente puritanos. Além disso, na lista original de membros da Sociedade Real em 1663, 42 dos 68, a respeito dos quais há informação disponível sobre a orientação religiosa, eram claramente puritanos. Considerando que os puritanos constituíam uma minoria relativamente pequena da população inglesa, o fato de constituírem 62 por cento dos membros iniciais da Sociedade Real torna-se ainda mais surpreendente. A diretora Stimson conclui: "que a ciência experimental tenha se difundido tão rapidamente, como na Inglaterra do século XVII, parece-me ser, pelo menos em parte, porque os puritanos moderados a encorajaram".

Robert K. Merton

3 A INFLUÊNCIA PURITANA NA EDUCAÇÃO CIENTÍFICA

Essa relação tampouco era evidenciada somente entre os membros da Sociedade Real. A ênfase dos puritanos no utilitarismo e no empirismo manifestava-se igualmente no tipo de educação que eles introduziram e fomentaram. O "longo trabalho gramático formal" das escolas era criticado por eles, assim como o formalismo da Igreja.

Entre os puritanos que tão consistentemente se esforçaram para introduzir a nova educação realista, utilitária e empírica na Inglaterra, Samuel Hartlib foi proeminente. Ele constituía o vínculo de conexão entre os vários educadores protestantes na Inglaterra e na Europa que procuravam seriamente expandir o estudo acadêmico da ciência. Foi para Hartlib que Milton endereçou seu tratado sobre a educação e a quem Sir William Petty dedicou sua "Advertência (...) para o avanço de algumas partes particulares do ensino", a saber, a ciência, a tecnologia e a manufatura. Além disso, Hartlib foi decisivo para a transmissão das ideias educacionais de Comenius e para levá-lo à Inglaterra.

O reformista boêmio, John Amos Comenius, foi um dos mais influentes educadores desse período. As normas do utilitarismo e do empirismo, que ele promulgava, eram básicas para o sistema de educação; eram valores que somente podiam conduzir a uma ênfase no estudo da ciência e da tecnologia, dos *realia* (cf. Dilthey, 1934, p. 163 ss.). Em seu trabalho mais influente, *Didactica magna*, ele sumariza suas concepções:

> (...) a tarefa do discípulo será tornada mais fácil se o mestre, quando lhe ensina sobre tudo, mostrar-lhe ao mesmo tempo sua aplicação prática na vida cotidiana. Esta regra deve ser cuidadosamente observada ao ensinar as línguas, a dialética, a aritmética, a geometria, a física etc.
>
> (...) a verdade e a certeza da ciência dependem mais do teste-

32

munho dos sentidos do que de todo o resto. Pois as coisas se imprimem diretamente nos sentidos, mas no entendimento apenas mediatamente e através dos sentidos (...). A ciência, então, aumenta em certeza na proporção em que depende da percepção sensorial. (Comenius, 1896, p. 292, 337; cf. também p. 195, 302, 329, 341)

Comenius foi bem recebido entre os educadores protestantes da Inglaterra que subscreviam os mesmos valores, indivíduos como Hartlib, John Dury, Wilkins e Haak (cf. Young, 1932, p. 5-9). A pedido de Hartlib, Comenius foi à Inglaterra com o propósito expresso de tornar realidade a Casa de Salomão de Bacon. Como o próprio Comenius considera: "nada parecia mais certo do que levar a efeito o esquema do grande Verulamo de abrir em alguma parte do mundo um colégio universal, cujo único objeto fosse o progresso das ciências" (Comenius, 1657, 2, prefácio). Mas esse objetivo foi frustrado pela desordem social decorrente de uma rebelião na Irlanda. Contudo, o desígnio puritano de fazer avançar a ciência não ficou inteiramente sem frutos. Cromwell fundou a única nova universidade inglesa instituída entre a Idade Média e o século XIX, a Universidade de Durham, "para todas as ciências" (cf. Hayward, 1934, p. 206-30, 315). E em Cambridge, durante o máximo da influência puritana por lá, o estudo da ciência foi consideravelmente ampliado (cf. Mullinger, 1867, p. 180-1 ss.).

No mesmo sentido, o puritano Hezekiah Woodward, um amigo de Hartlib, enfatizou o realismo (coisas, não palavras) e o ensino das ciências (Parker, 1914, p. 24). De modo a iniciar o estudo da nova ciência em uma escala muito mais ampliada do que se havia feito até então, os puritanos instituíram um grande número de academias dissentes. Estas últimas eram escolas da universidade que foram abertas em várias partes do reino. Uma das primeiras dessas academias foi a Academia Morton, onde existia um pronunciado esforço dedicado aos estudos científicos. Charles Morton foi posteriormente para a Nova Inglaterra, onde foi escolhido como vice-presidente do *Harvard College*, no qual "ele introduziu os sistemas de ciência que ele utilizava na Inglaterra" (Parker, 1914, p. 62). Na influente Academia de Northampton, outro dos centros educacionais puritanos, a mecânica, a hidrostática, a física, a anatomia e a astronomia tinham um importante lugar no currículo escolar. Esses estudos eram amplamente realizados com a ajuda de experimentos e observações reais.

Mas a ênfase marcante posta pelos puritanos na ciência e na tecnologia pode ser talvez mais bem apreciada por uma comparação entre as academias puritanas e as universidades. Estas últimas, mesmo após terem introduzido assuntos científicos, continuavam a dar uma educação essencialmente clássica; os estudos verdadeiramente culturais eram aqueles que, se não inteiramente inúteis, eram pelo menos definitivamente não utilitários em seu propósito. As academias, por oposição, sustentavam que uma educação verdadeiramente liberal era uma educação que estava "ligada à vida" e que deveria, portanto, incluir tanto quanto possível assuntos utilitários. Como afirma a doutora Parker,

(...) a diferença entre os dois sistemas educacionais é vista não tanto na introdução, nas academias, de assuntos e métodos "modernos", como no fato de que, entre os inconformistas, existia um sistema totalmente diferente em funcionamento do que aquele encontrado nas universidades. O espírito que anima os dissentes era aquele que havia movido Ramus e Comenius na França e na Alemanha e que, na Inglaterra, tinha estimulado Bacon e posteriormente Hartlib e seu círculo. (Parker, 1914, p. 133-4)

Essa comparação das academias puritanas na Inglaterra e os desenvolvimentos educacionais protestantes no continente é bem conhecida. As academias protestantes na França devotavam muito mais atenção aos assuntos científicos e utilitários do que faziam as instituições católicas (cf. Bourchenin, 1882, p. 445 ss.). Quando os católicos retomaram muitas das academias protestantes, o estudo da ciência foi consideravelmente diminuído (cf. Nicholas, 1858). Além disso, como veremos, mesmo na França predominantemente católica, muito do trabalho científico estava sendo feito pelos protestantes. Os exilados protestantes da França incluíam um grande número de importantes cientistas e inventores (cf. Agnew, 1866, p. 210 ss.).

4 A INTEGRAÇÃO VALORATIVA DO PURITANISMO E DA CIÊNCIA

Obviamente o mero fato de que um indivíduo seja nominalmente católico ou protestante não tem relação com suas atitudes para com a ciência. É somente quando ele adota os dogmas e implicações dos ensinamentos que sua filiação religiosa torna-se importante. Por exemplo, foi somente quando Pascal se converteu completamente aos ensinamentos de Jansenius que ele percebeu a "futilidade da ciência". Pois Jansenius mantinha de modo característico que, acima de tudo, devemos ter cuidado com aquele vão amor pela ciência, que, embora aparentemente inocente, é realmente uma cilada "que leva o homem a afastar-se da contemplação das verdades eternas e de aquietar-se satisfeito com a inteligência finita" (Boutroux, 1902, p. 16). Uma vez convertido a essas crenças, Pascal resolveu "dar um fim a todas essas investigações científicas às quais se tinha anteriormente dedicado" (Boutroux, 1902, p. 17; cf. Chevalier, 1930, p. 143).[16] É a firme aceitação dos

---

16 "Vaidade das ciências. A ciência das coisas externas não me consolará da ignorância da ética em tempos de aflição, mas a ciência da moral sempre me consolará da ignorância das ciências externas" (Pascal, 1884, p. 224, § xxvii).

valores básicos aos dois credos que dá conta da diferença nas respectivas contribuições científicas de católicos e protestantes. A mesma associação de protestantismo e ciência foi marcante no Novo Mundo. Os correspondentes e membros da Sociedade Real que viviam na Nova Inglaterra eram "todos treinados no pensamento calvinista" (Stimson, 1935, p. 332). Os fundadores de Harvard originaram-se dessa cultura calvinista, e não da era literária do Renascimento ou do movimento científico do século XVII, e suas mentes eram mais facilmente conduzidas para este último canal de pensamento do que para o renascentista (cf. Perrin, 1934, p. 724). Essa predileção dos puritanos pela ciência também é notada pelo professor Morison, que afirma que "os clérigos puritanos, ao invés de se oporem à aceitação da teoria copernicana, foram os principais patronos e promotores da nova astronomia e de outras descobertas científicas, na Nova Inglaterra" (cf. Morison, 1934; Shipton, 1935). É significativo que o jovem John Winthrop, de Massachusetts, posteriormente membro da Sociedade Real, tenha chegado a Londres em 1641, onde provavelmente passou algum tempo com Hartlib, Dury e Comenius. Aparentemente, ele sugeriu a Comenius que fosse à Nova Inglaterra e fundasse ali um colégio científico (cf. Young, 1932, p. 7-8). Alguns anos mais tarde, Increase Mather (reitor do *Harvard College* em 1684-1701) efetivamente fundou uma "Sociedade Filosófica" em Boston (cf. Young, 1932, p. 95).

O conteúdo científico do programa educacional de Harvard derivava, em grande medida, do protestante Pedro Ramus (cf. Perrin, 1934, p. 723-4). Ramus tinha formulado um currículo educacional que, em oposição àquele das universidades católicas, dava grande importância ao estudo das ciências (cf. Ziegler, 1895, 1, p. 108).[17] Suas ideias foram bem-aceitas nas universidades pro-

---

17 Ziegler indica que enquanto as instituições católicas francesas da época dedi-

testantes do continente, em Cambridge (que tinha um elemento puritano e científico maior que Oxford)[18] e, posteriormente, em Harvard, mas foram firmemente denunciadas nas várias instituições católicas (cf. Schreiber, 1857-1868, 2, p. 135).[19] O espírito de utilitarismo e "realismo" da Reforma provavelmente dá conta de modo amplo da recepção favorável das concepções de Ramus.

5 A INTEGRAÇÃO VALORATIVA DO PIETISMO E DA CIÊNCIA

A doutora Parker nota que as academias puritanas na Inglaterra

> podem ser comparadas às escolas do pietismo na Alemanha que, sob Francke e seus seguidores, prepararam o caminho para as *Realschulen*, pois não pode haver dúvida de que assim como os pietistas continuaram o trabalho de Comenius na Alemanha, assim também os dissentes puseram em prática as teorias dos seguidores ingleses de Comenius, Hartlib, Milton e Petty. (Parker, 1914, p. 135)

A significação dessa comparação é profunda, pois, como se observou com frequência, os valores e princípios do puritanismo e do pietismo são quase idênticos. Cotton Mather reconheceu a

---

cavam apenas a sexta parte do currículo para a ciência, Ramus dedicava toda uma metade dele aos estudos científicos.

18 David Masson denomina apropriadamente Cambridge a *alma mater* dos puritanos. Ao listar vinte destacados clérigos puritanos na Nova Inglaterra, Masson encontrou que dezessete deles foram alunos de Cambridge, enquanto apenas três vinham de Oxford (cf. Masson, 1875, 2, p. 563 *apud* Stimson, 1935, p. 332; cf. Mallet, 1924, 2, p. 147).

19 Por exemplo, na universidade jesuíta de Freiburg, Ramus só podia ser referido para ser refutado e "nenhuma cópia de seus livros deve ser encontrada nas mãos de um estudante".

Robert K. Merton

íntima semelhança dos dois movimentos protestantes, dizendo que "o puritanismo americano é tão parecido com o pietismo fredericano" que eles podem ser considerados virtualmente idênticos (cf. Francke, 1896; cf. também a discussão concludente deste ponto por Max Weber, 1930, p. 132-5). O pietismo, exceto por seu grande "entusiasmo", poderia quase ser tomado como a contraparte continental do puritanismo. Portanto, se nossa hipótese da associação entre o puritanismo e o interesse na ciência e na tecnologia for válida, esperar-se-ia encontrar a mesma correlação entre os pietistas. E esse é claramente o caso.

Os pietistas da Alemanha e de outros lugares entraram em íntima aliança com a "nova educação", com o estudo da ciência e da tecnologia, dos *realia* (cf. Paulsen, 1908, p. 104 ss.). Os dois movimentos tinham em comum o ponto de vista realista e prático, combinado com uma intensa aversão à especulação dos filósofos aristotélicos. Nas concepções educacionais dos pietistas, eram fundamentais os mesmos valores utilitários e empíricos enraizados que atuavam nos puritanos.[20] Era com base nesses valores que os líderes pietistas August Hermann Francke, Comenius e outros seguidores enfatizavam a nova ciência.

Francke notou repetidamente a desejabilidade de familiarizar os estudantes com o conhecimento científico prático.[21] Ele e seu colega Christian Thomasius posicionaram-se contra o poderoso

---

20 "O objetivo da educação [entre os pietistas] é a utilidade prática do aluno para o bem comum. A forte influência do elemento utilitarista (...) diminui o perigo do exagero do elemento religioso e garante ao movimento a sua significação para o futuro próximo" (Heubaum, 1905, p. 90).

21 Durante as caminhadas nos campos, diz Francke, o instrutor deve "contar histórias úteis e edificantes ou apresentar algo da física dos seres vivos e das obras de Deus (...) o gabinete de história natural serve para familiarizar os alunos, em suas horas livres e acompanhados pelo médico local, com os fenômenos das ciências naturais, com os minerais, os tipos de rocha e, aqui e ali, com os experimentos" (Francke *apud* Heubaum, 1905, p. 89, 94).

PURITANISMO, PIETISMO E CIÊNCIA

movimento educacional desenvolvido por Christian Weise, que advogava, primeiro, o treinamento em oratória e nos clássicos, e depois "introduzir as disciplinas modernas negligenciadas, que servem a seu propósito mais adequadamente, estudos tais como a biologia, a física, a astronomia e coisas assim" (Heubaum, 1905, p. 136).

Onde quer que o pietismo difundisse sua influência no sistema educacional, seguia-se uma introdução em larga escala de assuntos científicos e técnicos (cf. Heubaum, 1905, p. 176 ss.). Assim, Francke e Thomasius construíram os fundamentos da Universidade de Halle, que foi a primeira universidade alemã a introduzir um treinamento completo em ciências (cf. Pinson, 1934, p. 18).[22] Todos os principais professores, tais como Friedrich Hoffman, Ernst Stahl (professor de química e famoso por sua influente teoria do flogístico), Samuel Stryk e, obviamente, Francke, mantinham as mais íntimas relações com o movimento pietista. Todos eles visavam caracteristicamente desenvolver o ensino da ciência e aliar a ciência com as aplicações práticas.

Não apenas Halle, mas outras universidades pietistas também manifestavam as mesmas ênfases. Könisberg, tendo caído sob a influência pietista da Universidade de Halle por meio das atividades do discípulo de Francke, Gehr, adotou muito cedo as ciências naturais e físicas no sentido moderno do século XVII (cf. Heubaum, 1905, p. 153). A Universidade de Göttingen, um ramo de Halle, foi famosa essencialmente pelo grande progresso que produziu no cultivo das ciências (cf. Paulsen, 1908, p. 120-1). A universidade calvinista de Heidelberg foi igualmente proeminente por instituir, em grande medida, os estudos científicos (cf. Heubaum, 1905, p. 60). Finalmente, a Universidade de Altdorf, nessa época a mais notável por seu interesse na ciência, era uma universidade

---

22 Segundo Heubaum (1905, p. 118), "Halle foi a primeira universidade alemã de peculiar formato científico e nacional (...)".

protestante submetida à influência pietista (cf. Günther, 1881, p. 9). Heubaum sumariza esses desenvolvimentos afirmando que o progresso essencial no ensino da ciência e da tecnologia ocorreu nas universidades protestantes e, mais precisamente, nas pietistas (cf. Heubaum, 1905, p. 241; Paulsen, 1908, p. 122; Michaelis, 1768, sec. 36).

6 A FILIAÇÃO RELIGIOSA DO RECRUTAMENTO CIENTÍFICO

Essa associação entre pietismo e ciência, que fomos conduzidos a antecipar a partir de nossa hipótese, não se confina às universidades. A mesma predileção pietista pela ciência e tecnologia evidencia-se nas escolas de educação secundária. O *Pädagogium* de Halle introduzia os assuntos da matemática e da ciência natural, enfatizando-se, em todos os casos, o uso e as aplicações práticas das matérias das aulas (cf. Paulsen, 1908, p. 127). Johann Georg Lieb, Johann Bernhard von Rohr e Johann Peter Ludewig (Chanceler da Universidade de Halle), todos eles acabaram sob a influência direta de Francke e do pietismo, defendendo escolas de manufaturas, física, matemática e economia, de modo a estudar como "a manufatura poderia ser sempre mais e mais melhorada e aprimorada" (Heubaum, 1905, p. 184). Eles tinham a esperança de que o resultado dessas sugestões poderia ser o assim chamado *Collegium psysicum-mechanicum* e *Werkshulen*.

É um fato significativo, e que fornece um peso adicional a nossa hipótese, que as *ökonomisch-mathematische Realschule* sejam um produto completamente pietista. Essa escola, que estava centrada no estudo da matemática, das ciências naturais e da economia, e que era de têmpera declaradamente utilitária e realista, foi planejada por Francke (cf. Heubaum, 1893).[23] Além disso, foi um pie-

---

23 Ver também Ziegler, que observa: "(...) tampouco faltava um nexo efetivo entre

PURITANISMO, PIETISMO E CIÊNCIA

tista e anteriormente discípulo de Francke, Johann Julius Hecker, que organizou efetivamente pela primeira vez uma *Realschule* (cf. Paulsen, 1908, p. 133). Semler, Silberschlag e Hähn, os diretores e co-organizadores dessa primeira escola, eram todos pietistas e alunos de Francke.[24] Toda a evidência disponível aponta na mesma direção. Os protestantes, sem exceção, formam uma proporção progressivamente mais ampla do corpo estudantil naquelas escolas que enfatizavam o treino científico e tecnológico,[25] enquanto os católicos concentravam seus interesses no treino clássico e teológico. Por exemplo, na Prússia, encontrava-se a distribuição abaixo (cf. Petersilie, 1877, p. 109).

Essa maior propensão dos protestantes aos estudos científicos e técnicos concorda com as implicações de nossa hipótese. Pode-se obter que essa distribuição é típica a partir do fato de que outros investigadores notaram a mesma tendência em outras instâncias.[26] Além do mais, essas distribuições não representam

---

a *Realschule*, voltada à prática, e a devoção dos pietistas dirigida à prática; só uma interpretação unilateralmente teológica e religiosa do pietismo pode negar isso. No espírito da utilidade prática e da utilidade comum, o pietismo avançou em face do racionalismo e com ele se unificou, e desse espírito originou-se em Halle, na época de Francke, a *Realschule*" (Ziegler, 1895, 1, p. 197).

24 Com base neste e em outros fatos, Ziegler continua apresentando um claro *nexo causal* (*Kausalzusammenhang*) entre o pietismo e o estudo da ciência (cf. Ziegler, 1895, 1, p. 196 ss.).

25 O aspecto característico dos *gymnasien* é a base clássica de seus currículos. Separadas dessas escolas estão as *Realschulen*, onde as ciências predominariam e onde as línguas modernas substituem as línguas clássicas. O *real-gymnasium* é um compromisso entre esses dois tipos, tendo menos instrução clássica do que no *gymnasium*, com mais atenção dada à ciência e à matemática. As *Ober-realschulen* e *höheren Bürgerschulen* são ambas *Realschulen*, a primeira com um curso de nove anos, a segunda com um curso de seis anos (cf. Paulsen, 1908, p. 46 ss.).

26 Ver Edouard Borel (1930, p. 93 ss.), que destaca a proporção excepcionalmente elevada de protestantes nas profissões técnicas na Basileia; Julius Wolf (1913, p.

Robert K. Merton

uma correlação espúria resultante de diferenças na distribuição rural-urbana das duas religiões, como pode ser visto a partir de dados pertinentes para o cantão suíço, Basel-Stadt. Como se sabe, a população urbana tende a contribuir mais com os campos da ciência e da tecnologia do que a população rural. Entretanto, para 1910 e anos seguintes — o período ao qual se referem os estudos de Edouard Borel, com resultados similares àqueles apresentados para a Prússia —, os protestantes constituíam 63,4 por cento da população total do cantão, mas somente 57,1 por cento da população de Basel (a cidade propriamente) e 84,7 por cento da população rural (cf. Borel, 1932, p. 48-9).[27]

Frequência nas escolas secundárias diferenciada
pelas filiações religiosas dos estudantes
Prússia, 1875-1876

	Protestantes	Católicos	Judeus
Pro-gymnasium	49,1	39,1	11,2
Gymnasium	69,7	20,2	10,1
Realschule	79,8	11,4	8,8
Oberrealsch	75,8	6,7	17,5
Höheren Bürger	80,7	14,2	5,1
Total	73,1	17,3	9,6
População geral	64,9	33,6	1,3

---

199) nota que "os protestantes ultrapassam a sua parcela 'natural' para a atividade científica, e outras de cunho intelectual (com exceção da profissão espiritual) (...)". Em 1860, Ad Frantz já notara o mesmo fato (cf. Frantz, 1868, p. 51). Ver também os resultados similares para Berlim em Statistisches (1897, p. 468-72). Buckle (1925, p. 482) nota que "o calvinismo é favorável à ciência" (cf. ainda M. Weber, 1930, p. 38, 189; Troeltsch, 1931, 2, p. 894).

27 Ver a mesma publicação para os anos de 1910 e 1921.

PURITANISMO, PIETISMO E CIÊNCIA

O estudo cuidadoso de Martin Offenbacher inclui uma análise
da associação entre a filiação religiosa e a alocação de interesse
educacional em Baden, na Baviera, em Württemberg, na Prússia,
na Alsácia-Lorena e na Hungria. Nesses vários lugares, os resultados estatísticos são de mesma natureza. Os protestantes, proporcionalmente a sua representação na população como um todo,
possuem uma frequência nas várias escolas secundárias muito
maior, com a diferença tornando-se especialmente marcante
nas escolas primariamente dedicadas à ciência e à tecnologia. Em
Baden (cf. Offenbacher, 1900, p. 16),[28] por exemplo, tomando a
média dos números para os anos 1885-1895:

	Protestantes (%)	Católicos (%)	Judeus (%)
Gymnasien	43,0	46,0	9,5
Realgymnasien	69,0	31,0	9,0
Oberrealschulen	52,0	41,0	7,0
Realschulen	49,0	40,0	11,0
Höheren Bürgerschulen	51,0	37,0	12,0
Média para os cinco tipos de escola	48,0	42,0	10,0
Distribuição na população em geral, 1895	37,0	61,5	1,5

Entretanto, deve-se notar que embora os currículos *Realschulen* sejam primariamente caracterizados por sua ênfase nas
ciências e nas matemáticas por oposição à relativamente pouca
atenção dada a esses estudos nos *gymnasien*, ainda assim, este
último tipo de escola também prepara para as carreiras científicas
e acadêmicas. Mas, em geral, a frequência de protestantes e católicos nos *gymnasien* representava interesses diferentes. O nú-

---

28 Os pequenos erros do original são aqui simplesmente reproduzidos.

Robert K. Merton

mero relativamente grande de católicos nos *gymnasien* é devido ao fato de que essas escolas também preparam para a teologia, enquanto os protestantes usam geralmente os *gymnasien* como uma preparação para as outras profissões eruditas. Assim, nos três anos acadêmicos de 1891-1894, 226, ou acima de 42 por cento, dos 553 católicos graduados nos *gymnasien* de Baden estudaram posteriormente teologia, enquanto dos 375 graduados protestantes, somente 53 (14 por cento) dirigiram-se para a teologia, enquanto 86 por cento foram para as outras profissões eruditas (cf. Gemss, 1895, p. 14-20).

Analogamente, o apologista católico, Hans Rost, embora pretendesse estabelecer a tese de que "a Igreja Católica tem sido, em todos os tempos, uma amiga calorosa da ciência", é forçado a admitir, com base em seus dados, que os católicos evitam as *Realschulen*, que eles mostram "certa indiferença e aversão contra esses estabelecimentos". A razão para isso, ele continua dizendo, é "que a *Oberrealschule* e o *Realgymnasium* não dão direito ao estudo da teologia em nível superior, pois, entre os católicos, esta é frequentemente a mola propulsora para os estudos superiores em geral" (Rost, 1911, p. 167 ss.).

Assim, os dados estatísticos apontam para uma marcada tendência dos protestantes, em contraste com os católicos, de continuar os estudos científicos e técnicos. Isso também pode ser visto nas estatísticas para Württemberg, em que a média para os anos de 1872-1879 e 1883-1898 fornece os seguintes números (Offenbacher, 1900, p. 18):[29]

---

29 Esses dados são corroborados pelo estudo de Ludwig Cron (1900) referente à Alemanha para os anos 1869-1893. Ernst Engel também encontrou que, na Prússia, em Posen, Brandemburgo, na Pomerânia, Saxônia, na Vestfália e nas províncias do Reno, existe alta incidência de estudantes evangélicos nas escolas que oferecem o máximo de assuntos da ciência natural e da técnica (cf. Engel, 1869, p. 99-116, 153-212).

PURITANISMO, PIETISMO E CIÊNCIA

	Protestantes (%)	Católicos (%)	Judeus (%)
Gymnasien	68,2	28,2	3,4
Lateinschulen	73,2	22,3	3,9
Realschulen	79,7	14,8	4,2
Total da população, 1880	69,1	30,0	0,7

Não é só na educação que os protestantes evidenciam esses focos de interesse. Vários estudos encontraram uma representação excessivamente ampla de protestantes entre os principais cientistas.[30] Se os dados anteriores proporcionam apenas pequenas probabilidades de que a conexão que delineamos vale de fato, a bem conhecida *Histoire des sciences et des savants* (*História das ciências e dos cientistas*) de Candolle aumenta consideravelmente essas probabilidades. Candolle encontra que, embora na Europa, excluindo a França, existissem 107 milhões de católicos e 68 milhões de protestantes, havia, entretanto, na lista dos cientistas considerados estrangeiros associados à Academia de Paris de 1666 a 1883, apenas dezoito católicos contra oitenta protestantes (cf. Candolle, 1885, p. 329). Mas como o próprio Candolle sugere, essa comparação não é conclusiva, pois ela omite os cientistas franceses que poderiam ser católicos. Para corrigir esse erro, ele toma a lista dos membros estrangeiros da Sociedade Real de Londres nos dois períodos em que existiam mais cientistas franceses incluídos do que em outra época qualquer: 1829 e 1869. No primeiro ano, o número total de cientistas protestantes e católicos (que eram membros estrangeiros da Sociedade) é aproximadamente igual,

---

30 Por exemplo, Havelock Ellis (1926, p. 66 ss.) encontra que os protestantes da Escócia produziram 21 dos cientistas importantes de sua lista contra um para os irlandeses católicos. Affred Odin encontra que. entre os literatos de sua lista, a ênfase predominante dos protestantes recai sobre as questões científicas e técnicas, em vez da literatura propriamente dita (cf. Odin, 1895, 1, p. 477 ss.; 2, tabelas XX-XXI).

enquanto, em 1869, o número de protestantes realmente excede o de católicos. Mas, fora dos reinos da Irlanda, existiam na Europa 139,5 milhões de católicos e apenas 44 milhões de protestantes (cf. Candolle, 1885, p. 33o).[31] Em outras palavras, embora na população total existissem mais do que três vezes mais católicos do que protestantes, existiam efetivamente mais cientistas protestantes do que católicos.

Entretanto, existem dados ainda mais significativos do que estes que estão baseados nas diferentes populações, com os quais se pode aventar que a influência da economia, do regime político e de outros fatores não religiosos prevalecem sobre a influência efetiva da religião. Uma comparação entre populações intimamente aliadas serve geralmente para eliminar esses fatores "estranhos", mas os resultados são os mesmos. Assim, na lista de associados estrangeiros da Academia de Paris, não há um único irlandês ou inglês católico, embora sua proporção na população dos três reinos excedesse um quinto. Analogamente, a Áustria católica não está em absoluto representada, enquanto, em geral, falta à Alemanha católica uma produção notável de cientistas relativamente à Alemanha protestante. Finalmente, na Suíça, onde as duas religiões são amplamente diferenciadas por cantões, ou estão misturadas em alguns deles e onde os protestantes estão para os católicos na proporção de três para dois, existiam quatorze associados estrangeiros, dos quais nenhum era católico. A mesma diferenciação entre as duas religiões existe para a Suíça, e para a Inglaterra e a Irlanda, nas listas da Sociedade Real de Londres e da Academia de Berlim (cf. Candolle, 1885, p. 33o ss.).

Com a apresentação desses dados encerramos o teste empírico de nossa hipótese. Em todas as instâncias, a associação do

---

31 Ver Facaoaru (1933, p. 138-9): "A convicção religiosa teve uma grande influência sobre o desenvolvimento da ciência. Em todo lugar, os protestantes apresentavam uma quantidade maior de homens extraordinários".

PURITANISMO, PIETISMO E CIÊNCIA

protestantismo com interesses e realizações científicas e tecnológicas é bastante evidente, mesmo quando eliminadas, na medida do possível, as influências extrarreligiosas. A associação é amplamente compreensível em termos das normas incorporadas em ambos os sistemas. A estima positiva dos protestantes por um utilitarismo dificilmente disfarçado, pelos interesses intramundanos de um empirismo corrente, pelo direito e mesmo obrigação do *libre examen* e do questionamento individual explícito da autoridade eram congeniais aos mesmos valores encontrados na ciência moderna. E talvez, acima de tudo, seja o significado da atitude ascética ativa que tornava necessário o estudo da natureza, que podia ser controlada. Assim, esses dois campos estavam bem integrados e, no essencial, mutuamente sustentados, não apenas na Inglaterra do século XVII, mas em todos os outros tempos e lugares.

PÓS-ESCRITO BIBLIOGRÁFICO

A hipótese de Max Weber do papel do protestantismo ascético no avanço do capitalismo moderno deu origem a uma literatura substancial de trabalhos acadêmicos e polêmicos sobre o assunto. Na metade da década de 1930, Amintore Fanfani podia debruçar-se sobre várias centenas de publicações em sua avaliação da evidência (cf. Fanfani, 1935). O próprio Weber não conduziu uma investigação similar sobre as relações entre o protestantismo ascético e o desenvolvimento da ciência, mas concluiu seu clássico ensaio descrevendo uma das "tarefas seguintes" como a de investigar "a significação do realismo ascético, que apenas foi tocada no precedente esboço (...), [para] o desenvolvimento do empirismo filosófico e científico, [e para] (...) o desenvolvimento técnico" (M. Weber, 1930, p. 182-3). Publicado primeiramente em 1936, o capítulo que precede [este pós-escrito] foi concebido como um esforço para satisfazer esse desiderato de estender a linha de investigação que Weber tinha aberto.

Os livros e artigos citados neste capítulo foram desde então complementados por outros ligados a uma ou outra parte da hipótese que conecta puritanismo, pietismo e ciência. Numerosos trabalhos esclareceram as variedades e nuances da doutrina e dos valores compreendidos no puritanismo. Entre eles, considerei os seguintes muito úteis: John Thomas McNeill (1954), que mostra que o calvinismo formou o núcleo do puritanismo inglês e traça suas várias consequências para a sociedade e o pensamento; William Haller (1939), que descreve em ricos e convincentes detalhes como a propaganda puritana, na imprensa e no púlpito, ajudou a preparar o caminho para a rebelião parlamentar, o radicalismo dos *levellers*, as numerosas facções sectárias, uma ética burguesa e uma ciência experimental incipientes; Charles H. George (1953), que tenta identificar os principais componentes e os principais tipos de puritanismo; G. R. Cragg (1950), em um "estudo das mudanças no pensamento religioso no interior da Igreja da Inglaterra de 1660 a 1700".

Esses e outros trabalhos similares mostraram novamente que, tal como a maioria dos credos religioso-sociais, o puritanismo não era uniforme. Praticamente todos os estudiosos que se dedicaram intensamente à questão concordam que a maioria das inúmeras seitas compreendidas no protestantismo ascético proporcionavam uma orientação valorativa que encorajava o trabalho na ciência (ver também a nota de Jean Pelseneer, 1946-1947). Mas a quase unanimidade termina aí. Alguns concluíram que foram as seitas mais radicais entre os puritanos as que mais fizeram para desenvolver um amplo interesse na ciência; ver, por exemplo, George Rosen (1944). O bioquímico e historiador da ciência, Joseph Needham, em sua coleção de ensaios (1943, p. 84-113), comenta a íntima conexão entre os *diggers*, a facção civil dos *levellers*, e o novo e crescente interesse na ciência experimental. Outros sus-

PURITANISMO, PIETISMO E CIÊNCIA

tentam que o clima de valores que mais conduziu a um interesse na ciência encontrava-se entre os puritanos *moderados*, tal como exemplificado por Robert Boyle. Para isso, ver James B. Conant (1942); e para uma discussão mais acessível em geral, porém menos detalhada, Conant (1947, p. 60-2). R. Hooykaas (1943, cap. 3-4), o distinguido historiador da ciência holandês, relata que sua biografia das orientações científicas e religiosas de Boyle confirma as principais descobertas expostas no capítulo precedente. Ele analisa as convicções de Boyle de que o estudo da filosofia natural é uma obrigação moral religiosamente fundamentada — especialmente, como essas [convicções] são desenvolvidas na obra intitulada *O cristão virtuoso, mostrando que por ser adepto da filosofia experimental um homem é antes assistido do que indisposto a ser um bom cristão (The Christian virtuoso, shewing that by being addicted to experimental philosophy a man is rather assisted than indisposed to be a good Christian)*, de 1690 —, de que se requer o empirismo, e não apenas a racionalidade, para compreender os trabalhos de Deus, e de que a tolerância, e não a perseguição, é a política para governar apropriadamente as relações, até mesmo com as seitas mais fanáticas.

A evidência que dá suporte a ambas as premissas competidoras — de que se deve encontrar o principal lugar de interesse entre os puritanos radicais ou entre os moderados — ainda é insuficiente para justificar uma conclusão firme. Distinções detalhadas entre as várias seitas puritanas servem obviamente para especificar mais rigorosamente as hipóteses, mas os dados em mãos ainda não permitem que se diga, com alguma confiança, qual das duas estava mais disposta a fazer avançar a ciência de sua época.

Um grupo recente de estudos proporciona uma documentação detalhada dos modos pelos quais o *éthos* de uma dessas seitas puritanas — os *quakers* — ajudou a cristalizar um interesse distintivo pela ciência. Em termos muito próximos aos empregados no capítulo que antecede esta nota, Frederick B. Tolles (1948,

49

p. 205-13) deriva de seu *éthos* religioso o marcado interesse dos *quakers* na ciência. Menos analítico e, por vezes, até mesmo tendenciosamente, Arthur Raistrick (1950) enfatiza o *fato* de existir uma grande proporção de membros *quakers* da Sociedade Real e o *fato* de seu extenso trabalho na ciência. Mas, como nota apropriadamente o professor Hooykaas, esses fatos não analisados não indicam em si mesmos que a participação distintiva dos *quakers* na atividade científica proviesse de sua ética religiosa; poderia muito bem acontecer que ela refletisse a tendência difundida entre os ingleses prósperos, o que incluía um número desproporcionalmente amplo de *quakers*, de voltar seu interesse para as questões da filosofia natural (cf. Hooykaas, 1955). Entretanto, em um artigo compacto e instrutivo, Brooke Hindle (1955) procura mostrar que a ética religiosa efetivamente desempenhou seu papel entre os *quakers* de uma área colonial; ver sua excelente monografia de 1956.

Pode-se lembrar que uma das principais hipóteses do capítulo precedente sustentava que foram *as consequências não intencionais e amplamente imprevistas* da ética religiosa formulada pelos grandes líderes reformistas que se desenvolveram progressivamente em um sistema de valores favorável ao propósito da ciência (cf. p. 24-5 do presente capítulo; Mason, 1953). A formação histórica dessa ética ocorreu parcialmente em resposta a contextos sociais, culturais e econômicos mutáveis, mas foi também parcialmente um desenvolvimento imanente das próprias ideias e dos valores religiosos (como foi claramente percebido por Wesley, acima de todos os outros líderes protestantes). Isso é só para dizer novamente que o papel do protestantismo ascético em encorajar o desenvolvimento da ciência não permaneceu fixo e inalterado. O que era apenas implícito no século XVI e início do século XVII tornou-se explícito e visível para muitos no final do século XVII e no século XVIII. Vários estudos recentes confirmam essa interpretação.

PURITANISMO, PIETISMO E CIÊNCIA

Baseado em um detido escrutínio das fontes primárias e da pesquisa atual, o livro de Paul H. Kocher (1953) testemunha o longo caminho percorrido pelos estudiosos desde o dia em que consideravam apenas as fontes de conflito entre a ciência e a religião, como se o conflito fosse evidentemente a *única* relação que pudesse de fato subsistir historicamente entre essas instituições sociais. Ao contrário, essa monografia mostra que existia amplo espaço para que se desenvolvesse a ciência da Inglaterra elisabetana nos limites estabelecidos pela doutrina religiosa da época. Tampouco se tratava simplesmente de uma questão da religião *tolerar* a ciência. Para o período anterior a 1610, Kocher não pôde encontrar nenhuma evidência "a favor ou contra" a hipótese de que o puritanismo proporcionou um "solo mais fértil para a ciência natural do que (...) as religiões que lhe eram rivais na Inglaterra" (p. 17). Os dados para esse primeiro período são inadequados para chegar a uma conclusão sólida. Mas ele continua dizendo que "podemos ver desde nosso ponto de vista vantajoso no século XX que finalmente a mundanidade puritana acabaria ajudando mais a ciência do que o interesse puritano pelo outro mundo a inibia, em uma proporção talvez maior (embora isto seja muito menos certo) do que a doutrina ou a prática anglicanas. Mas os efeitos desse ímpeto só se tornam visíveis gradualmente, à medida que o puritanismo se desenvolve. A época elisabetana ocorreu muito cedo para proporcionar evidência concreta que permita distinguir e comparar as contribuições de puritanos e anglicanos para a ciência" (p. 19). Entretanto, considerada em termos da dinâmica imanente do *éthos* religioso, o contraste que Kocher faz entre o "interesse neste mundo" e "o interesse no outro mundo" de gerações sucessivas de puritanos é mais aparente do que real. Pois, como Weber foi capaz de mostrar em detalhe, "o interesse no mundo" foi historicamente gerado pelos valores originais "do interesse no outro mundo" do puritanismo, que exigia um esforço ativo e sustentado neste mundo e, assim, subvertia a orientação valorativa inicial, sendo esse processo um exemplo do que ele chamava de paradoxo das consequências (*Paradoxie der Folgen*). A conformidade manifesta a esses valores produzia consequências latentes que tinham um caráter bastante diverso dos valores que as permitiram.

Por volta do século XVIII, esse processo de mudança tinha resultado no que foi descrito por Basil Willey (1941) como "a aliança sagrada entre a ciência e a religião". Assim como Robert Boyle no século XVII, também Joseph Priestley, o cientista e apóstolo do utilitarismo, no século XVIII, simbolizou e atualizou essa aliança.

As conexões tardias entre a ciência e a religião na Inglaterra do final do século XVIII até a metade do século XIX foram examinadas com grande esforço na monografia de Charles C. Gillispie (1951). Preocupado menos com o papel da religião no recrutamento e motivação dos cientistas do que com as bases nas quais as descobertas da geologia foram consideradas como consistentes com os ensinamentos religiosos, Gillispie apresenta o processo pelo qual eles tenderam a tornar-se culturalmente integrados.

Quando o artigo que constitui este capítulo foi escrito em 1936, eu dependia quase inteiramente do estudo pioneiro de Irene Parker (1914) sobre o papel das academias dissentes em fazer progredir a nova educação científica no século XVIII.[32] O alcance de seu estudo não é basicamente alterado, mas é substancialmente desenvolvido, e um tanto modificado, no notável estudo de Nicholas Hans (1951). Hans baseia parte de seu estudo em uma análise estatística das origens sociais, da educação formal e das carreiras subsequentes de cerca de 3.500 indivíduos que formavam a elite

---

32 Se me fosse perguntado por que não fiz uso do livro posterior e amplamente documentado de H. McLachlan, *English education under the test acts* (1931), eu poderia somente responder com as palavras de outro "trabalhador incansável": "ignorância, minha senhora, pura ignorância". Deve-se, entretanto, acrescentar que McLachlan está fundamentalmente de acordo com as principais conclusões de Irene Parker.

PURITANISMO, PIETISMO E CIÊNCIA

intelectual daquele século, coletando sistematicamente os dados básicos a partir das biografias individuais naquela quase inesgotável mina de materiais para a sociologia histórica, o *Dictionary of national biography*.[33]

Apenas algumas poucas de suas numerosas descobertas relevantes serão sumariadas aqui. Ele observa, por exemplo, que as escolas e academias dissentes produziam cerca de 10 por cento da elite, o que, como observa Hans, "estava muito acima de sua força relativa na população total da Inglaterra do século XVIII" (Hans, 1951, p. 20). Contudo, ele nota que, como vimos ser o caso, os "motivos" religiosos não foram os únicos a colaborar com a emergência da educação moderna (e, particularmente, da educação científica) nesse período; à religião juntavam-se motivos "intelectuais" e "utilitários". Assim, enquanto "os puritanos promoviam a ciência como um suporte adicional da fé cristã

---

33 Os estudos de sociologia histórica apenas começaram a extrair as riquezas disponíveis em amplas coleções de biografias e outras evidências históricas. Embora a análise estatística desses materiais não possa tomar o lugar da análise qualitativa detalhada da evidência histórica, ela proporciona uma base *sistemática* para novas descobertas e, frequentemente, para a correção das suposições adotadas. Pelo menos, esta tem sido minha própria experiência ao empreender a análise estatística de cerca de 6 mil biografias, do *Dictionary of national biography*, daqueles que compunham a elite da Inglaterra no século XVII, das listas de descobertas e invenções importantes arroladas em Darmstaedter (1908) e de 2 mil artigos publicados na *Philosophical Transactions* durante o último terço do século XVII (cf. Merton, 1938, cap. 2, 3). O uso mais extenso desse tipo de análise estatística foi feito por Sorokin (1937). Obviamente, a preparação de sumários estatísticos desse tipo tem seus acasos, compilações rotinizadas sem restrições do conhecimento dos contextos históricos dos dados podem levar a conclusões infundadas. Para uma discussão de alguns desses acasos (cf. Sorokin & Merton, 1935; Merton, 1938, p. 367 ss., 398 ss.). Para uma resenha mais completa dos problemas de procedimento, ver Berelson (1951). Numerosos estudos recentes sobre as origens sociais da elite dos negócios no passado histórico utilizaram materiais desse tipo, ver os estudos de William Miller, C. W. Mills e Suzanne Keller instrutivamente sumariados por Bernard Barber (1957).

baseada na revelação, os deístas consideravam a ciência como o fundamento de toda a crença em Deus" (Hans, 1951, p. 12). Os três tipos de motivação tendiam a reforçar-se mutuamente: "os dissentes, assim como muitos puritanos no interior da Igreja, representavam o motivo religioso para a reforma educacional. A ideia da *propagatio fidei per scientia* (propagação da fé pela ciência) encontrou muitos defensores entre os dissentes. As razões intelectuais e utilitárias foram postas em completo movimento pelo corpo de professores seculares antes que as academias dissentes aceitassem completamente essas razões" (Hans, 1951, p. 54).

É neste último aspecto que Hans acha necessário discordar da tese proposta por Irene Parker (que eu adotei em meu próprio artigo), sustentando que ela atribui uma influência quase exclusiva às academias em fazer avançar a educação moderna no século XVIII. Sua modificação corretiva parece, com base em ampla evidência, estar totalmente justificada. Além disso, ela serve para esclarecer um problema que, pelo menos como posso relatar enquanto estudioso da questão, há muito é difícil e não resolvido. Trata-se do bem conhecido fato de que certas formas extremadas de dissenção calvinista foram por muito tempo inimigas do avanço da ciência, ao invés de a ela conduzir. Como Hans mostra agora, "embora a tradição calvinista fosse essencialmente progressista, ela facilmente degenerava em dogmatismo estreito e intolerante" (Hans, 1951, p. 55). Os batistas, por exemplo, eram completamente "adversos ao novo ensino por convicção e somente mais tarde no século juntaram-se a outros dissentes [particularmente, os presbiterianos e os independentes] na promoção da Reforma" (Hans, 1951, p. 55). Em resumo, um ramo da inconformidade aderiu literalmente a certos dogmas restritivos do calvinismo e foi esse subgrupo que manifestou a hostilidade à ciência, a qual se encontrou por muito tempo em certas seitas fundamentalistas do protestantismo. Figurativamente, pode-

PURITANISMO, PIETISMO E CIÊNCIA

-se dizer que o "calvinismo continha uma semente da educação liberal moderna, mas ela requeria um ambiente apropriado para germinar e crescer" (Hans, 1951, p. 57). E, como vimos, esse contexto social e cultural foi sendo progressivamente constituído na Inglaterra dessa época.

Complementando esses estudos das relações cambiantes entre o puritanismo e a ciência na Inglaterra, encontra-se o notável estudo de Perry Miller (1954) sobre essas relações sob as condições especiais proporcionadas pela Nova Inglaterra. Esse trabalho abrangente demonstra a notável receptividade à ciência entre os líderes teocráticos da colônia e o processo nascente de secularização, com sua ênfase no utilitarismo. Para uma breve mas instrutiva comparação da interpretação proposta por Perry Miller e aquela proposta no capítulo precedente, ver L. Marx (1956).

Como vimos a partir dos dados reunidos por Alphonse de Candolle — ver as páginas 45-6 deste capítulo — as conexões do protestantismo ascético e o interesse na ciência evidentemente persistiram em alguma extensão durante o século XIX. Os dados de Candolle foram posteriormente reexaminados, com a mesma conclusão (cf. Thorner, 1952, p. 31-2). Thorner também analisa os dados apresentados por P. A. Sorokin como base para questionar essa hipótese e encontra que os dados estão realmente em concordância com ela (Thorner, 1952, p. 28-30; cf. Sorokin, 1937, v. 2, p. 150-2).

Em outra pesquisa de revisão dos materiais de Candolle, Lilley indicou suas limitações, bem como seus usos (cf. Lilley, 1949, p. 383 ss.). Ele observa que as correlações entre o protestantismo e a ciência podem ser espúrias, uma vez que "na média, as classes comerciais e industriais [que possuem um grande interesse na ciência] tenderam a ser protestantes por persuasão, enquanto os camponeses e os tipos mais feudais de donos de terra tenderam a ser católicos". Nós levamos em consideração essa limitação (p. 42) e, correspondentemente, comparamos o interesse de protestantes e católicos nas questões científicas retiradas das mesmas áreas (p. 42, 45-6). Lilley também critica o trabalho de Candolle por ele deixar de levar em consideração a mudança histórica nessas relações, por amontoar "sem distinção todo o período de 1666 a 1868". É presumível que as filiações religiosas, no período posterior mais secularizado, sejam menos representativas de compromissos doutrinários e de valores do que no primeiro período; ser membro puramente nominal tendeu a tornar-se mais frequente. Essa crítica também tem força, como vimos. Mas Lilley continua observando que a evidência ulterior disponível confirma, no entanto, a relação subjacente entre o protestantismo ascético e a ciência, embora essa relação possa ser mascarada ou acentuada por outras mudanças sociais e econômicas interdependentes.

Que a relação persiste até os dias atuais nos Estados Unidos é indicado por um estudo em andamento dos antecedentes sociais dos cientistas americanos de 1880 a 1940 (cf. Knapp & Goodrich, 1952). A evidência apresentada por eles pode ser sumariada como segue: "nossos dados mostraram a marcante inferioridade de instituições [acadêmicas] católicas na produção de cientistas [mas não de outros profissionais, por exemplo, advogados] e, por outro lado, o fato de algumas de nossas instituições pequenas mais produtivas estarem intimamente ligadas com certas denominações protestantes e servirem a uma clientela preponderantemente protestante. Além disso, os dados apresentados por Lehman e Visher sobre os cientistas 'estrelas' [isto é, os cientistas listados no *Homens de ciência norte-americanos (American men of science)* que se considera serem de pronunciado mérito], embora limitados, indicam muito claramente que a proporção de católicos nesse grupo é excessivamente baixa — que, de fato, algumas denominações protestantes estão proporcionalmente várias centenas de vezes mais representadas. Essas estatísticas, tomadas em conjunto com outras evidências, deixam pouca dúvida de que os cientistas têm sido retirados desproporcionalmente do estoque protestante americano" (Knapp & Goodrich, 1952, p. 274).

Uma impressão muito semelhante, mas sem suporte de dados sistemáticos, foi relatada por cientistas católicos: "Padre Cooper (1945) diz que 'teria relutância em defender a tese de que 5 por cento ou mesmo 3 por cento da liderança na ciência e na academia americana é católica. Entretanto, nós, católicos, constituímos algo em torno de 20 por cento da população total'" (Cooper apud Barber, 1952, p. 136). Barber também cita uma observação semelhante de James A. Reyniers, diretor do Laboratório Lobund da Universidade de Notre Dame, e de Joseph P. Fitzpatrick (cf. Barber, 1952, p. 271).

Esta resenha da literatura mais recente sobre o assunto confirma bastante uniformemente a hipótese de uma relação positiva observável entre o protestantismo ascético e a ciência. Os dados proporcionados por cada um desses estudos estão, tipicamente, longe de ser rigorosos. Mas isso é, afinal, a condição da maior parte da evidência ligada às relações historicamente mutáveis entre as instituições sociais. Sem considerar este ou aquele estudo, mas todo o conjunto, baseado em materiais retirados de fontes variadas, parece que se teria razoável segurança de que a relação empírica, suposta no estudo acima, de fato existe.

Mas, obviamente, a relação empírica grosseira é apenas o começo, não o fim, do problema intelectual. Como notou anteriormente Weber em seu celebrado ensaio sobre a ética protestante, "um rápido olhar nas estatísticas ocupacionais de qualquer país de composição religiosa mista traz à luz com notável frequência uma situação que várias vezes provocou discussão na imprensa e na literatura católicas, principalmente em congressos católicos na Alemanha, o fato de que líderes nos negócios e donos de capital, assim como os que ocupam os graus superiores de trabalho especializado, e até mesmo o pessoal superior, treinado técnica e comercialmente, das empresas modernas, são na grande maioria protestantes" (M. Weber, 1930, p. 35). A acidentalidade de que não estejam facilmente disponíveis estatísticas comparadas da composição religiosa dos cientistas, mas que elas devem ser laboriosamente compostas para o presente, e parcialmente postas juntas para o passado, não faz a descoberta empírica mais significativa em si mesma (embora possa recomendar a nossa respeitosa atenção aos árduos labores daqueles que fazem o trabalho pioneiro). Pois, como se vê ao examinar o *status* das generalizações empíricas (Merton, 1957, cap. 2), isso somente coloca o problema de analisar e interpretar a uniformidade observada, e é desse problema que este ensaio tratava.

Os principais componentes da interpretação proposta neste ensaio não requerem supostamente repetição. Contudo, uma crítica recente do estudo proporciona ocasião para rever certos elementos teóricos e empíricos da interpretação que se pode, aparentemente, perder de vista. Em sua crítica, James W. Carroll (1954) relata o que ele considera como vários descuidos na formulação. Ele sugere que a heterogeneidade das crenças incluídas no protestantismo em geral e, particularmente, no puritanismo foi esquecida ou imperfeitamente reconhecida. Fosse a acusação verdadeira, ela evidentemente teria mérito. Entretanto, deve-se observar que a hipótese em questão é introduzida por um capítulo que inicia notando "a diversidade de doutrinas teológicas entre os grupos protestantes da Inglaterra do século XVII" e continua considerando os valores, crenças e interesses que são comuns às numerosas seitas derivadas do calvinismo (cf. Merton, 1938, cap. 4, p. 415 ss.). E, como se pode ver neste pós-escrito bibliográfico, os estudiosos históricos estabeleceram mais completamente as similaridades, e não apenas as diferenças, entre as seitas puritanas decorrentes do calvinismo ascético.

Carroll continua dizendo que a evidência para a conexão entre as normas do puritanismo e da ciência proporciona somente uma similaridade empírica entre as duas (ou o que é descrito como uma

PURITANISMO, PIETISMO E CIÊNCIA

"correlação de asserções" comtiana). Mas isso é ignorar o fato demonstrado de que os próprios cientistas ingleses invocavam repetidamente esses valores puritanos e traduziam-nos expressamente na prática (cf. Merton, 1938, cap. 5).

Que os valores puritanos eram, de fato, expressos pelos cientistas está, com efeito, implicado pela próxima sugestão de Carroll, de que o estudo não proporciona base alguma para discriminar entre as "racionalizações" e os "motivos" desses cientistas. Isso toca em um problema teórico de tal importância geral, e tão amplamente equívoco, que é apropriado repetir parte do que se disse dele no estudo anterior. "As discussões atuais de 'racionalização' e 'derivação' costumam encobrir certas questões fundamentais. É verdade que as 'razões' aduzidas para justificar as próprias ações frequentemente não dão satisfatoriamente conta desse comportamento. É também uma hipótese aceitável que as ideologias [isoladas] raramente *dão origem* à ação e que ambas, a ideologia e a ação, são antes o produto de sentimentos e valores comuns sobre os quais elas, por sua vez, reagem. Mas essas ideias não podem ser ignoradas por duas razões. Elas proporcionam pistas para detectar os valores básicos que motivam a conduta. Essas orientações não podem ser proveitosamente negligenciadas. De uma importância ainda maior é o papel das ideias em dirigir a ação para canais *particulares*. *É o sistema dominante de ideias que determina a escolha entre os modos alternativos de ação que são igualmente compatíveis com os sentimentos subjacentes*" (Merton, 1938, p. 450).

Quanto a distinguir entre a expressão de razões que são meramente simulacros de acomodação e aquelas que expressam orientações básicas, o teste deve ser encontrado, aqui como em outros lugares, no comportamento que concorda com essas razões, mesmo quando há pouca ou nenhuma perspectiva de recompensa mundana interessada. Como caso mais claro e mais bem documentado, Robert Boyle pode representar aqui os outros puritanos entre seus colegas cientistas que, em vários graus, expressavam seus sentimentos religiosos em suas vidas privadas, assim como em suas vidas enquanto cientistas. Pareceria improvável que Boyle estivesse "meramente racionalizando" ao dizer "que aqueles que lutam para deter os homens da investigação da natureza tomam (embora eu o conceda, não intencionalmente) um curso que tende a derrotar Deus (...)" (Boyle, 1664, p. 27). Pois esse é o mesmo Boyle que tinha escrito ensaios religiosos com a idade de 21 anos; que tinha, apesar de sua falta de gosto pelo estudo das línguas, expressado sua veneração pelas Escrituras aprendendo o hebraico, o grego, o caldeu e o siríaco, para poder lê-las em suas versões originais; que tinha dado uma pensão para Robert Sanderson que permitia que ele continuasse a escrever livros de casuística; que tinha pago amplamente pelos custos de impressão das Bíblias em indiano, irlandês e galês e, como se isso não fosse suficiente, do Novo Testamento em turco e da versão malaia dos Evangelhos e do Atos; que se tinha tornado governador da Corporação para a Difusão do Evangelho na Nova Inglaterra; que, como diretor da Companhia da Índias do Leste, tinha devotado a si próprio e a seus recursos para a difusão da cristandade nessas áreas; que tinha contribuído substancialmente para o fundo de impressão da *History of the reformation* de Burnet; que tinha publicado sua profissão de fé em *The Christian virtuoso*; e que, finalmente, tinha proporcionado por sua vontade a doação dos fundos para as "Conferências Boyle" com o propósito de defender a cristandade contra os descrentes. (Este é o registro compacto exposto na biografia de Boyle, elaborada por A. M. Clerke no *Dictionary of national biography*.) Embora Boyle estivesse à frente na piedade entre os cientistas puritanos, ele ainda assim era um entre os iguais, como são testemunhos Wilkins, Willughby e Ray, entre muitos outros. Até onde nos permite dizer qualquer registro histórico de palavras e ações, parece que cientistas como Boyle não estavam simplesmente "racionalizando".

PURITANISMO, PIETISMO E CIÊNCIA

A crítica final de Carroll, se consciente e não frivolamente proposta, imputa um grau melancólico de imunidade ao lugar-comum e aos fatos inconvenientes da história. Ele observa que, ao mostrar que os membros originais da Sociedade Real foram preponderantemente protestantes, o ensaio em resenha não examina a possibilidade de que o "colégio invisível", a partir do qual se originou a Sociedade, fazia parte de um difundido movimento de reforma protestante, do qual reconhecidos católicos foram impedidos de ser membros. Suponho não ser preciso dizer que os *protestantes* compreendiam os membros originais da Sociedade Real; nesses dias da década de 1660, apesar da posterior negociação política de Carlos II com o catolicismo de Luís XIV, os católicos dificilmente receberiam a prerrogativa de fundar uma associação sob os auspícios da Coroa. O fato, que tem mais do que um interesse passageiro, não é, obviamente, que a Sociedade era preponderantemente *protestante*, mas que ela era preponderantemente *puritana*. Quanto à observação de que os católicos confessos eram banidos das posições acadêmicas, é evidentemente necessário lembrar que o *Test Act* de 1673, embora mais tarde fosse ocasionalmente anulado em instâncias particulares, excluía também os inconformistas e não apenas os católicos e os judeus das universidades. Contudo, embora ele permanecesse vigente durante o século XIX, os inconformistas continuaram a proporcionar uma grande fração dos homens de ciência.

Esta breve revisão da evidência mais recentemente acumulada sugere que, por mais contrário que isso possa ter sido às intenções dos grandes reformadores, as seitas protestantes ascéticas desenvolveram uma distinta predileção pelo trabalho no campo da ciência. Tendo em vista as poderosas contracorrentes de outras forças históricas, que poderiam ter desviado essa primeira orientação para a ciência, é notável que a associação entre o protestantismo ascético e a ciência tenha persistido até os dias de hoje. Compromissos profundos com os valores do protestantismo ascético tornaram-se supostamente menos comuns; contudo, a orientação evidentemente permanece, desprovida de seus significados teológicos. Tal como toda hipótese, particularmente na sociologia histórica, esta hipótese deve ser considerada como provisória, sujeita à revisão quanto mais evidência é obtida. Mas, com a evidência agora disponível, ela é um fato razoavelmente bem estabelecido e tem implicações definidas para o problema mais amplo das conexões entre a ciência e as outras instituições sociais.

A primeira dessas implicações é que, pelo menos nesse caso, as conexões emergentes entre a ciência e a religião foram indiretas e não pretendidas. Pois, como se afirmou repetidamente, os reformadores não eram entusiastas da ciência. Lutero era, no melhor dos casos, indiferente, no pior, hostil. Em suas obras *Instituições* e *Comentários sobre o Gênesis*, Calvino foi ambivalente, admitindo alguma virtude ao intelecto prático, mas bem distante daquela devida ao conhecimento revelado. No entanto, a ética religiosa que decorre de Calvino promoveu um estado mental e de orientação valorativa que convidava à atividade na ciência natural.

Segunda implicação, parece que, uma vez que se torna estabelecida uma orientação valorativa desse tipo, ela desenvolve algum grau de autonomia funcional, de modo que a predileção pela ciência podia permanecer muito depois de ter sido separada de sua amarração teológica original.

Terceira, esse padrão de orientação, que mesmo hoje pode ser estatisticamente detectado, pode ser involuntário e estar abaixo do limiar de consciência de muitos daqueles que nele estão envolvidos.

Finalmente, quarta implicação, a interação altamente visível entre a ciência e a religião — como na assim chamada guerra entre elas no século XIX — pode obscurecer a relação menos visível, indireta e talvez mais significativa entre as duas instituições.

Capítulo 2

A ciência e a técnica militar

(1938)[1]

Foi apenas a partir do século XVII que a Inglaterra alcançou sua posição de liderança militar e comercial. O recurso frequente à força das armas acompanhou essa ascensão ao poder. Não somente houve 55 anos de guerra durante esse século, mas também ocorreu a maior revolução da história inglesa. Simultaneamente a essa guerra prolongada, ocorrem inúmeras mudanças na técnica militar. O predomínio das armas de fogo — tanto dos mosquetes como da artilharia — sobre as armas brancas tornou-se marcante nessa época (cf. Schmitthenner, 1930, p. 268-80). O período representa uma reviravolta na história dos armamentos: as espadas e as lanças desapareceram quase por completo como armas de importância (salvo quando incorporadas, como no caso da baioneta removível por volta de 1680) e utilizaram-se quase exclusivamente as armas de fogo.[2] Particularmente notável foi o uso melhorado da artilharia pesada, pois nesse campo ocorreu uma mudança de escala que originou ou acentuou muitos problemas técnicos novos. Desde o início do século XIV, os canhões, ou "bocas de fogo", foram utilizados na guerra, mas não foi senão três séculos mais tarde que se tornaram claramente predominantes (cf. Sombart, 1913, p. 85).

---

1 Compare-se com meu relato preliminar feito em Merton (1935a).

2 Cf. Tönnies, 1905, p. 137. Essa mudança na técnica reflete-se no aumento marcante da mortalidade proporcionalmente ao tamanho das forças de combate, que ocorreu nesse século quando comparado com o período anterior (cf. Sorokin, 1937, v. 3).

1 O CRESCIMENTO DOS ARMAMENTOS

Esse predomínio aparece nos armamentos acumulados pelas forças de combate inglesas. Em 1632, os estoques militares da Marinha Real incluíam 81 peças de artilharia em bronze e 147 peças de artilharia em ferro, mas em março e abril de 1652 — na preparação para a Guerra da Holanda — o *Commonwealth* encomendou 335 canhões imediatamente, para equipar apenas uma parte da marinha (cf. Oppenheim, 1896, p. 289, 360). Em dezembro desse mesmo ano, o regimento de artilharia requisitou um adicional de 1.500 peças de artilharia em ferro, que pesavam 2.230 toneladas, o mesmo número de carretas, 117 mil espingardas de cano duplo, 5 mil granadas de mão e 12 mil barris de pólvora em grão (cf. Oppenheim, 1896, p. 361; Sombart, 1913, p. 89). Em 1683, existiam cerca de 8.396 canhões nos navios de guerra ingleses, com aproximadamente 350 mil a 400 mil balas de canhão (cf. Sombart, 1913, p. 108-9). Além disso, em 1694 e 1695, eram utilizadas pela marinha trinta "máquinas" ou "infernais" — uma modificação do brulote utilizado por Giambelli em 1585 na Schelde —, preparadas de modo a explodir produzindo enorme destruição (cf. Clowes *et al.*, 1898, 2, p. 249, 476 ss.).

Essas demandas, provavelmente, não apenas fortaleceram o início do desenvolvimento capitalista das indústrias de cobre, estanho e ferro, que forneciam as matérias-primas para o armamento, mas também se mostraram um "grande estímulo para o aprimoramento técnico da fundição" (Ashton *apud* Mumford, 1934, p. 90-1).[3] Além disso, a eficiência crescente da artilharia

---

3 Cf. Sombart (1913, p. 114), que observa: "(...) os avanços feitos no campo do processamento do ferro do século XVI ao XVIII (...) originaram-se da necessidade de melhores canos de canhão". Cf. também Ludwig Beck: "a forma do canhão está

tornava necessária a revisão e o aperfeiçoamento das fortificações, o que, por sua vez, suscitava problemas técnicos, aumentando a atenção de engenheiros e cientistas (cf. Mumford, 1934, p. 88; Jähns, 1893, p. 72-6).[4]

2 AS DEMANDAS TECNOLÓGICAS ASSOCIADAS: A BALÍSTICA INTERIOR

Nos tempos modernos, Leonardo foi um dos primeiros a combinar a engenharia militar e a destreza científica, como se evidencia em sua fortaleza poligonal, no canhão de vapor, no canhão para abrir fendas, nas armas de fogo com raias e na pistola com mecanismo de bloqueio (cf. Usher, 1954, p. 183 ss.; Feldhaus, 1914, colunas 394, 406). Analogamente, Tartaglia, Vannoccio Biringuccio, Hartmann, Galileu, Descartes, Torricelli, Leibniz, Von Guericke, Papin, Newton, Johann e Daniel Bernoulli, Euler, Maupertuis e muitos outros cientistas ilustres devotaram algum esforço à solução de problemas de técnica militar.[5]

---

entre os maiores contribuintes ao fomento da técnica de fundição do ferro; ela também ofereceu a oportunidade para a introdução da fundição em alto-forno" (1884-1903, 3, p. 748).

4 A discussão que se segue é enormemente devedora de Hessen (1932, p. 163-6).

5 Tartaglia, em sua obra de 1537, *Da ciência nova* (*Della nuova scienza*), e em *Quesitos e diversas invenções* (*Quesiti et invenzioni diversi*), de 1546, procurou determinar a trajetória de um projétil e foi provavelmente o primeiro a afirmar que o alcance máximo dos projéteis ocorria na elevação de 45 graus. Vannoccio Biringuccio, em seu *De la pirotechnia* (Veneza, 1540), trata de melhoramentos possíveis no furo do canhão. Georg Hartmann, em 1540, inventou uma escala de calibres que proporcionou um padrão para a produção de armas de fogo e favoreceu a descoberta das leis empíricas do tiro. Galileu, em seu *Argumentos (...) em torno de duas novas ciências* (*Discorsi (...) intorno a due nuove scienze*), publicado em Leiden em 1638, mostrou que a trajetória de um projétil descrevia uma parábola (desconsiderando--se a resistência do ar). O cientista e soldado Descartes duvidou dessa teoria.

Robert K. Merton

Os diálogos sobre o movimento de Galileu parecem particularmente relacionados a interesses militares da época. Como observou Benjamin Robins, as concepções de Tartaglia sobre a trajetória de um projétil provocaram muitas disputas "que continuaram até o tempo de Galileu e talvez tenham originado seus célebres *Diálogos* sobre o movimento" (Wilson, 1761, 1, p. 41-2). Além disso, o fato de que Galileu introduzia esse trabalho agradecendo a assistência prestada pelo Arsenal florentino sugere mais uma conexão (cf. Hessen, 1932, p. 164). Na opinião de Whewell, "as aplicações práticas [militares] da doutrina dos projéteis tiveram, sem dúvida, um papel no estabelecimento da verdade das concepções de Galileu" (Whewell, 1858, 1, p. 331).

Mas tudo isso apenas significa que proeminentes cientistas estiveram, por vezes, diretamente engajados com problemas da

---

Torricelli, em seu *Do movimento dos graves e dos projéteis naturais* (*De motu gravium et naturaliter projectorum*) (Florença, 1641) tratou com grande detalhe dos problemas da trajetória, do alcance e da zona de fogo dos projéteis. Leibniz, como se evidencia em seus escritos postumamente descobertos, tinha enorme interesse por vários aspectos dos problemas militares, tais como a "medicina militar", a "matemática militar" e a "mecânica militar". Leibniz também trabalhou sobre uma "nova arma a pressão de ar". Otto von Guericke, em seu *Novos experimentos* (*Experimenta nova*), de 1672, descreve uma "arma a pressão de ar" enorme, assim como também Denis Papin, em *Philosophical Transactions*, 15, 1685, p. 21. Papin continuou seu trabalho segundo essa linha, resumindo-o em seu artigo, "Sobre a força do ar na pólvora para canhão" ("Sur la force de l'air dans la poudre à canon"), *Nouvelles de la République des Lettres*, 1706. Newton, em seu *Principia*, livro 2, seção 1-4, tentou calcular o efeito da resistência do ar na trajetória de um projétil. Johann Bernoulli apontou o erro de Newton nessa determinação, o que resultou em sua eliminação da segunda edição do *Principia*. Bernoulli, em seu *Dissertação sobre a efervescência e a fermentação* (*Dissertatio de effervescentia et fermentatione*) (Basel, 1690), também estudou a expansão dos gases de armas a pólvora. Euler deu continuidade à teoria de que a parábola é o que melhor se aproxima da trajetória real de um projétil, um assunto que foi tratado com algum detalhe por Maupertuis, no "Balística aritmética" ("Ballistique arithmétique"), *Mémoires de l'Academie des Sciences de Paris*, 1731 (cf. Jähns, 1890, 1, p. 629, 2, p. 1008, 1180, 1242, 1626-7; Beck, 1900, p. 111-6; Feldhaus, 1914, colunas 393, 403; Hessen, 1932, p. 163).

A CIÊNCIA E A TÉCNICA MILITAR

técnica militar. Para apreciar mais completamente o significado desse fator na escolha dos problemas científicos para a investigação dirigida, é necessário um estudo detalhado dos imperativos introduzidos por tais exigências práticas.

Os problemas técnicos e científicos postos pelo desenvolvimento e a adoção generalizada da artilharia foram, brevemente, os seguintes. A balística interior envolve o estudo da formação, da temperatura e do volume dos gases nos quais se converte a carga de pólvora por meio da combustão, e do trabalho realizado pela expansão desses gases na arma, na carreta e no projétil (cf. Ingalls, 1912, cap. 1). É preciso computar fórmulas para a velocidade imprimida a um projétil pelos gases de certos pesos de pólvora e para suas reações na arma e na carreta, para determinar a correta relação entre o peso da carga e o comprimento da boca, a velocidade de recuo etc. Outro problema básico é a determinação do menor peso com o máximo de estabilidade da arma.

Esses problemas preocuparam não só cientistas do século XIX, tais como Gay-Lussac, Chevreul, Graham, Piobert, Cavalli, Mayevski, Otto, Neumann, Noble e Abel, mas também muitos investigadores precedentes. De importância obviamente fundamental para a balística interior é a relação entre a pressão e o volume dos gases. Richard Towneley sugeriu a hipótese "que supõe que as pressões e as expansões estão em proporção recíproca", os resultados experimentais de Hooke correspondiam a essa conjectura e, em 1661, Boyle estabeleceu definitivamente a lei que leva seu nome (cf. A. Wolf, 1935, p. 239 ss.). A lei foi estabelecida de modo independente por Mariotte cerca de quatorze anos depois. Somente Towneley esteve efetivamente interessado em conectar suas pesquisas com a expansão dos gases derivada da descarga da pólvora das armas. Uma das primeiras propostas que Boyle submeteu à Sociedade Real requeria "que se deveria examinar qual é realmente a expansão da pólvora quando há o disparo" (Birch, 1756, 1, p. 455).

Esse mesmo problema foi investigado em detalhe por Leeuwenhoek que, apesar de residir na Holanda, pode ser considerado como afiliado à ciência inglesa, em virtude dos 375 artigos que enviou à Sociedade Real, da qual era membro. Seus experimentos de balística interior, que tratam da "quantidade de ar produzida pela explosão", e que foram publicados na *Transactions*, originaram interesse suficiente para que Papin os repetisse com modificações, diante da Sociedade Real, pelo menos doze vezes. Em um dos primeiros encontros da Sociedade, tanto Boyle como Brouncker, o último dos quais estava particularmente interessado em balística, sugeriram experimentos sobre a pressão do ar e a expansão dos gases. Um dos experimentos propostos tratava da inflamação e combustão de uma carga de pólvora (cf. Birch, 1756, 1, p. 33), que era um problema básico para os relatos de balística interior de Nobile e Abel, lidos na Sociedade Real, respectivamente em 1874 e 1879 (cf. Ingalls, 1912, p. 33).

Sir Robert Moray apresentou à Sociedade a pólvora para armas do príncipe Rupert, "em potência, de longe a melhor pólvora inglesa", assim como uma nova arma inventada pelo mesmo cientista real (cf. Birch, 1756, 1, p. 281 ss., 332). Moray sugere igualmente uma série de experimentos de artilharia que foram difundidos na *Transactions* (1667, 2, p. 473-7). Essas tentativas objetivavam determinar a relação entre a quantidade de pólvora, o calibre da arma e a distância de alcance do tiro. Experimentos similares foram conduzidos pelo antigo Professor Savilian de astronomia, John Greaves.[6]

A Sociedade Real listava entre seus aparelhos científicos "vários instrumentos para examinar o recuo, o verdadeiro alcance e diversas outras propriedades das armas", assim como "vários

---

6   Cf. *Philosophical Transactions*, 15, 1685, p. 1090-2. Esse relato, entretanto, foi postumamente publicado, pois os experimentos haviam sido realizados em Woolwich, 18/mar./1651.

engenhos para encontrar e determinar a força da pólvora das armas" (Sprat, 1667, p. 250).

Francis Hauksbee também fez experimentos com a expansão dos gases submetidos a condições variadas, demonstrando a expansão aproximada que ocorre após a explosão da pólvora (cf. 1709, p. 81 ss.). Os resultados alcançados por Hauksbee foram usados no trabalho fundamental sobre balística publicado por Benjamin Robins em 1742 (cf. Wilson, 1761, 1, prop. 1-7), particularmente em suas proposições "para determinar a elasticidade e a quantidade desse fluido elástico, produzido pela explosão de uma dada quantidade de pólvora". Este problema fundamental da balística interior prendeu em grau considerável a atenção dos cientistas ingleses do século XVII, tal como se evidencia pelos frequentes experimentos realizados na Sociedade Real.[7]

3 A balística exterior

Talvez mais atenção tenha sido dedicada aos problemas científicos estritamente relacionados com a balística exterior, que trata do movimento de um projétil depois que ele deixou a arma, da trajetória (ou curva descrita pelo centro de gravidade do projétil em seu movimento) e da relação entre a velocidade do projétil e a resistência do ar (cf. Lissak, 1915, p. 357 ss.). Os experimentos mais notáveis de balística exterior nos últimos dois séculos foram os de Robins, Hutton, Didion, Poisson, Helie, Bashforth, Mayevski e Siacci, mas esses experimentos estavam, por sua vez, amplamente baseados no trabalho científico do período precedente.

---

7 Cf. Merton, 1970 [1938], apêndice A, 3, b, 1. Alguns dos membros mais ativos da Sociedade participaram desses experimentos: por exemplo, Henshaw, Moray, Brouncker, Hooke, Neile, Charleton, Povey, Goddard, Boyle, Papin etc. A Sociedade manteve seu interesse nesse assunto por todo o século XVIII.

O trabalho teórico de Tartaglia, Collado, Galileu e Torricelli sobre o movimento dos projéteis penetrou nas correntes tanto da ciência como da tecnologia militar. Apareceram inúmeros livros que tentavam utilizar essa pesquisa científica para propósitos práticos,[8] a maioria deles baseados no teorema de Galileu, de que a trajetória de um projétil é parabólica. Os cientistas de ponta continuaram igualmente a pesquisa segundo essa linha, dirigindo-se a certo número de problemas diretamente relacionados e problemas derivados, mais distantes.

A determinação da trajetória de um projétil está ligada a certo número de problemas científicos que concentraram, em extensão considerável, a atenção de alguns dos principais cientistas da época. A experimentação com o movimento de um pêndulo no ar ou na água permite que se teste uma lei hipotética da resistência dos meios aos corpos que neles se movem (Newton, *Principia*, livro 2, seção 6, prop. 31). Do tempo de Galileu até o trabalho de época de Robins sobre o assunto, a resistência do ar a balas e tiros, que se movem em um meio, era considerada como da maior importância na estimativa da trajetória. Embora Galileu reconhecesse a influência dessa resistência, ele realizou um esforço relativamente pequeno para determinar sua extensão, em contraste com a atenção cada vez maior devotada a esse problema por Wallis, Newton, Bernoulli e Euler.[9]

A explicação da trajetória dos projéteis em um vácuo envolve a primeira e a segunda leis do movimento. O movimento parabólico

---

8 Alguns dos mais notáveis dentre esses trabalhos são: Bourne (1643), Eldred (1646), Anderson (1674, 1690), Blondel (1685), Binning (1689). Muitos inventores, dentre os quais se notabilizou o marquês de Worcester, tentaram melhorar os meios existentes de bombardeamento (cf. Marquis of Worcester, 1663, num. 24, 29, 64-67).

9 Cf. Galilei, 1914 [1638], Fourth Day, teorema 1, p. 252 ss. Wallis mantinha que os desvios da trajetória estimada eram principalmente devidos a essa resistência do ar (cf. Jähns, 1890, 2, p. 1243).

dos projéteis foi vinculado a experimentos com o jato que espirra de um orifício em um recipiente repleto de fluido, experimentos que atingiram grande popularidade, porque permitiam que a curva descrita pelo líquido se tornasse visível (cf. Whewell, 1858, 1, p. 341-2). Como veremos, Castelli, Torricelli, Mersenne, Mariotte, Halley e Newton vincularam explicitamente esses experimentos de hidrodinâmica à balística exterior.

O trajeto real dos projéteis desvia-se das parábolas de Galileu parcialmente em virtude do movimento de rotação da Terra. Hooke, Newton e, na França, Mersenne e Petit tentaram determinar a influência dessa rotação (cf. Gronau, 1868, p. 20-8).

Assim, afiliado à pesquisa em balística exterior encontra-se certo número de problemas científicos derivados, nos quais os cientistas da época estavam profundamente interessados. Ver-se-á que a conexão entre os aspectos puros e aplicados dessa pesquisa científica é explicitamente realizada pelos próprios investigadores, sugerindo que, pelo menos até certo grau, seu interesse estava centrado nesses objetos devido à utilidade prática derivável a partir deles. Tais influências podem operar de maneira persistente, mas menos óbvia, proporcionando o núcleo de valores dinâmico-mecanicista,[10] pelo qual a pesquisa científica era governada. O esforço para atingir a precisão matemática no fogo de artilharia representou um modelo para as artes industriais e um vínculo com a ciência da época. De qualquer modo, as necessidades militares, assim como as outras necessidades tecnológicas previamente descritas, tenderam a dirigir o interesse científico para certos campos.

---

10 Mecânico em contraste a orgânico. Os cientistas do século XVII procuravam por "isolados" (amostras) que podiam ser tratados, *para todos os propósitos práticos*, como se fossem completamente representativos do mundo físico do qual eles tinham sido abstraídos (cf. Borkenau, 1934, p. 6-10; Mumford, 1934, p. 46-7).

4 Considerações detalhadas

Assim, Hooke vinculou definitivamente algumas de suas pesquisas à tecnologia militar. O estudo da queda livre dos corpos — tão essencial para a balística exterior no estágio inicial dessa teoria — foi continuado por Hooke com seus experimentos sobre a queda de balas de "aço" (Birch, 1756, 1, p. 195-7). Ele continuou suas pesquisas com alguns experimentos realizados para a Sociedade Real que visavam determinar a resistência do ar aos projéteis. Essa resistência, sustentava ele, podia ser determinada "atirando horizontalmente a partir do alto de alguma árvore alta", assim como "perpendicularmente para cima" e "atirando balas (...) horizontalmente, de modo a observar tanto o tempo que elas gastam para percorrer tal e tal distância, como igualmente a força com a qual atingem uma marca ou um corpo, colocado a diferentes distâncias do instrumento que atira" (Birch, 1756, 1, p. 205). Sua sugestão de que as balas sejam atiradas verticalmente para cima representava um esforço para assegurar-se do efeito da rotação da Terra na trajetória dos projéteis.

Hooke continuou seus experimentos construindo um "engenho para determinar a força da pólvora em função do peso" — os experimentos resultantes mostraram que ele despertou um interesse geral, pois foram repetidos em várias reuniões da Sociedade (Birch, 1756, 1, p. 205). A relação definitiva entre a tecnologia militar e a ciência pura é tornada explícita pelas pesquisas de Hooke. Ele dedicou tempo considerável à experimentação com a queda livre dos corpos e tentou determinar a velocidade "de uma bala, disparada por um mosquete" (Birch, 1756, 1, p. 465, 474). Essa conexão com a tecnologia torna-se ainda mais patente em seu "experimento para encontrar a velocidade de uma bala por meio do instrumento para medir o tempo dos corpos em queda" (Birch, 1756, 1, p. 461), obviamente, essa mesma conexão estava implicada em Galileu.

A CIÊNCIA E A TÉCNICA MILITAR

Edmund Halley, de quem frequentemente se diz que só secundava Newton entre os astrônomos desse período, relacionava constantemente sua pesquisa científica com as necessidades práticas. Já vimos a notável extensão em que seu trabalho de astronomia estava vinculado às demandas práticas imediatas da navegação. Suas pesquisas em mecânica, e ainda mais importante, seu encorajamento ao trabalho de Wallis e Newton nesse campo, também parecem amplamente influenciados por interesses práticos. Talvez Halley possa ser considerado como o mais claro exemplo de cientista do século XVII que encontrava justificação para seus labores científicos nos frutos imediatos que eles proporcionavam.

Familiarizado com as descobertas científicas de seus companheiros de investigação, Halley vinculava explicitamente as mais abstrusas teorias científicas a objetivos imediatamente práticos. Assim, tendo visto o *Propositiones de motu* de Newton (que constituía o primeiro rascunho da maior parte dos dois primeiros livros do *Principia*), Halley aplicou essas doutrinas ao movimento de um tiro de canhão (cf. Halley, 1686). Reconhecendo as vantagens econômicas, assim como técnicas, que derivavam de sua formulação matemática e mecânica da trajetória aproximada dos projéteis, Halley sugeriu que sua "regra pode ser de bom uso para todos os artilheiros e atiradores, não apenas porque podem usar bem menos pólvora do que a necessária para lançar suas bombas no lugar marcado, mas porque podem atirar com mais certeza (...)" (Halley, 1686, p. 17). A esse respeito, Halley foi realmente um filho da época utilitária na qual vivia. Ele reiterava constantemente as vantagens econômicas que se obtinham da utilização apropriada do conhecimento científico. Os cientistas de mente prática do período tinham uma consciência aguda do custo excessivo da pólvora[11]

---

11 John Wilkins (1648, 1, p. 81) discorre sobre o custo do tiro de canhão e sugere a eminente premência de descobrir meios de reduzir essa despesa.

Robert K. Merton

e Halley repetidamente tentou aplicar seu conhecimento científico com o objetivo de reduzir esse custo. Assim, em outro artigo sobre esse assunto, ele enfatizou novamente a economia de pólvora que se poderia fazer por meio de um conhecimento acurado das regras de carregar o canhão;[12] e, em texto lido em julho de 1690 na Sociedade Real, enfatizou o fato "de que o ajuste do tiro ao cano de uma peça tinha grande consequência na artilharia, [e] de que estava muito seguro de que, observando isso, mais pólvora poderia ser salva do que aquela que se pagaria para disparar o tiro de nosso grande canhão (...)" (lido em 2/jul./1690; cf. Mac-Pike, 1932, p. 219).

Essa insistente reiteração do significado econômico, assim como das aplicações práticas da teoria científica e matemática, é um reflexo notável daquele espírito de racionalismo econômico que se tornou cada vez mais aparente, pelo menos desde o século XVII. Os cientistas não procuram apenas a eficiência técnica, mas consideram também as vantagens econômicas de uma adaptação estritamente funcional de meios a fins.[13] Trata-se de uma expressão da atitude atribuída com justiça aos newtonianos de instituírem uma "ciência prática, tendo como fim a segurança, por meio do conhecimento das leis naturais, de nosso domínio sobre a natureza", além da concepção de uma economia racionalizada (tal

---

12 Cf. Halley (1695, p. 68): "(...) uma vantagem considerável está em economizar a pólvora do Rei, que em tão grandes e tão poderosas descargas, como vimos ultimamente, devem importar em um considerável valor".

13 Bernhard Bavink está correto em sua afirmação de que a tecnologia enquanto tal, para não dizer a ciência, está despida de considerações econômicas de custo, escassez etc. Mas, concretamente, as duas estão muito intimamente relacionadas. É particularmente notável que os cientistas tenham levado em conta o fator de custo, uma vez que isso sugere que os elementos econômicos permearam totalmente sua escolha dos problemas (cf. Bavink, 1930, p. 517-8). Max Weber traça incisivamente a mesma distinção e acrescenta: "a orientação econômica do que se chama hoje desenvolvimento tecnológico é um dos fatos fundamentais da história da técnica" (M. Weber, 1922a, p. 32-3).

A CIÊNCIA E A TÉCNICA MILITAR

como se encontra nas discussões de Hobbes e Locke) (cf. Halévy, 1901, 1, p. 3 ss.). Halley vinculou a pesquisa científica à tecnologia militar em muitas outras instâncias. Considerando que a Inglaterra é uma ilha e "deve ser senhora dos mares, e superior em força naval a cada um de seus vizinhos", descreve um método para permitir que um navio carregue suas armas com mau tempo (lido em 14/dez./1692; cf. MacPike, 1932, p. 165). Instado pela Sociedade Real, ele examinou também "as tabelas do senhor Alberghetti para disparar bombas" (p. 167-8), apontando, nelas, o uso louvável do trabalho de Galileu, Torricelli e outros.

Halley vinculou igualmente à balística exterior as pesquisas hidrodinâmicas de Torricelli, Mariotte e Newton. Mostrou, como era bem conhecido pelos cientistas de sua época, que a teoria da velocidade dos fluidos (tal como estabelecida pelos experimentos sobre o fluxo de fluido através de um furo em um recipiente repleto de fluido) podia ser aplicada para determinar "a velocidade emprestada a uma bala pela explosão da pólvora" (lido em 14/dez./1692; cf. MacPike, 1932, p. 147-8, 222-3). O trabalho de Mariotte no *Tratado do movimento das águas e dos outros corpos fluidos* (*Traité du mouvement des aux et des autres corps fluides*), o qual Newton reprova no segundo livro do *Principia*, foi reexaminado com vistas a estabelecer a velocidade do tiro de canhão. Como veremos, Newton — que, em sua correspondência com Halley, evidencia apreciar a conexão aqui envolvida — gastou tempo considerável em experimentos com esse problema de hidrodinâmica.

Halley encorajou igualmente as pesquisas de Wallis sobre a resistência do ar aos projéteis, indicando-lhe que Newton estava trabalhando no mesmo problema.[14] O resultado foi o artigo de Wallis

---

14. Ver sua carta a Wallis, enviada de Londres, com a data de 11/dez./1686, na qual ele escreve: "o Sr. Isaac Newton há cerca de dois anos forneceu-me as proposi-

publicado na *Transactions*, no qual ele afirmava que uma "bala de canhão", projetada horizontalmente, descreve uma trajetória "que se assemelha a uma parábola deformada", deformação que dizia ser amplamente devida à resistência do ar (cf. Wallis, 1686). Segue-se, portanto, que é decisivamente importante determinar a influência precisa dessa resistência, um assunto que foi intensamente tratado por Newton e que culminou temporariamente no trabalho de Robins, embora a trajetória real dos projéteis seja quase intratável matematicamente.

Wallis foi o primeiro a enunciar corretamente a teoria do impacto (lido em 26/nov./1668; cf. Wallis & Wren, 1668), que foi mal compreendida por Galileu e erroneamente discutida por Descartes em seu *Principia* de 1644. Quase ao mesmo tempo, mas de uma maneira bem menos completa, Christopher Wren descobriu as leis empíricas de impacto para os corpos elásticos (lido em 17/dez./1668; cf. Wallis & Wren, 1668), enquanto Huyghens comunicou sua análise muito mais detalhada menos de um mês depois.[15] Esses experimentos sobre o impacto *assumem* a terceira lei do movimento, como Newton observa no *Principia* (livro 1, escólio à lei 3), muito embora Newton tenha sido o primeiro a formular o princípio de ação e reação. Este princípio não é apenas uma lei básica da mecânica, mas é necessário para o entendimento do coice nas armas. Wallis, como veremos, estava envolvido com a pesquisa sobre balística exterior, e Wren dedicou-se à invenção de "engenhos ofensivos e defensivos" e com as maneiras convenientes "de usar a artilharia embarcada no navio" (Wren, 1750, p.

ções aqui incluídas, referentes à oposição do meio a um movimento diretamente impresso (...)". A carta está reimpressa em MacPike, 1932, p. 74-5. Ver também a carta posterior, p. 80-1.

15 O trabalho de Huyghens foi recebido por Oldenburg em 4/jan./1669. Uma apresentação muito mais detalhada se encontra em seu trabalho de publicação póstuma, *Tratado do movimento dos corpos por percussão* (*Tractatus de motu corporum ex percussione*), de 1703.

A CIÊNCIA E A TÉCNICA MILITAR

198, 240), enquanto Huyghens contribuiu com praticamente todas as fases da tecnologia militar (cf., por exemplo, Huyghens, 1690).

Esse trabalho na teoria do impacto direto é outra instância na qual o esforço científico foi aparentemente influenciado, não tanto pela relação explícita e direta às necessidades práticas, mas antes por concentrar o interesse sobre certos campos que tinham claras relações com os problemas tecnológicos imediatos. É provável que a pesquisa concernente ao impacto dos corpos elásticos e inelásticos tenha sido *diretamente* estimulada pela deficiência sentida nos princípios da mecânica, mas é também evidente que os problemas práticos tenderam a enfatizar o interesse nessa esfera de investigação. A terceira lei do movimento era tão aplicável ao fenômeno do recuo quanto as duas primeiras leis ao problema da trajetória dos projéteis. A límpida consciência desses cientistas das necessidades práticas de seu tempo reforça a probabilidade de que eles não deixaram de ser influenciados por esses requisitos em sua seleção de problemas.

Newton estava bem consciente da relação de seu trabalho com essas necessidades práticas, assim como Robins que utilizou, com grande sucesso, seus resultados para aplicação direta na balística. O tratamento newtoniano do problema do sólido de mínima resistência, tal como enunciado por ele, podia não apenas ser aplicado à determinação da forma dos navios, como também era importante para determinar a trajetória dos projéteis (*Principia*, livro 2, prop. 24, escólio).[16] Ele concluiu que a resistência é proporcional ao quadrado da velocidade, à densidade do fluido e à superfície da esfera. Newton tentou, embora sem sucesso, deduzir a lei da resistência a partir da velocidade do fluxo de água; uma tentativa que tanto Mariotte como Halley ligaram à

---

16 Robins também reconheceu subsequentemente a importância dessa pesquisa tanto para a construção de navios como para a balística exterior (cf. Wilson, 1761, 1, p. 199, 217; Forsyth, 1927).

balística exterior. Newton dedicou grande parte do segundo livro a uma discussão sobre a resistência dos diferentes meios aos projéteis. Na seção 6, ele testa as supostas leis da resistência para determinar o movimento do pêndulo no ar e na água. A seção 8 apresenta proposições que permitem a dedução de que a resistência do ar aos projéteis é aproximadamente o quadrado da velocidade.

Roger Cotes, o discípulo de Newton que editou a segunda edição do *Principia*, ocupou-se igualmente com o movimento dos projéteis (cf. Cotes, 1720; 1722). Ele também corrigiu vários erros causais no trabalho de Newton sobre esse assunto.[17]

Desta exposição resulta provável que as necessidades geradas pela tecnologia militar influenciaram os focos dos interesses científicos em um grau apreciável.[18]

---

17 Na definição v, Newton, ao escrever sobre uma bala disparada horizontalmente do alto de uma montanha por uma distância de duas milhas antes de alcançar o solo, tinha, na primeira edição, feito seus cálculos como se ela fosse uma projeção oblíqua. Isso foi corrigido por Cotes, assim como um erro na décima proposição do segundo livro, que concerne à determinação aproximada do movimento de um projétil no ar. Ver as cartas de Cotes em Edleston (1850, p. 4-5, 9).

18 Uma lista dos mais importantes artigos sobre armamentos e projéteis publicados na *Transactions* entre o final do século XVII e o século XVIII pode servir para indicar a extensão na qual cientistas ingleses proeminentes estavam diretamente concernidos com o campo da tecnologia militar. Sir Robert Moray, "Experimentos em Woolwich, 18 março de 1651, para testar a força dos grandes canhões", *Transactions*, 15, p. 1090, 1685; Edmond Halley, "Solução de um problema de grande uso nos armamentos", *Transactions*, 16, p. 3, 1686; "Uma proposição de uso geral na arte dos armamentos, que mostra a regra de pilar a carga de modo a atingir qualquer objeto acima ou abaixo do horizonte", *Transactions*, 19, p. 68, 1695; Brook Taylor, "Algumas proposições a respeito do movimento parabólico dos projéteis, escritas em 1710", *Transactions*, 31, p. 151, 1721; "Relatório da Comissão da Sociedade Real designada para examinar algumas questões de armamento", *Transactions*, 42, p. 172, 1742-1743; Benjamin Robins, "Uma resenha de um livro intitulado *Novos princípios dos armamentos*, que contém a determinação da força da pólvora e uma investigação sobre o poder de resistência do ar em aumentar e di-

Mas a extensão dessa influência ainda é problemática. Não é de modo algum certo que uma distribuição muito semelhante de interesses não teria ocorrido, independentemente dessa pressão externa. Muitos desses problemas fluíam diretamente, de igual modo, dos desenvolvimentos intrínsecos da ciência. Pode-se argumentar que a procura desinteressada da verdade, acoplada à concatenação lógica dos problemas científicos, é suficiente para dar conta da direção particular da pesquisa. De fato, entretanto, um corpo cumulativo de evidência conduz à conclusão de que *algum* papel deve ser concedido para esses fatores externos à ciência propriamente dita. O capítulo seguinte[19] dedica-se ao esforço de determinar, tão precisamente quanto possível (embora quando muito possamos ter a esperança apenas de uma estimativa bastante crua), a extensão em que foram operativas as influências militares, econômicas e técnicas.

---

minuir os movimentos", *Transactions*, 42, p. 437, 1742-1743; Thomas Simpson, "O movimento dos projéteis próximos à superfície da Terra, considerados independentemente das propriedades das seções cônicas", *Transactions*, 45, p. 137, 1748; Charles Hutton, "A força do disparo de pólvora e as velocidades iniciais das balas de canhão, determinadas por experimentos, do que também se deduz a relação entre a velocidade inicial e o peso do disparo e a quantidade de pólvora", *Transactions*, 68, p. 50, 1778; Benjamin Thompson, "Novos experimentos sobre a pólvora", *Transactions*, 71, p. 229, 1781; Benjamin, conde de Rumford, "Experimentos para determinar a força do disparo de pólvora", *Transactions*, 87, p. 222, 1797.

19 Ver o próximo capítulo desta coletânea. (N. E.)

CAPÍTULO 3

Influências extrínsecas
à pesquisa científica

(1938)

Há muito se debate sobre a questão da importância relativa dos fatores intrínsecos e extrínsecos na determinação dos focos de interesse científico. Um grupo de teóricos empenhou-se na convicção de que a ciência não tem virtualmente autonomia em si mesma. Sustenta-se que a direção do avanço científico é quase que exclusivamente o resultado de pressão externa, particularmente econômica. Juntando-se no tema a esses extremistas, existem outros que argumentam que o cientista puro está apartado do mundo social no qual vive e que seus objetos de pesquisa são determinados pela estrita necessidade que é inerente, de modo estritamente lógico, a cada compartimento da ciência. Cada um desses pontos de vista é justificado por um apelo a casos cuidadosamente selecionados, que se vinculam nominalmente a uma ou outra dessas opiniões conflitantes.

Em uma conferência recentemente publicada, o doutor Sarton faz a mediação entre essas visões e levanta o problema com respeito à matemática como segue:

> Não há dúvida de que as descobertas matemáticas estão condicionadas por eventos externos de todo tipo, políticos, econômicos, científicos e militares, e pelas incessantes demandas das artes da paz e da guerra. A matemática nunca se desenvolveu em um vácuo político ou econômico. Entretanto, pensamos que esses eventos foram apenas alguns dos fatores, entre outros, fatores

cujo poder poderia variar, e efetivamente varia, de época para
época. Poderia ser quase decisivo em um caso e ineficiente em
outro. (Sarton, 1936, p. 15-6)

Mutatis mutandis, o mesmo pode ser dito para a ciência em
geral. De importância especial é a sugestão de que a influência
desses fatores condicionantes extrínsecos não é constante, pois
isso implica que não podemos estender nossas descobertas para
o século XVII, sem outra consideração, para a história da ciência
em geral.[1] Mas isso não impossibilita um exame sistemático da
extensão em que esses fatores penetraram na pesquisa científica
durante a última parte do século XVII.

1 Uma enunciação do procedimento

As atas da Sociedade Real, tal como transcritas na *História da Sociedade Real* (*History of the Royal Society*) de Birch, proporcionam
uma base para esse estudo. Um procedimento factível, embora
de muitos modos inadequado, consiste em uma classificação e
tabulação das pesquisas discutidas nos encontros da Sociedade,
juntamente com um exame do contexto no qual vieram à luz os
vários problemas. Isso poderia proporcionar algumas bases para
decidir toscamente a extensão em que os fatores extrínsecos ope-
raram direta ou indiretamente.

Como a transcrição de Birch se estende somente aos encontros
de 1687, isso proporciona o limite temporal de nosso estudo, que
considera as reuniões realizadas durante os quatro anos de 1661,
1662, 1686 e 1687. Não há razão para supor que elas não represen-
tem reuniões "típicas". Além disso, mesmo esse breve intervalo

---

[1] Concepção muito semelhante é defendida por Max Scheler, 1924, p. 29 ss.

pode revelar desvios no grau das influências sociais e econômicas durante esse período.

A classificação empregada é empírica, antes que lógica. Os itens foram classificados como "diretamente relacionados" às demandas sociais e econômicas quando o indivíduo que conduz a pesquisa indicava claramente alguma dessas conexões, ou quando a discussão imediata da investigação evidenciava uma apreciação de alguma dessas relações. Os itens classificados como "indiretamente relacionados" compreendem pesquisas que tinham alguma clara conexão com as necessidades práticas correntes, usualmente indicada no contexto, mas que não são definitivamente relacionadas desse modo pelos investigadores.

As pesquisas que não evidenciavam relações desse tipo foram classificadas como "ciência pura". Nesta categoria, foram classificados muitos itens que possuem relações concebíveis com as exigências práticas, mas que não estavam tácita ou abertamente ligados com tais influências. Assim, as investigações no campo da meteorologia podiam muito facilmente ser relacionadas ao desejo prático de prever o tempo, mas, quando essas pesquisas derivam evidentemente de problemas científicos precedentes, elas foram classificadas como ciência pura.[2] Analogamente, muito do trabalho feito em anatomia e em fisiologia era indubitavelmente de valor para a medicina e a cirurgia, mas os mesmos critérios foram empregados na classificação desses itens. É provável, portanto, que se algum viés esteve envolvido nesta classificação, ele aconteceu na direção de superestimar o escopo da ciência pura.

---

2 Por outro lado, um item tal como o seguinte foi classificado como "diretamente relacionado": "o senhor Hooke mostrou um instrumento para medir a velocidade do ar ou do vento, como segue (...). O uso desse instrumento pode ter grandes consequências na navegação e manobra do barco no mar, e para examinar a potência e resistência em terra da teoria da navegação, para a qual foi destinada" (Birch, 1756, 4, p. 225-6).

Dois testes foram usados para salvaguardar este esboço de determinação, apenas grosseiramente quantitativa, das influências sociais e econômicas. Um deles foi ter os itens classificados independentemente por duas pessoas. A consistência dos resultados, usando os mesmos critérios de classificação, foi tão alta que sugeriu que havia, pelo menos a esse respeito, menos subjetivismo do que se poderia a princípio suspeitar. O segundo teste é a apresentação de uns poucos exemplos representativos em cada categoria; uma amostra disso é apresentada em Merton (1970 [1938], apêndice A).

De qualquer modo, é óbvio que esse procedimento proporciona apenas uma aproximação grosseira da extensão das influências extrínsecas sobre a seleção de assuntos para estudo científico. Os resultados permitem simplesmente sugerir a extensão relativa das influências que localizamos em um grande número de exemplos concretos. Segue-se a classificação empírica usada nesta tabulação (cf. Hessen, 1932; Merton, 1970 [1938], apêndice A):

A. Pesquisa relacionada a necessidades socioeconômicas
   I. Transporte e navegação marítimos
      a. pesquisa diretamente relacionada
         1. estudos da bússola: inclinação magnética;
         2. mapas marítimos e hidrografia;
         3. métodos para a determinação da posição do navio no mar: longitude e latitude;
         4. estudos sobre os períodos das marés;
         5. métodos de construção de navios e invenção de acessórios marítimos.
      b. pesquisa indiretamente relacionada
         1. estudos sobre os movimentos dos corpos na água: para melhorar a qualidade da flutuação dos navios;
         2. observações dos corpos celestes para a determinação da longitude e latitude;

Influências extrínsecas à pesquisa científica

3. estudos de botânica e de silvicultura na medida em que pertencem à provisão do madeiramento dos navios.

II. Mineração e metalurgia

a. pesquisa diretamente relacionada

1. métodos de içar minério;
2. experimentos com bombas de água e equipamentos de condução de água;
3. métodos de ventilação das minas e de controle das inundações;
4. metalurgia;
5. técnicas gerais de mineração.

b. pesquisa indiretamente relacionada

1. métodos de guindagem úteis para a guindagem de minério;
2. problemas de elevar a água em tubos e estudo da pressão atmosférica aplicáveis ao bombeamento de água das minas;
3. estudos de compressão do ar aplicáveis à ventilação de minas.

III. Tecnologia militar

a. pesquisa diretamente relacionada

1. estudos da trajetória e velocidade de balas e tiros;
2. processos de lançamento e melhoramento das armas;
3. relação entre o tamanho do cano da arma e o alcance da bala;
4. fenômeno do coice da arma;
5. experimentos com pólvora.

b. pesquisa indiretamente relacionada

1. compressão e expansão de gases aplicáveis ao estudo das relações entre volume e pressão na arma;

2. resistência, durabilidade e elasticidade de metais
úteis na determinação da resistência elástica das
armas;
3. queda livre dos corpos e conjunção de seu
movimento progressivo com sua queda livre, útil
na determinação da trajetória de balas e tiros;
4. movimento dos corpos através de um meio
resistente para obter uma aproximação maior
com a trajetória dos projéteis influenciada pela
resistência do ar.

IV. Indústria têxtil
1. pesquisa que está definitiva e explicitamente
relacionada a este tipo de indústria.

V. Tecnologia geral e agricultura

B. Ciências puras

Esta categoria inclui pesquisas nos campos da matemática, astronomia, física, meteorologia, química, botânica, zoologia, anatomia, fisiologia, geologia, geografia, história e estatística (aritmética política) que, pelos cânones discutidos no texto, parecem não ter relação notável com necessidades práticas.

Os vários itens de pesquisa discutidos nas reuniões da Sociedade Real foram classificados nessas três categorias. Os experimentos individuais que chamavam a atenção dos membros da Sociedade foram arbitrariamente contados como "unidades" na tabulação anteriormente descrita. As ênfases variadas nos diferentes problemas que exigiam investigação podem ser assim determinadas, muito embora os índices quantitativos possam implicar um grau de precisão que manifestamente não foi atingido. Este procedimento representa um esforço no sentido de proporcionar "regras de evidência" para testar enunciados, tais como "o desenvolvimento proeminente da mecânica foi devido às exigências técnicas cotidianas". Pareceria provável que, pela tabulação de várias pesquisas e derivação das porcentagens correspondentes a cada categoria na soma total de pesquisas, estivéssemos obtendo um quadro aproximadamente acurado dos focos de interesse científico. A Tabela 1 a seguir apresenta uma sinopse dos resultados.

2 SUMÁRIO DOS RESULTADOS

A partir desta tabulação, parece que menos da metade (41,3%) das várias investigações conduzidas durante os quatro anos disponíveis foram dedicadas à ciência pura. Se se acrescenta a isso os itens que estavam só indiretamente relacionados com as necessidades práticas (7,4% para os transportes marítimos, 17,5% para a mineração e 3,6% para as técnicas militares), então cerca de 70 por cento dessa pesquisa não tinha afiliações práticas. Como esses números não são senão grosseiramente aproximados, os resultados podem ser sumariados dizendo-se que de 40 a 70 por cento estavam na categoria da ciência pura e, inversamente, que de 30 a 60 por cento eram influenciados por requisitos práticos.

Novamente, considerando apenas a pesquisa diretamente relacionada às necessidades práticas, parece que os problemas do transporte marítimo atraíram a maior atenção. Isso não é surpreendente, pois os cientistas da época estavam bem conscientes dos problemas originados pela situação insular da Inglaterra — problemas de natureza tanto militar como comercial — e estavam prontos a retificá-los.[3] De quase igual importância era

---

3   Ver, por exemplo, a observação de Edmond Halley "de que os habitantes de uma ilha, ou qualquer Estado que defenda uma ilha, devem ser senhores do mar, e superiores em força naval a qualquer vizinho que se pense capaz de atacá-la, é o que eu suponho que não necessite de argumento para reforçá-lo", em seu texto,

Tabela 1: Grau aproximado de influências sociais e econômicas
sobre a seleção de problemas científicos pelos membros da Sociedade Real de Londres

	1661		1662		1686		1687		Total	
	n°	%	n°	%	n°	%	n°	%	n°	%
Total	191	100,0	203	100,0	241	100,0	171	100,0	806	100,0
Ciência pura	76	39,8	63	31,0	103	42,7	91	53,2	333	41,3
Ciência relacionada										
a necessidades socioeconômicas	115	60,2	140	69,0	138	57,3	80	46,8	473	58,7
Transporte marítimo	17	8,9	41	20,2	39	16,2	32	18,7	129	16,0
diretamente relacionada	10	5,2	18	8,9	25	10,4	16	9,4	69	8,6
indiretamente relacionada	7	3,7	23	11,3	14	5,8	16	9,4	60	7,4
Mineração	63	33,0	48	23,6	38	15,8	17	9,9	166	20,6
diretamente relacionada	4	2,1	5	2,4	10	4,1	6	3,5	25	3,1
indiretamente relacionada	59	30,9	43	21,2	28	11,7	11	6,4	141	17,5
Tecnologia militar	18	9,4	23	11,3	32	13,3	14	8,2	87	10,8
diretamente relacionada	15	7,9	13	6,4	22	9,1	8	4,7	58	7,2
indiretamente relacionada	3	1,5	10	4,9	10	4,2	6	3,5	29	3,6
Indústria têxtil	8	4,2	5	2,4	9	3,7	4	2,3	26	3,2
Tecnologia geral e agricultura	9	4,7	23	11,3	20	8,3	13	7,6	65	8,1

a influência da técnica militar. Como mostraram as pesquisas do professor Sorokin (1937, 3), o século XVII testemunhou mais guerras do que qualquer outro período (com exceção do primeiro quarto do século XX). Assim, os problemas de natureza militar foram capazes de deixar sua marca na cultura da época, incluindo o desenvolvimento científico.[4]

Analogamente, a mineração, que, como vemos nos estudos exemplares de Nef e outros historiadores da economia, desenvolveu-se tão notavelmente na Inglaterra do século XVII, teve uma influência apreciável na seleção dos assuntos para análise científica. Nessa instância, a maior parte da pesquisa científica, enquanto distinta da tecnológica, ocorreu nos campos da mineralogia e da metalurgia, com o objetivo de descobrir novos minérios utilizáveis e novos métodos de extração de metais a partir dos minérios.

É interessante notar que, nos últimos anos considerados neste sumário, houve um aumento na proporção de investigação no campo da ciência pura. Isso pode ser explicado de várias maneiras. Primeiro, é possível que, desde o início, os membros da Sociedade

---

"Um método para permitir que um navio carregue suas armas com mau tempo", lido na Sociedade Real em 14/dez./1692 (cf. MacPike, 1932, p.164-5). Em Merton (1970 [1938], cap. 8), vemos como os cientistas eram conscientes dos benefícios comerciais do aperfeiçoamento da navegação.

4   Halley (1686, p. 19) proporciona uma maneira direta pela qual tais problemas influenciam a seleção dos objetos para estudo científico. Ele escreve: "A décima proposição contém um problema, intocado por Torricelli, que é de máximo uso nos armamentos e para cuja satisfação este *Discurso* foi principalmente escrito. Ele foi resolvido primeiro pelo senhor Anderson, em seu *Livro sobre o uso e efeitos genuínos das armas*, impresso no ano de 1674, mas sua solução requeria tanto cálculo que me pôs à procura de se não podia ser feita mais facilmente; e, desse modo, no ano de 1678, eu encontrei regra que agora publico, e a partir dela a construção geométrica (...)". Halley observa também que, na França, Buot, Römer e De la Hire também trabalhavam no mesmo problema. Esta breve citação mostra concisamente a maneira pela qual os problemas que chamavam a atenção dos cientistas, devido a sua importância prática, engendravam tipos definidos de pesquisa.

estivessem ansiosos para justificar suas atividades (para a Coroa e para o grande público), derivando resultados práticos tão logo quanto possível. Assim, eles estariam prontos a concentrar sua atenção nas investigações que estivessem mais aptas a conduzir a tais efeitos úteis. Além disso, muitos problemas que foram, de início, investigados deliberadamente devido a sua importância prática podem ter sido, posteriormente, estudados sem qualquer relação com suas implicações práticas. Nesses exemplos, embora não seja exagero atribuir a escolha a esses assuntos de urgência prática, é impossível determinar se eles chamaram a atenção devido a seu interesse científico intrínseco ou devido a sua utilidade última. Seria uma questão de inferência dúbia denotá-los como influenciados por necessidades socioeconômicas e, por isso, eles foram, mais ou menos arbitrariamente, classificados como "ciência pura". Portanto, se ainda assim os resultados foram enviesados, eles o foram do lado da ciência pura.

Com base nos dados apresentados nos três últimos capítulos[5] pode-se hipoteticamente manter que as necessidades socioeconômicas influenciaram consideravelmente a seleção dos assuntos de investigação na Inglaterra do século XVII. De modo geral, entre 30 e 60 por cento das pesquisas da época parecem ter sido, direta ou indiretamente, influenciadas desse modo.

Adenda

Em um artigo recentemente publicado, o professor G. N. Clark sugeriu que o ensaio do professor Hessen (1932) sobre "As origens sociais e econômicas do *Principia* de Newton" simplificava

---

5   Merton está fazendo referência a este capítulo, ao capítulo 2 desta coletânea, e ao capítulo 8 de sua tese de doutorado, intitulado "Ciência, tecnologia e desenvolvimento econômico: os transportes". (N. E.)

demasiadamente os aspectos sociais e econômicos da ciência desse período (cf. Clark, 1937).[6] Clark aponta que pelo menos seis classes principais de influências exteriores à própria ciência eram operativas: a vida econômica, a guerra, a medicina, as artes, a religião e, o mais importante de tudo, a procura desinteressada pela verdade. Estou substancialmente de acordo com essa revisão, como indica a discussão antecedente. Desses fatores, considera-mos todos, exceto as artes e a medicina. As artes não foram tratadas nessa conexão basicamente porque parecem estar remotamente ligadas ao desenvolvimento científico, exceto, como vimos no capítulo 2,[7] que ambas podem ser concebidas como intimamente conectadas a um extenso desenvolvimento do naturalismo e do realismo (*não* no sentido epistemológico).[8] As pesquisas na óptica podem ter sido ocasionalmente estimuladas pelo interesse nas artes, mas essa influência foi claramente de segunda importân-cia. Os requisitos da medicina, por outro lado, foram muito mais efetivos em guiar a pesquisa nas ciências biológicas. A única razão para não tratar dessa relação foi a delimitação do escopo do estudo. Um estudo detalhado e completo desse assunto obrigaria, sem dúvida, a retomar a investigação. Finalmente, pode-se sugerir que a importância da religião reside *primariamente*, embora não exclusivamente, em influenciar o grau de interesse na ciência em geral, ao invés de canalizar a pesquisa em certas direções.

---

6   Já indicamos anteriormente que os três capítulos precedentes do presente es-tudo, apesar de certas diferenças de interpretação, são profundamente devedores do trabalho de Hessen.

7   Merton refere-se agora ao capítulo 2 de sua tese de doutorado, intitulado "Contexto social: mudanças nos interesses vocacionais". (N. E.)

8   Para uma extensa discussão desse assunto, cf. Sorokin, 1937, 1.

Parte 2:
Dos ombros de gigantes a estímulos e armadilhas cognitivas

CAPÍTULO 4

A sociologia do conhecimento

(1937)[1]

As duas últimas décadas testemunharam, em especial na Alemanha e na França, o surgimento de uma nova disciplina, a sociologia do conhecimento (*Wissenssoziologie*), com rápido aumento do número de estudantes e uma literatura crescente (mesmo uma "bibliografia seleta" incluiria muitas centenas de títulos). Como a maior parte das investigações nesse campo concernem aos fatores socioculturais que influenciam o desenvolvimento de crenças e opiniões, mais do que do conhecimento positivo, o termo "*Wissen*" (conhecimento) deve ser interpretado de modo muito amplo, como referido às ideias e ao pensamento social em geral e não às ciências físicas, exceto quando expressamente indicado. Dito de modo sumário, a sociologia do conhecimento concerne primariamente à "dependência do conhecimento em relação à posição social"[2] e, em um nível excessivo e estéril, às implicações epistemológicas de tal dependência. De fato, como veremos, existe uma tendência crescente de repúdio a esse último problema, na medida em que se torna cada vez mais aparente que a gênese social do pensamento não tem ligação necessária com sua validade ou falsidade.

---

1 Este breve apanhado geral sobre o tema é primariamente, mas não exclusivamente, baseado nos seguintes livros: Grünwald, 1934; Scheler, 1924; Schelting, 1934; Mannheim, 1936.

2 "*Seinsverbundenheit des Wissens*" (o pertencimento existencial do conhecimento), uma frase que está rapidamente tornando-se um clichê.

Sustenta-se que o *Seinsverbundenheit* (pertencimento existencial) do pensamento está demonstrado quando se pode mostrar que, em certos domínios, o conhecimento não se desenvolve de acordo com leis imanentes de crescimento (baseadas na observação e na lógica), mas que, em certas conjunturas, fatores extrateóricos de vários tipos, usualmente nomeados *Seinsfaktoren* (fatores de existência), determinam a aparência, a forma e, em certos casos, inclusive o conteúdo e a estrutura lógica desse conhecimento. Esses fatores não teóricos podem interferir no pensamento de muitos modos: orientando a percepção do problema, determinando sua formulação teórica, fixando os pressupostos e valores que afetam em grau considerável a escolha dos materiais e dos problemas e sendo envolvidos no processo de verificação.

Esses fatores influenciam manifestamente o pensamento em certas esferas (por exemplo, as ciências sociais e o campo da opinião em geral) em uma extensão muito maior do que em outras (por exemplo, as ciências físicas e naturais). Desse modo, é muito compreensível que a maior parte dos estudantes de *Wissenssoziologie* tenha negligenciado a análise do desenvolvimento das disciplinas mais firmemente estabelecidas.

É manifesto que a sociologia do conhecimento concerne a problemas que têm uma longa pré-história. Isso é tão verdadeiro que a disciplina já encontrou seu primeiro historiador, Ernst Grünwald. Como ele indica com propriedade, algumas de suas concepções dominantes são simplesmente reafirmações mais sistemáticas e formuladas de modo mais claro de visões que encontraram expressão nos escritos de Francis Bacon (sua discussão dos *Idola*), para não ir além. Na mesma tradição, a doutrina da "mentira clerical" de Voltaire é marcada pelo otimismo intelectual do Iluminismo, ao assumir que o homem é capaz de adquirir conhecimento válido em relação a todos os problemas, mas não o faz, meramente por causa de "fatores perturbadores". Essa visão, para a qual o homem *pode* saber a verdade, mas é levado à dissimulação consciente por seus

A SOCIOLOGIA DO CONHECIMENTO (1937)

interesses (econômicos, o desejo de poder etc.), não está muito afastada da doutrina segundo a qual as ideias são o resultado de interesses profundos que involuntariamente tingem e distorcem cada fase do pensamento humano. Nietzsche parte dessa base, mas acrescenta uma nova faceta: o fato de que um juízo é falso não impossibilita necessariamente sua utilidade. Essa distinção entre a verdade e a utilidade encontra expressão, mais tarde, nos trabalhos de Vaihinger, Sorel, Pareto e G. Adler.

Segundo Grünwald (1934), o dogma cristão do mal, que é o *erro* na esfera cognitiva, como um elemento necessário do inescrutável plano divino é a segunda principal raiz histórica da sociologia do conhecimento. Certos grupos, principalmente os de não crentes, foram tornados cegos por Deus, de modo que seus juízos *não podem* ser válidos. Assim, não é mais necessário analisar seus juízos individuais para certificar sua falsidade, isso está predeterminado por seu grupo de filiação. Nas mãos de Hegel, essa doutrina torna-se secularizada e sustenta-se que, até certo ponto, o pensamento necessariamente falacioso é um reflexo do Espírito absoluto, já que tal pensamento nada é senão um meio para a *"List der Vernunft"* ("a astúcia da razão") atingir seus próprios fins. Esse historicismo idealista garante sua própria verdade sustentando que o filósofo, o próprio Hegel, está em aliança com o espírito do mundo; ele não é mais simplesmente um instrumento nas mãos do espírito absoluto, mas é, afinal, capaz de compreendê-lo. Marx substitui o espírito absoluto de Hegel pelas "relações de produção": o determinante do pensamento e das atitudes de um indivíduo é encontrado em sua posição no processo produtivo. Assim como certas classes são *inevitavelmente* caracterizadas por pontos de vista inevitavelmente distorcidos (*falsches Bewusstsein*) — daí que os motivos de seus membros não precisam ser impugnados —, assim também a classe que é o expoente de um processo histórico imanente, a saber, o proletariado, tem assegurada a possibilidade, se não a certeza, do pensamento válido.

A racionalidade circular dessas doutrinas é clara. Assumindo premissas que envolvem um historicismo radical que implica a recusa da possibilidade do pensamento válido, elas buscam uniformemente defender, por mero *fiat*, seus próprios argumentos de que o processo histórico (determinado de modo transcendental ou imanente) é tal que exime de erro o escritor ou o grupo ao qual é afiliado.

Opondo-se a essas visões, Max Scheler (1924) não atribui o monopólio da verdade a nenhuma classe social. De um modo aforístico, que impediu que desenvolvesse seus vários *insights*, ele sugere que os *Realfaktoren* (fatores reais) — raça, Estado, economia — atuam como agências seletivas de ideias, retardando ou acelerando sua difusão, mas não afetando sua validade ou determinando seu conteúdo. Essa visão não impossibilita de início uma análise do desenvolvimento das ciências físicas e naturais, já que concerne principalmente ao estudo dos fatores não teóricos, no âmbito em que eles determinam a direção do interesse intelectual. Um historicismo extremo, por outro lado, precisamente porque mantém de modo injustificado que o condicionamento do pensamento pelos fatores socioculturais tem um alcance significativo quanto a sua validade, é compelido a desconsiderar o estudo dessas ciências, sob pena de ser levado à desconfortável posição de repudiar o conjunto do conhecimento científico acumulado.

Scheler sugere que um desenvolvimento social importante que subjaz ao surgimento da ciência moderna foi a crescente separação entre a Igreja e o Estado na Idade Média e a subsequente multiplicação de seitas religiosas. Isso significou uma garantia ainda maior para a liberdade da ciência, pois os cientistas puderam jogar as muitas autoridades uma contra a outra, com o resultado de que as restrições autoritárias à ciência tornaram-se ainda menos sólidas. A "tolerância" não carece de relação com uma multiplicidade de pontos de vista sectários em conflito. Além disso, em constraste com as classes dominantes feudais, que consistentemente exer-

A SOCIOLOGIA DO CONHECIMENTO (1937)

ciam controle sobre *os homens*, a nova burguesia estava preocupada principalmente em adquirir a capacidade e o poder de transformar *coisas* em bens de valor. Essa mudança manifestou-se igualmente na supressão das técnicas "mágicas" de controle utilizadas por grupos e classes dominantes tradicionais e em uma nova estimativa positiva da possibilidade de controlar a natureza.

> Não é a necessidade técnica que condiciona a nova ciência, não é a nova ciência que condiciona o progresso técnico, porém, no tipo da nova humanidade burguesa, de sua nova estrutura de pulsões e de seu novo *éthos* estão fundadas, igualmente, a transmutação original do sistema categorial lógico da nova ciência, assim como o novo ímpeto, também originalmente técnico, de dominação da natureza. (Scheler, 1924, p. 100)

Scheler sugere ainda que a democracia parlamentar (ou regimes de estrutura similar) esteve conectada com a ciência na era liberal através de um conjunto de pressuposições e demandas comuns. A primeira delas é a crença geral, incorporada em fortes sentimentos, de que a livre discussão, a troca dialética de ideias e teses poderia, em geral, conduzir na ciência, assim como na arena política, à verdade e à correção política. "A liberdade os guiará para a verdade" é frontalmente oposto à doutrina autoritária: *minha* "verdade os fará livres".[3] A crença nas "verdades eternas da razão" é quebrada tanto pelo relativismo da ciência positiva como pela democracia parlamentar. Em seu lugar surge a crença na discussão ilimitada como um meio de atingir a ver-

---

3 Pode-se sugerir que as implicações relevantes da frase bíblica tornaram-se totalmente manifestas pela primeira vez quando lidas no contexto do verso anterior: "Então disse Jesus aos judeus que acreditavam nele, se vocês continuarem com a minha palavra, então vocês são mesmo meus discípulos; e vocês conhecerão a verdade, e a verdade os fará livres" (João 8:31-3).

dade. Isso, sugere Scheler — com sua doutrina poincariana do convencionalismo, do pragmatismo que testa as suposições por um simples apelo à conveniência —, tem como consequência um *Zersplitterung* (estilhaçamento) que chega perigosamente perto de um oportunismo dos interesses prevalecentes em qualquer momento. Assim — isso foi escrito em 1923 — chega-se, na esfera do conhecimento, a uma demanda por uma "verdade estabelecida" e, no domínio da política, ao movimento pela abolição de um parlamentarismo antiquado, à disposição para a ditadura, de direita ou de esquerda.

> Assim, o cientificismo liberal e o democratismo parlamentarista lentamente se esgotaram nesse princípio comum, para ceder o lugar a significativos gritos de desespero (ainda) literários — não políticos — com vistas à "decisão", à ditadura e à autoridade. (Scheler, 1924, p. 138)

O trabalho recentemente traduzido[4] de Mannheim (1936) concerne primariamente ao exame do pensamento humano em seu modo de operação na vida política "como um instrumento de ação coletiva", e não como é normativamente descrito nos livros-texto de lógica. Com base na suposição de que é a vontade dos membros dos grupos, de mudar ou manter os domínios da sociedade e da natureza, que guia a emergência de seus conceitos, problemas e modos de pensamento, Mannheim busca discriminar e isolar vários estilos de pensamento e relacioná-los aos grupos nos quais surgiram. O fato de que o pensamento seja tão enraizado em um

---

4 Devemos aos professores Louis Wirth e a Edward Shills uma tradução lúcida de um trabalho particularmente difícil. Esse volume combina o amplamente divulgado *Ideologie und utopie*, publicado originalmente em 1929, com o artigo "Wissenssoziologie", publicado em 1931 no *Handwörterbuch der Soziologie*, editado por Alfred Vierkandt, e uma introdução escrita especialmente para a edição inglesa.

A sociologia do conhecimento (1937)

meio social não precisa levar ao erro, mas pode proporcionar uma perspectiva para a observação de aspectos de um problema que, de outro modo, seriam ignorados. Contrariamente, uma dada posição social limita de tal modo um ponto de vista que pode obscurecer várias facetas de uma situação sob escrutínio. Essas concepções foram desenvolvidas por Mannheim em conexão com sua discussão de dois conceitos básicos, ideologia e utopia.

O conceito de "ideologia" é produto do conflito político no curso do qual parece "que os grupos dominantes podem, em seu pensamento, tornar-se tão intensamente ligados a uma situação por seus interesses que eles simplesmente não são mais capazes de ver certos fatos que podem enfraquecer seu senso de dominação" (Mannheim, 1936, p. 36). Como resultado, os juízos sociais dos estratos dominantes constituem uma apologia da ordem existente. As ideologias são de dois tipos: particular e total. A versão particularista mantém que as visões *de nosso oponente* são tão vinculadas a sua posição de classe que ele é incapaz de admitir considerações que destroem suas alegações de dominância. Historicamente, o primeiro passo em direção à mudança da concepção particularista em concepção total foi realizado por Kant em seu desenvolvimento de uma filosofia da consciência, que sustentava que um mundo infinitamente variado é transformado em uma unidade pela unidade do sujeito da percepção, que desenvolve princípios de organização (categorias) para o entendimento desse mundo. O sujeito não é um indivíduo concreto, mas "a própria consciência", a qual, vista por Hegel em perspectiva histórica como sujeita à transformação contínua, torna-se o espírito do povo (*Volksgeist*). Com Marx, o espírito do povo é fraturado na consciência de classe, e perspectivas unitárias tornam-se peculiares às classes antes que aos povos, épocas ou nações.

É possível dividir a concepção total em forma geral e forma específica. Específica, ao interpretar as visões dos *oponentes* como mera função de sua posição social; geral, quando o analista submete todos os pontos de vista, *incluindo o seu próprio*, à análise ideológica. "Com a emergência da formulação geral da concepção total de ideologia, a teoria da ideologia simplesmente converte--se na sociologia do conhecimento" (Mannheim, 1936, p. 69). Essa concepção total geral é, finalmente, dividida em um tipo valorativo, que concerne às bases epistemológicas das ideias, e um tipo não valorativo, que busca simplesmente estabelecer o modo como certas relações sociais fazem emergir interpretações particulares.

O segundo conceito no par básico de Mannheim é o de utopia. São utópicas aquelas concepções que, orientadas para um estado de coisas ainda inexistente, mas concretamente realizável, quando postas em ação rompem a ordem existente. Contrariamente às ideologias que são ilusórias, as utopias (tal como definidas) são verdadeiras. Manifestamente, isso envolve um critério de verdade *ex post facto*, já que, de outro modo, é impossível estabelecer quais ideias serão traduzidas em situações reais.

Considerando que Mannheim delimitou severamente, se não eliminou, o domínio do pensamento válido, ele é compelido, como o foram seus predecessores, a justificar suas próprias observações como verdadeiras e não simplesmente como ideológicas. Ele se esforça para sustentar isso indicando que existe um "estrato de-senraizado, relativamente fora das classes, a *intelligentsia* social-mente desvinculada" (*sozialfreischwebende Intelligenz*), que pode, em virtude de sua desvinculação, transcender as perspectivas de classe e alcançar o pensamento válido que integra os diversos pontos de vista parciais. E, por inferência necessária, é nesse estrato que Mannheim encontra seu lugar. Mais uma vez, as bases da validade não são encontradas em cânones objetivos de verdade, mas nas características de um grupo especificamente definido. E em quais bases se pode estabelecer essa premissa?

No curso de sua discussão invariavelmente estimulante, Mannheim sustenta um conjunto de teoremas que devem ser

A SOCIOLOGIA DO CONHECIMENTO (1937)

construídos, de modo mais prudente, como hipóteses sugestivas. É apenas em uma sociedade altamente diferenciada, caracterizada por alta mobilidade social e democratização, que a confrontação de universos de discurso incompatíveis e mutuamente ininteligíveis leva ao relativismo. A própria sociologia do conhecimento somente poderia surgir em uma sociedade como essa, na qual, com a emergência de novos valores básicos e a destruição dos antigos, são desafiadas as próprias fundações que sustentam crenças oponentes entre si.[5]

Mannheim propõe, então, a tese segundo a qual "mesmo as categorias que subsumem, compõem e ordenam as experiências variam de acordo com a posição social do observador" (Mannheim, 1936, p. 130). Um grupo organicamente integrado concebe a história como um movimento contínuo em direção à realização

---

5   O uso do termo "oponente" ou "adversário" reflete a fonte política do pensamento de Mannheim e sua inaplicabilidade geral aos desenvolvimentos científicos. A função da controvérsia política, em contraste com a crítica e a discussão científicas, é o favorecimento pessoal ou partidário, às expensas de pessoas ou partidos "opostos" e "competidores". Daí o objetivo de desacreditar o oponente a qualquer preço. Na ciência, o "oponente", se for permitido apelar ao antropomorfismo para encontrar um paralelo, é a "ignorância" ou a "resistência da natureza à descoberta de seus segredos". Certamente, por causa de fatores sociais que são estranhos à atividade da ciência, os mesmos elementos de favorecimento e lealdade pessoais a uma "escola" ou facção podem imiscuir-se nas atividades científicas. Mas eles são considerados como desvios descuidados em relação à norma vigente da impessoalidade, não expedientes táticos do fim específico em vista. De fato, é função essencial dessa norma de impessoalidade impedir esses envolvimentos emocionais dos cientistas com algumas de "suas" teorias, de modo a deixá-los dispostos e prontos a abandoná-las quando novos fatos demonstrarem sua inadequação. O sentimento básico para a ciência adere à ideia dominante de "busca da verdade" e a intrusão de outros sentimentos (glória pessoal, *status* econômico e político etc.) pode perturbar essa busca sem preferências da verdade. Daí também a ciumenta reação do cientista quando lealdades a outras instituições, por exemplo, o Estado, são dele demandadas *qua* cientista, já que elas interferem no funcionamento institucionalizado da pesquisa científica, como no caso da denúncia feita por Philipp Lenard da "física judia" de Einstein.

de seus próprios fins, grupos sem enraizamento e fracamente integrados esposam um intuicionismo a-histórico que enfatiza o fortuito e o imponderável. A mentalidade conservadora bem ajustada é avessa à teoria histórica, pois a ordem social, vista como "natural", não apresenta problemas. Somente o questionamento do *status quo* por classes que lhe são opostas leva os conservadores a reflexões filosóficas e históricas defensivas sobre si mesmos e o mundo social. Além disso, o conservadorismo tende a ver a história em termos de categorias morfológicas que enfatizam o caráter singular das configurações sociais, enquanto os advogados da mudança adotam um enfoque analítico para chegar a unidades que podem ser recombinadas, por integração causal ou funcional, em novos todos. A primeira visão enfatiza a estabilidade inerente à estrutura social *como ela é*, a segunda enfatiza a mutabilidade, abstraindo os elementos componentes dessa estrutura e rearranjando-os novamente.

Na medida em que Mannheim alega relevância epistemológica, sua discussão foi objeto da crítica do doutor Von Schelting (1934),[6] que esclarece vários temas controversos nela envolvidos. Suas principais objeções podem ser sucintamente sumariadas.

(1) A imputação de caráter ideológico ao pensamento de um oponente é um recurso retórico que, como fenômeno social que é, pode ser estudado proveitosamente pela ciência social, mas é duvidoso que estejamos justificados em adotar a ideologia como um conceito central.

(2) Na versão total do conceito de ideologia, toda a estrutura do pensamento de um indivíduo está envolvida. Daí que só possa

---

6   Estamos aqui considerando estritamente aquela seção do livro de Shelting (principalmente p. 73-177, em especial p. 117-67) que trata diretamente da sociologia do conhecimento. Pode-se dizer de passagem que o trabalho como um todo contribui muito para o nosso entendimento da metodologia de Max Weber e demonstra claramente sua importância para a pesquisa atual em ciências sociais (cf. também Schelting, 1936).

A SOCIOLOGIA DO CONHECIMENTO (1937)

existir pensamento ideológico e mesmo a ciência, especialmente a ciência social, torna-se ligada à posição social e é, consequentemente, inválida. Como pode então Mannheim reivindicar validade para seu próprio pensamento? Entretanto, se Mannheim foi realmente levado a esse familiar impasse relativista é um ponto de disputa que não permite uma solução rápida. Algumas vezes, Mannheim mantém que a determinação do pensamento pela posição social não é necessariamente uma fonte de erro, e pode muitas vezes abrir uma oportunidade para *insights* de outro modo impossíveis (1936, cf., por exemplo, p. 42, 72, 111, 124, 153, 254). Em outros contextos, ele afirma que tal determinação destrói a possibilidade de pensamento válido (1936, cf., por exemplo, p. 61-62, 175-6, 184). Parece que essas contradições repousam sobre uma dupla confusão. Em primeiro lugar, temos a tese defensável de uma *probabilidade* muito grande de distorção e erro, quando o interesse e o sentimento não apenas motivam, mas também permeiam o próprio ato de cognição. Essa é a equação pessoal e social familiar. Mas isso é confundido com a *necessidade* do viés significante em todas as situações envolvendo "interesse vital". Em segundo lugar, o fato de que um interesse e a consequente definição e limitação do problema são relacionados à filiação de classe é, por vezes, suposto implicar que os juízos contidos nessa esfera limitada são necessariamente incorretos. Essas são proposições essencialmente distintas: as bases da escolha de um problema nada implicam acerca do estatuto de sua solução.[7]

(3) Schelting (1934) indica com propriedade a séria confusão feita por Mannheim entre esferas essencialmente diferentes.

---

7 Em seu ensaio "A sociologia do conhecimento", Mannheim tempera suas visões e garante a possibilidade de validade particularizada a diferentes observadores na mesma posição de classe, que, "com base na identidade de seus aparatos conceituais e categoriais e através do universo comum de discurso assim criado, chegam a resultados similares" (1936a, p. 270). Mas Mannheim não concede a possibilidade de juízos objetivos que transcendam a posição de classe.

Normas éticas e estéticas, crenças políticas e religiosas (preconceitos e convicções) e juízos científicos são todos reunidos sob a rubrica "*Wissen*" (cf. Mannheim, 1936, p. 22, 72, 84) e considerações que são aplicáveis a alguns desses fenômenos são tacitamente estendidas para todos. Em que bases se pode atribuir ou recusar "validade" a normas éticas!

(4) O critério múltiplo de "verdade" de Mannheim — uma realização da ideia de função, eficácia ativa etc. — são bases não cognitivas, não teóricas, para avaliar ideias. Além disso, elas pressupõem o próprio conceito de validade objetiva que pretendem suplantar.

(5) Se uma validade superparticular é concedida à "*intelligentsia* socialmente descomprometida", como alguém pode alcançar essa generalização válida senão por um decreto epistemológico? E, em segundo lugar, como se pode estabelecer objetivamente o fato de que um indivíduo específico é "socialmente descomprometido"?

(6) Mannheim concede livremente que a "gênese psicológica" das ideias é irrelevante para o problema de sua validade. Ainda assim, ele mantém que a "gênese social" do pensamento envolve tal relevância porque é uma "gênese significativa". Isso é apenas aparentemente convincente. O argumento baseia-se na confusão entre a teoria da irrelevância da *gênese* para o *significado* de um juízo (o que ninguém nega) e a doutrina da irrelevância da gênese para a *validade* de um juízo. Somente esta última é sustentada pela epistemologia.

(7) Finalmente, a tese da mudança histórica das categorias de pensamento não foi demonstrada. No curso de tais "demonstrações" nominais, as comparações são caracteristicamente feitas não entre as categorias envolvidas no pensamento positivo de vários povos, mas entre elas e as categorias básicas das concepções religiosas ou mágicas. Essa falácia, que é partilhada por Mannheim e Scheler, é especialmente conspícua no traba-

lho de Lévy-Bruhl, Jerusalem e seus discípulos. Em oposição a essa tese, pode-se mostrar (a) que, em outros domínios que não aquele do pensamento positivo, a negação dos princípios de identidade e contradição é prevalecente mesmo em nossos dias e (b) que, em grupos primitivos, além das esferas nas quais domina a "pré-logicidade", existe um corpo de conhecimento técnico que pressupõe os cânones da lógica e da verificação básicos ao pensamento positivo.

Uma vez que deixemos de lado esse problema geral da relevância epistemológica da sociologia do conhecimento, o desacordo dá amplo espaço ao consenso. Se essa disciplina vai render frutos, se ela proporciona *insight* e entendimento das complexas inter-relações entre pensamento e sociedade, seria aconselhável que suas investigações se restringissem a problemas que permitem testes de fato. Em seu prefácio ao trabalho de Mannheim, o professor Wirth descreve alguns desses problemas fundamentais:

(1) Determinação das mudanças de foco do interesse intelectual que estão associadas com as mudanças na estrutura social (mudanças de diferenciação, estratificação etc.).

(2) Análise da mentalidade de um estrato social, com a devida consideração dos fatores que determinam a aceitação ou rejeição de ideias particulares por certos grupos.

(3) Estudos da avaliação social de tipos de conhecimento e dos fatores determinantes da proporção de recursos sociais conferidos a cada um desses tipos.

(4) Estudos das condições sob as quais novos problemas e disciplinas surgem e declinam.

(5) Exame sistemático da organização social da vida intelectual, incluindo normas que orientam tal atividade, fontes de apoio, direção e foco de interesses envolvidos nessa organização.

(6) Estudo das agências que facilitam, impedem ou dirigem a transmissão e difusão de ideias e conhecimento.

(7) Estudos dos intelectuais: suas origens sociais, meios de seleção social, grau de mudança ou substituição das lealdades de classe, incentivos para objetivos particulares, interesses associados.

(8) Análise das consequências sociais do avanço científico e, em especial, tecnológico.

É provável que a ênfase nas implicações metafísicas e epistemológicas da sociologia do conhecimento possa ter origem, em parte, no fato de que os primeiros proponentes da disciplina eram provenientes em grande parte de círculos filosóficos, mais do que de círculos científicos. A responsabilidade da pesquisa futura é abandonar essa mistura de opinião conflituosa por investigações empíricas que possam estabelecer, com detalhes adequados, as uniformidades relativas ao surgimento, aceitação e difusão ou rejeição e repressão, ao desenvolvimento e às consequências do conhecimento e das ideias.

CAPÍTULO 5

A sociologia do conhecimento

(1945)

A última geração testemunhou a emergência de um campo especial da investigação sociológica: a sociologia do conhecimento (*Wissenssoziologie*). O termo "conhecimento" precisa ser interpretado de forma bastante ampla, já que os estudos nessa área lidam, virtualmente, com a gama total de produtos culturais (ideias, ideologias, crenças jurídicas e éticas, filosofia, ciência, tecnologia). Mas, seja qual for a concepção de conhecimento, a orientação dessa disciplina mantém-se largamente a mesma: ela concerne principalmente às relações entre o conhecimento e outros fatores existenciais na sociedade ou na cultura. Ainda que essa formulação do objetivo principal seja geral e mesmo vaga, um enunciado mais específico não seria capaz de incluir os diversos enfoques que foram desenvolvidos.

É evidente, então, que a sociologia do conhecimento diz respeito a problemas que têm uma longa história. Tanto isto é verdade que a disciplina encontrou seu primeiro historiador, Ernst Grünwald.[1] Mas nossa preocupação básica não diz respeito aos muitos antecedentes das teorias correntes. De fato, há poucas observações atuais que não foram anteriormente expressas em apresentações sugestivas. "Seu desejo, Harry, foi o pai desse pensamento", foi dito ao rei Henrique IV, apenas poucos anos antes de Bacon escrever que "o entendimento humano não recebe

---

1 Nada será dito sobre essa história neste artigo. Ernst Grünwald (1934) fornece um esquema dos desenvolvimentos iniciais, pelo menos desde a chamada era do Iluminismo. Para uma apresentação geral, ver Dahlke, 1940.

109

a luz, mas recebe uma infusão da vontade e das afeições; do que procedem as ciências que podem ser chamadas 'ciências como se deseja'". E Nietzsche estabeleceu um conjunto de aforismos sobre os modos pelos quais as necessidades determinam as perspectivas pelas quais interpretamos o mundo, de tal modo que mesmo as percepções sensoriais são permeadas por preferências de valor. Os antecedentes da *Wissenssoziologie* apenas confirmam a observação de Whitehead de que "chegar bem perto de uma teoria verdadeira e entender sua aplicação precisa são duas coisas bem diferentes, segundo nos ensina a história da ciência. Tudo que é importante foi dito antes por alguém que não o descobriu".

1 O CONTEXTO SOCIAL

Para além de suas origens históricas e intelectuais, há a questão adicional acerca das bases do interesse contemporâneo na sociologia do conhecimento. Como se sabe, a sociologia do conhecimento, como uma disciplina distinta, foi especialmente cultivada na Alemanha e na França. Foi somente nas últimas décadas que os sociólogos norte-americanos começaram a dar crescente atenção aos problemas dessa área. O aumento de publicações e — um teste decisivo de sua respeitabilidade acadêmica — o crescente número de teses de doutorado nesse campo testemunham, em parte, esse aumento de interesse.

Uma explicação imediata e obviamente inadequada desse desenvolvimento apontaria para a recente transferência do pensamento sociológico europeu, por sociólogos que vieram recentemente para os Estados Unidos. Com certeza esses acadêmicos estavam entre os propagadores culturais da *Wissenssoziologie*. Mas isso somente tornou disponíveis essas concepções, e nada mais acrescenta a sua aceitação atual do que estarem meramente disponíveis em qualquer outra instância de difusão cultural. O pen-

A SOCIOLOGIA DO CONHECIMENTO (1945)

samento norte-americano provou ser receptivo à sociologia do conhecimento em ampla medida porque ela trata de problemas, conceitos e teorias que são crescentemente pertinentes para nossa situação social contemporânea, pois nossa sociedade adquiriu certas características das sociedades europeias, nas quais se desenvolveu inicialmente essa disciplina.

A sociologia do conhecimento ganha pertinência sob um complexo definido de condições sociais e culturais (cf. Mannheim, 1936, p. 5-12; Sorokin, 1937, 2, p. 412-3). Com o aumento do conflito social, as diferenças de valores, atitudes e modos de pensamento dos grupos desenvolvem-se até o ponto no qual a orientação em comum que esses grupos tinham previamente é obscurecida por diferenças incompatíveis. Isso não somente desenvolve universos de discurso distintos, mas, além disso, a existência de cada um desses universos ameaça a validade e a legitimidade dos outros. A coexistência dessas perspectivas e interpretações conflitantes no interior da mesma sociedade leva a uma *desconfiança* ativa e recíproca entre os grupos. Em um contexto de desconfiança, não se pergunta mais sobre o conteúdo das crenças e asserções para determinar se são válidas ou não, não se confronta mais as asserções com a evidência relevante, mas é introduzida uma questão inteiramente nova: como pode acontecer que essas visões se mantenham? O pensamento torna-se funcionalizado, ele é interpretado em termos de suas fontes e funções psicólogicas ou econômicas, sociais ou raciais. Em geral, esse tipo de funcionalização ocorre quando as afirmações são postas em dúvida, quando elas parecem tão concretamente implausíveis, absurdas ou enviesadas que não é mais preciso examinar a evidência a favor ou contra ela, mas apenas considerar sobre que bases ela pôde afinal vir a ser afirmada.[2] Essas afirmações estranhas são

---

2 Freud observou essa tendência de perscrutar as "origens", em vez de testar a validade das afirmações que nos parecem palpavelmente absurdas. Suponha-se

"explicadas por" ou "imputadas a" interesses especiais, motivos escusos, perspectivas distorcidas, posição social etc. No pensamento popular, isso envolve ataques recíprocos à integridade dos oponentes; no pensamento mais sistemático, isso leva a análises ideológicas recíprocas. Nos dois níveis, isso alimenta e nutre as inseguranças coletivas.

Nesse contexto social, uma série de interpretações do homem e da cultura que partilham certas pressuposições comuns encontram amplo espaço de difusão. Não apenas a análise ideológica e a *Wissenssoziologie*, mas também a psicanálise, o marxismo, a semântica, a análise da propaganda, o paretanismo e, em alguma extensão, a análise funcional têm, a despeito de outras diferenças, uma visão similar sobre o papel das ideias. De um lado, há o reino da verbalização e das ideias (ideologias, racionalizações, expressões emotivas, distorções, folclore, derivações), todas elas vistas como expressivas, derivadas, ou enganosas (do eu e dos outros), todas elas funcionalmente relacionadas a algum substrato. De outro lado estão os substratos previamente concebidos (relações de produção, posição social, impulsos básicos, conflito psicológico, interesses e sentimentos, relações interpessoais e resíduos). E por tudo passa o tema básico da determinação involuntária das ideias pelos substratos, a ênfase na distinção entre o real e o ilusório, entre a realidade e a aparência na esfera do pensamento, da crença e da conduta humanos. E seja qual for a intenção dos analistas, suas análises tendem a ter uma qualidade acre. Elas tendem a culpar, secularizar, ironizar, satirizar, alienar, desvalorizar o conteúdo intrínseco da crença ou do ponto de vista adotado. Considere-se

---

que alguém afirme que o centro da Terra é feito de geleia. "O resultado de nossa objeção intelectual será uma *digressão de nossos interesses; em vez de dirigir-se a própria investigação*, de saber se o interior da Terra é realmente feito de geleia ou não, *nós começaremos a pensar sobre que tipo de homem pode ser esse que tem uma ideia como essa na cabeça*" (Freud, 1933, p. 49).

A SOCIOLOGIA DO CONHECIMENTO (1945)

apenas o tom exagerado dos termos escolhidos nesses contextos para referir crenças, ideias e pensamentos: mentiras vitais, mitos, ilusões, derivações, folclore, racionalizações, ideologias, fachada verbal, pseudorrazões etc.

Esses esquemas de análise têm em comum a prática de subtrair o valor de face das afirmações, crenças e sistemas de ideias, reexaminando-as em um novo contexto que fornece o "sentido real". Afirmações comumente vistas em termos de seu conteúdo manifesto são desmascaradas, qualquer que seja a intenção do analista, relacionando esse conteúdo a atributos de quem fala ou da sociedade na qual ele vive. O iconoclasta profissional, o desmascarador treinado, o analista ideológico e seus respectivos sistemas de pensamento prosperam em uma sociedade na qual grandes grupos de pessoas já estão alienados dos valores comuns, na qual universos separados de discurso estão ligados entre si por desconfiança recíproca. A análise ideológica sistematiza a falta de fé nos símbolos reinantes, que se tornou disseminada, daí sua pertinência e popularidade. O analista ideológico não tanto cria um seguidor quanto fala para um seguidor, para quem sua análise "faz sentido", isto é, está de acordo com sua experiência prévia não analisada.[3]

Em uma sociedade em que a desconfiança recíproca encontra expressões populares tais como "o que ele ganha com isso?", em que "promessas políticas" e "bobagens" estiveram no idioma por quase um século, e "desbancar" por toda uma geração, em que o anúncio e a publicidade geraram resistência ativa à aceitação do valor de face das afirmações, em que o comportamento pseudo-

---

3   O conceito de pertinência foi aceito pelos precursores marxistas da *Wissenssoziologie*. "As conclusões teóricas dos comunistas não são, de modo algum, baseadas em ideias ou princípios que foram inventados, ou descobertos, por esse ou aquele reformador universal. *Elas apenas expressam, em termos gerais, as relações reais*, geradas por uma luta de classes existente, por um movimento histórico movendo-se sob nossos próprios olhos..." (Marx & Engels, 1935, p. 219).

-*Gemeinschaft*, como uma divisa para melhorar a própria posição econômica e política de alguém, é documentado em um *best-seller* sobre como conquistar amigos que podem ser influenciados, em que as relações sociais são crescentemente instrumentalizadas, de modo que o indivíduo passa a olhar para os outros tal como se buscasse basicamente controlá-los, manipulá-los e explorá-los, em que o cinismo crescente desenvolve um descompromisso progressivo com grupos de relações significativas e um considerável nível de autoestranhamento, em que a incerteza a respeito dos próprios motivos é ouvida na frase indecisa: "Eu posso estar racionalizando, mas...", em que as defesas contra a desilusão traumática podem consistir em permanecer constantemente desiludido, reduzindo as expectativas acerca da integridade dos outros, desculpando de antemão seus motivos e habilidades — em uma sociedade assim, a análise ideológica sistemática e uma sociologia do conhecimento dela derivada ganham pertinência e força socialmente baseada. E os acadêmicos norte-americanos, presenteados com esquemas de análise que parecem pôr em ordem o caos do conflito cultural, de valores e pontos de vista contenciosos, prontamente aprenderam e assimilaram esses esquemas analíticos.

A "revolução copernicana" nessa área de investigação consiste na hipótese de que não apenas o erro e a ilusão, ou a crença não autêntica, mas também a descoberta da verdade é socialmente (historicamente) condicionada. Enquanto a atenção esteve dirigida para os determinantes sociais da ideologia, da ilusão, do mito e das normas morais, a sociologia do conhecimento não poderia ter surgido. Era extremamente claro que, quando se considera o erro ou a opinião não certificada, alguns fatores extrateóricos estariam envolvidos, que alguma explicação especial era necessária, já que a realidade do objeto não poderia dar conta do erro. No caso do conhecimento confirmado ou certificado, entretanto, por muito tempo se assumiu que ele poderia ser adequadamente considerado nos termos de uma relação direta entre o objeto e o

A SOCIOLOGIA DO CONHECIMENTO (1945)

intérprete. A sociologia do conhecimento surgiu com a hipótese sinalizadora de que mesmo as verdades deveriam ser consideradas socialmente explicáveis, deveriam ser relacionadas à sociedade histórica na qual emergiram.

Esboçar as correntes da sociologia do conhecimento — ainda que apenas as principais — em rápido compasso é não apresentar nenhuma adequadamente e fazer violência a todas. A diversidade de formulações de Marx, Scheler ou Durkheim; os problemas variados — da determinação social de sistemas categóricos a ideologias políticas de classe; as enormes diferenças de escopo — da categorização totalmente abrangente da história intelectual à localização social do pensamento de acadêmicos negros nas últimas décadas; os vários limites designados para a disciplina — de uma epistemologia sociológica compreensiva às relações empíricas de estruturas e ideias sociais particulares; a proliferação de conceitos — ideias, sistemas de crenças, conhecimento positivo, pensamento, sistemas de verdade, superestrutura etc.; os diversos métodos de validação — de imputações plausíveis, mas não documentadas, a análises estatísticas e históricas meticulosas; à luz de tudo isso, um esforço para tratar tanto do aparato analítico como dos estudos empíricos em poucas páginas tem de sacrificar o detalhe ao escopo.

Para introduzir uma base de comparação entre a enormidade de estudos que apareceram nesse campo, precisamos adotar algum esquema de análise. O paradigma abaixo pretende ser um passo nessa direção. Sem dúvida, trata-se de uma classificação parcial e, espera-se, temporária, que vai desaparecer assim que der espaço para um modelo analítico aprimorado e mais exato. Mas ele fornece uma base para um inventário das descobertas aceitas no campo, para indicar resultados contraditórios, contrários e consistentes, para especificar o aparato conceitual atualmente em uso, para determinar a natureza dos problemas que ocuparam os trabalhadores nesse campo, para aceder ao caráter da evidência

Robert K. Merton

que eles trouxeram para esses problemas, para mostrar as lacunas e a fraqueza características nos tipos de interpretação correntes. A teoria desenvolvida na sociologia do conhecimento presta-se à classificação nos termos do seguinte paradigma.

2 Paradigma para a sociologia do conhecimento

(1) Onde *está localizada a base existencial das produções mentais?*

(a) *bases sociais*: posição social, classe, geração, papel ocupacional, modo de produção, estruturas grupais (universidade, burocracia, academias, seitas, partidos políticos), "situação histórica", interesses, sociedade, filiação étnica, mobilidade social, estrutura de poder, processos sociais (competição, conflito etc.).

(b) *bases culturais*: valores, *éthos*, clima de opinião, *Volksgeist*, *Zeitgeist*, tipo de cultura, mentalidade cultural, *Weltanschauungen* etc.

(2) Quais *são as produções mentais sociologicamente analisadas?*

(a) *esferas de*: crenças morais, ideologias, ideias, as categorias de pensamento, filosofia, crenças religiosas, normas sociais, ciência positiva, tecnologia etc.

(b) *quais aspectos são analisados*: sua seleção (focos de atenção), nível de abstração, pressuposições (o que é tomado como dado e o que é considerado problemático), conteúdo conceitual, modelos de verificação, objetivos da atividade intelectual etc.

(3) Como *as produções mentais relacionam-se com a base existencial?*

(a) *relações causais ou funcionais*: determinação, causa, correspondência, condição necessária, condicionamento, interdependência funcional, interação, dependência etc.

(b) *relações simbólicas ou orgânicas ou significativas*: consistência, harmonia, coerência, unidade, congruência, compatibilidade (e antônimos); expressão, realização, expressão simbólica, *Strukturzusammenhang*, identidades estruturais, conexão interna, analogias estilísticas, integração entre lógica e sentido, identidade lógico-significativa etc.

(c) *termos ambíguos para designar relações*: correspondência, reflexão, ligado a, em íntima conexão com etc.

(4) Por que *funções latentes e manifestas são imputadas a essas produções mentais existencialmente condicionadas?*

(a) para manter o poder, promover estabilidade, orientação, exploração, relações sociais efetivas obscuras, fornecer motivação, canalizar o comportamento, desviar a crítica, defletir hostilidade, restabelecer a confiança, controlar a natureza, coordenar relações sociais etc.

(5) Quando *se estabelecem as relações imputadas à base existencial e ao conhecimento?*

(a) teorias historicistas (confinadas a sociedades ou culturas particulares).

(b) teorias analíticas gerais.

Sem dúvida, há categorias adicionais para classificar e analisar os estudos da sociologia do conhecimento que não são completamente exploradas aqui. Assim, o eterno problema das implicações das influências existenciais sobre o conhecimento para o seu estatuto epistemológico foi acaloradamente debatido desde o início. Soluções para esse problema, que assumem que a sociologia do conhecimento é necessariamente uma teoria sociológica do conhecimento, vão da alegação de que "a gênese do pensamento não tem necessariamente relação com sua validade" até a posição relativista extrema de que a verdade é "meramente" função de uma base social ou cultural, que ela se assenta somente no consenso social e, consequentemente, que qualquer teoria da verdade culturalmente aceita tem uma reivindicação de validade que é igual a de qualquer outra.

Mas o paradigma acima serve para organizar enfoques e conclusões distintos nesse campo de modo suficiente para nossos propósitos.

Os principais enfoques a serem considerados aqui são os de Marx, Scheler, Mannheim, Durkheim e Sorokin. O trabalho atual nessa área é amplamente orientado por uma ou outra dessas teorias, ou por uma aplicação modificada de suas concepções, ou por contradesenvolvimentos. Outras fontes de estudos nesse campo, próprias ao pensamento norte-americano, como o pragmatismo, serão intencionalmente omitidas, pois elas ainda não foram formuladas em referência específica à sociologia do conhecimento, nem foram incorporadas à pesquisa em qualquer extensão notável.

3 A BASE EXISTENCIAL

Um ponto central de acordo em todos os enfoques da sociologia do conhecimento é a tese de que o pensamento tem uma base existencial, tal que ele não é determinado de modo imanente, e um ou outro de seus aspectos podem ser derivados de fatores extracognitivos. Mas isso é somente um consenso formal que dá espaço a uma grande variedade de teorias relativas à natureza da base existencial.

A esse respeito, como em outros, o marxismo é o centro da tempestade da *Wissenssoziologie*. Sem entrar no problema exegético da íntima identificação com o marxismo — basta lembrar do "eu não sou marxista" de Marx —, podemos traçar suas formulações recorrendo basicamente aos escritos de Marx e Engels. Sejam quais forem as mudanças que ocorreram no desenvolvimento da teoria durante o meio século em que trabalharam, eles consistentemente

A SOCIOLOGIA DO CONHECIMENTO (1945)

aderiram com rapidez à tese de que "as relações de produção" constituem a "fundação real" da superestrutura das ideias. "O modo de produção da vida material determina o caráter geral dos processos de vida social, política e intelectual. Não é a consciência do homem que determina a sua existência, mas, ao contrário, é sua existência social que determina sua consciência" (Marx, 1904, p. 11-2). Buscando funcionalizar ideias, isto é, relacionar as ideias dos indivíduos a suas bases sociais, Marx localizou-as no interior da estrutura de classes. Ele não assume que outras influências não sejam operativas, mas sim que a classe é a determinante primária e, enquanto tal, o ponto de partida singular mais frutífero para a análise. Ele deixa isso explícito em seu primeiro prefácio ao *Capital*: "(...) trata-se aqui dos indivíduos *somente na medida em que* eles são personificações de categorias econômicas, corporificações de relações e interesses de classe particulares" (Marx, 1906, p. 15; cf. Marx & Engels, 1939; M. Weber, 1922b, p. 205). Abstraindo outras variáveis e considerando os homens em seus papéis econômicos e de classe, a hipótese de Marx é que esses papéis são primariamente determinantes, deixando, portanto, como uma questão em aberto *em que medida eles dão conta adequadamente do pensamento e do comportamento em qualquer caso dado*. E, com efeito, uma linha de desenvolvimento do marxismo, desde a antiga *A ideologia alemã* aos últimos escritos de Engels, consiste em uma definição (e delimitação) progressiva do modo pelo qual as relações de produção de fato condicionam o conhecimento e as formas de pensamento.

Entretanto, Marx e Engels, repetidamente e com crescente insistência, enfatizaram que as ideologias de um estrato social não precisam originar-se somente de pessoas que estão *objetivamente* localizadas nesse estrato. Muito cedo, como no *Manifesto comunista*, Marx e Engels indicaram que, na medida em que a classe dominante se aproxima da dissolução, "uma pequena fração (...) associa-se à classe revolucionária (...). Assim como, portanto, em um período anterior, uma parcela da nobreza aderiu à burguesia, agora uma porção da burguesia adere ao proletariado e, em particular, uma parcela dos *ideólogos burgueses*, que *se alçaram* ao nível de compreender teoricamente o movimento histórico em sua totalidade" (Marx & Engels, 1935, p. 216).

As ideologias são socialmente localizadas pela análise de suas perspectivas e pressuposições e pela determinação do modo pelo qual os problemas são construídos: do ponto de vista de uma ou outra classe. O pensamento não é mecanicamente localizado pelo simples estabelecimento da posição de classe do pensador. Ele é atribuído à classe para a qual é "apropriado", a classe da qual expressa a situação social com seus conflitos de classe, aspirações, temores, limites e possibilidades objetivas no interior de um contexto histórico-social dado. A formulação mais explícita de Marx sustenta que

> não se deve formar a concepção estreita de que a pequena burguesia quer, por princípio, impor um interesse de classe egoísta. Ela acredita, ao contrário, que as condições *especiais* de sua emancipação são as condições *gerais*, somente pelas quais a sociedade moderna pode ser salva e a luta de classes evitada. (...) Tampouco se deve imaginar que os representantes democráticos sejam na realidade todos lojistas ou seus defensores entusiastas. *Considerando-se sua educação e posição individual*, podem estar tão longe deles quanto o céu da terra. *O que os torna representantes da pequena burguesia é o fato de que suas mentes (im Kopfe) não ultrapassam os limites que excedem suas atividades de vida*, de que são consequentemente impelidos, teoricamente, para os mesmos problemas e soluções para os quais o interesse material e a posição social impelem, na prática, a pequena burguesia. *Esta é, em geral (ueberhaupt), a relação que existe entre os representantes políticos e literários de uma classe e a classe que representam*. (Marx, 1885, p. 36, itálicos inseridos)

A SOCIOLOGIA DO CONHECIMENTO (1945)

Mas se não podemos derivar ideias da posição de classe objetiva de seus exponentes, isso deixa uma ampla margem de indeterminação. Torna-se então um problema adicional descobrir por que alguns se identificam com a visão característica do estrato de classe no qual se encontram objetivamente, enquanto outros adotam as pressuposições de outro estrato de classe que não "o seu próprio". Uma descrição empírica do fato não é um substituto adequado de sua explicação teórica.

Tratando da base existencial, Max Scheler localiza caracteristicamente sua própria hipótese em oposição a outras teorias prevalecentes.[4] Ele delineia uma distinção entre a sociologia cultural e o que ele chama de sociologia dos fatores reais (*Realsoziologie*). Os dados culturais são "ideais", no domínio das ideias e dos valores; os "fatores reais" são orientados para mudanças efetivas na realidade da natureza ou da sociedade. Os primeiros são definidos por objetivos ou intenções ideais, os últimos derivam de uma "estrutura de impulso" (*Triebstruktur*, por exemplo, sexo, raiva, poder). Trata-se de um erro básico, afirma ele, cometido por todas as teorias naturalistas, o de sustentar que fatores reais — tais como raça, geopolítica, estrutura de poder político ou relações de produção econômica — determinam inequivocamente o domínio das ideias significativas. Ele também rejeita todas as concepções ideológicas, espiritualistas e personalistas que erram ao ver a história das condições existenciais como um desdobramento unilinear da história da mente. Ele atribui completa autonomia e uma sequência determinada a esses fatores reais, embora ele sustente, inconsistentemente, que ideias impregnadas por valores servem para guiar e dirigir seu desenvolvimento. As ideias, enquanto tais, não têm inicialmente efetividade social. No que concerne ao

---

4   Esta consideração é baseada na discussão mais elaborada de Scheler, 1926. Esse ensaio é uma versão ampliada e aprimorada de Scheler, 1924, p. 5-146. Para mais discussões sobre Scheler, cf. Schillp, 1927; Becker & Dahlke, 1942.

efeito dinâmico na sociedade, quanto mais "pura" a ideia, maior sua impotência. As ideias não se tornam efetivas, corporificadas em desenvolvimentos culturais, a não ser que se liguem, de certo modo, a interesses, impulsos, emoções ou tendências coletivas e sua incorporação em estruturas institucionais (Scheler, 1926, p. 7, 32). Somente então — e, nesse âmbito limitado, as teorias naturalistas (por exemplo, o marxismo) são justificadas — elas exercem certa influência definida. Se as ideias não estiverem baseadas no desenvolvimento iminente de fatores reais, elas estão condenadas a tornarem-se utopias estéreis.

As teorias naturalistas avançam no erro, sustenta Scheler, ao assumir tacitamente que a *variável independente* é uma e a mesma através da história. Não há variável independente constante, mas há, ao longo da história, uma sequência definida na qual os fatores primários prevalecem, uma sequência que pode ser sumarizada em uma "lei das três fases". Na fase inicial, laços de sangue e instituições consanguíneas associadas constituem a variável independente; mais tarde, o poder político e, finalmente, os fatores econômicos. Não há, então, constância na primazia efetiva dos fatores existenciais, mas antes uma variabilidade ordenada. Assim, Scheler buscou relativizar a própria noção de determinantes históricos (cf. Scheler, 1926, p. 25-45). Ele reivindica não apenas ter confirmado indutivamente sua lei das três fases, mas também tê-la derivado de uma teoria dos impulsos humanos.[5]

A concepção de Scheler dos *Realfaktoren* — raça e parentesco, a estrutura de poder, os fatores de produção, os aspectos qualitativos e quantitativos da população, os fatores geográficos e geopolíticos — dificilmente constitui uma categoria definida de modo utilizável. É de pouco valor subsumir tantos elementos

---

5 É preciso notar que Marx rejeita de antemão uma concepção semelhante de mudanças nas variáveis independentes, a qual se tornou uma base para atacar a sua *Crítica da economia política* (cf. Marx, 1906, p. 94, nota).

A SOCIOLOGIA DO CONHECIMENTO (1945)

diversos sob uma rubrica e, de fato, seus próprios estudos empíricos e os de seus discípulos não tiraram proveito dessa série de fatores. Mas ao sugerir uma variação dos fatores existenciais significativos, embora não na sequência ordenada, já que ele falhou em estabelecê-la, Scheler se move na direção que a pesquisa subsequente seguiu.

Assim, Mannheim segue-se de Marx, primariamente, por expandir sua concepção das bases existenciais. Dado o *fato* da afiliação grupal múltipla, o problema torna-se o de determinar quais dessas afiliações são decisivas para fixar perspectivas, modelos de pensamento, definições do que é dado etc. Afastando-se do "marxismo dogmático", Mannheim não assume que a posição de classe é, em última instância, a única determinante. Ele sustenta, por exemplo, que um grupo organicamente integrado concebe a história como um movimento contínuo rumo à realização de seus objetivos, enquanto grupos socialmente desenraizados e fracamente integrados adotam uma intuição histórica que acentua o fortuito e o imponderável. É somente pela exploração da variedade de formação dos grupos — gerações, grupos de *status*, seitas, grupos ocupacionais — e seus modos característicos de pensamento que se pode encontrar uma base existencial correspondente à grande variedade de perspectivas e de conhecimento que atualmente existe (cf. Mannheim, 1936, p. 247-8).[6]

Embora represente uma tradição diferente, essa é substancialmente a posição adotada por Durkheim. Em um primeiro estudo com Mauss sobre as formas primitivas de classificação, ele mantém que a gênese das categorias de pensamento varia com as mudanças na organização social (cf. Durkheim & Mauss, 1901-

---

6 Em vista das extensas discussões recentes sobre o trabalho de Mannheim, ele não será tratado largamente neste ensaio. Para a consideração do autor, ver Merton, 1957a.

1902).[7] Buscando dar conta das origens sociais das categorias, Durkheim postula que os indivíduos são mais orientados, direta e inclusivamente, pelos grupos nos quais vivem do que pela natureza. As experiências primariamente significativas são mediadas pelas relações sociais, que deixam sua impressão no caráter do pensamento e do conhecimento (cf. Durkheim, 1915, p. 443-4; cf. também Kelsen, 1943, p. 30). Assim, em seu estudo sobre as formas primitivas de classificação, ele trata da recorrência periódica das atividades sociais (cerimônias, festas, ritos), da estrutura do clã e das configurações espaciais dos encontros grupais enquanto componentes das bases existenciais do pensamento. E, aplicando as formulações de Durkheim ao pensamento chinês antigo, Granet atribui suas concepções típicas de tempo e espaço a bases tais como a organização feudal e a alternação rítmica de concentração e dispersão da vida grupal (cf. Granet, 1934, p. 84-104).

Em nítida oposição às concepções das bases existenciais acima consideradas está a teoria idealista e emanacionista de Sorokin, que busca derivar cada aspecto do conhecimento não das bases sociais existenciais, mas de "mentalidades culturais" variáveis. Essas mentalidades são construídas a partir de "premissas maiores", assim, a mentalidade ideacional concebe a realidade como "um ser eterno e não material", suas necessidades como primariamente espirituais, e sua total satisfação "pela minimização e eliminação autoimposta da maioria das necessidades físicas" (Sorokin, 1937, 1, p. 72-3). Ao contrário, a mentalidade sensata limita a realidade ao que pode ser percebido pelos sentidos, e concerne primariamente às necessidades físicas, que busca sa-

---

7 "(...) mesmo as ideias abstratas, como as de tempo e espaço, estão, a cada momento de sua história, em íntima relação com a organização social correspondente". Como Marcel Granet indicou, esse ensaio contém algumas páginas sobre o pensamento chinês que foram tomadas por especialistas para marcar uma nova era no campo dos estudos sinológicos.

A SOCIOLOGIA DO CONHECIMENTO (1945)

tisfazer ao máximo, não pela autotransformação, mas por meio da mudança do mundo externo. O principal tipo intermediário de mentalidade é a idealista, que representa um equilíbrio virtual dos tipos anteriores. São dessas mentalidades, isto é, das premissas maiores de cada cultura, que derivam os sistemas de verdade e de conhecimento. E aqui chegamos ao emanacionismo autocontido de uma posição idealista. Parece completamente tautológico dizer, como o faz Sorokin, que "em uma sociedade e cultura sensatas, o sistema sensato de verdade baseado no testemunho dos órgãos dos sentidos tem de ser dominante" (Sorokin, 1937, 2, p. 5). Pois a mentalidade sensata já foi *definida* como aquela que concebe a "realidade como somente aquilo que se apresenta aos órgãos dos sentidos" (Sorokin, 1937, 1, p. 73).

Além disso, um palavreado emanacionista como esse perde algumas das questões básicas levantadas por outros enfoques de análise das condições existenciais. Assim, Sorokin considera o fracasso do "sistema de verdade" sensato (empirismo) em monopolizar uma cultura sensata como evidência de que a cultura não é "completamente integrada". Mas isso abandona a investigação das bases dessas mesmas diferenças de pensamento às quais concerne nosso mundo contemporâneo. Isso é verdade para outras categorias e princípios de conhecimento aos quais busca aplicar um exame sociológico. Por exemplo, em nossa cultura sensata atual, ele encontra que o "materialismo" é menos prevalecente do que o "idealismo", que o "temporalismo" e o "eternalismo" são quase igualmente correntes, e o mesmo vale para o "realismo" e o "nominalismo", o "singularismo" e o "universalismo" etc. Desde que existem essas diversidades em uma cultura, a caracterização geral da cultura como sensata não oferece bases para indicar quais são os grupos que subscrevem um modo de pensamento e quais os que subscrevem outros modos. Sorokin não explora sistematicamente as bases existenciais variáveis *no interior* de uma sociedade ou cultura; ele olha para as tendências "dominantes" e imputa-as à cultura como um todo.[8] Nossa sociedade contemporânea, pondo de lado as *diferenças* de visão intelectual das diversas classes e grupos, é vista como uma exemplificação integral da cultura sensata. Em suas próprias premissas, o enfoque de Sorokin é concebido primariamente para uma caracterização geral das culturas, não para analisar as conexões entre as várias condições existenciais e o pensamento no interior de uma sociedade.

4 Tipos de conhecimento

Mesmo uma pesquisa sumária é suficiente para mostrar que o termo "conhecimento" tem sido amplamente concebido para referir todo tipo de ideia e todo modo de pensamento, desde as crenças populares até a ciência positiva. O conhecimento tem sido frequentemente assimilado ao termo "cultura", de modo que não apenas as ciências exatas, mas as convicções éticas, os postulados epistemológicos, as predicações materiais, os juízos sintéticos, as crenças políticas, as categorias de pensamento, as *doxas* escatológicas, as normas morais, as suposições ontológicas e as observações de fatos empíricos são mais ou menos indiscriminadamente tomadas como "existencialmente condicionadas" (cf. Merton, 1957, p. 133-5; Wolff, 1943; Parsons, 1949, cap. 6). A questão é, sem dúvida, se esses diversos tipos de "conhecimento" estabelecem a mesma relação com suas bases sociológicas, ou se é necessário discriminar entre esferas de conhecimento precisamente porque essa relação difere nos vários tipos. Para a maior

---

8 Uma "exceção" a essa prática encontra-se no contraste entre a tendência prevalecente do "clero e da aristocracia rural de tornarem-se as classes líderes e organizadoras na cultura ideacional, e a burguesia capitalista, a *intelligentsia*, os profissionais e os oficiais seculares, na cultura sensata (...)" (Sorokin, 1937, 3, p. 250). Para seu exame da difusão da cultura entre as classes sociais, 1937, 4, p. 221 ss.

A SOCIOLOGIA DO CONHECIMENTO (1945)

parte, tem havido uma ambiguidade sistemática no que concerne a esse problema.

Somente em seus últimos escritos Engels chegou a reconhecer que o conceito de superestrutura ideológica incluiu uma variedade de "formas ideológicas", que diferem *significativamente*, isto é, não são igual e similarmente condicionadas pela base material. O fracasso de Marx em enfrentar esse problema sistematicamente[9] responde por muito da vagueza inicial sobre *o que* é abrangido pela superestrutura e como essas muitas esferas "ideológicas" estão relacionadas aos modos de produção. Em ampla medida, foi tarefa de Engels empreender essa clarificação. Na diferenciação do termo amplo "ideologia", Engels concedeu um grau de autonomia ao direito.

> Assim que a nova divisão do trabalho que cria os advogados profissionais torna-se necessária, outra esfera nova e independente é aberta, a qual, a despeito de toda sua dependência geral da produção e do comércio, já tem sua própria capacidade de reagir a essas esferas. Em um estado moderno, a lei precisa não apenas corresponder à posição econômica geral e ser sua expressão, mas também precisa ser uma expressão que é *consistente em si mesma*, e que não pode, devido a contradições internas, parecer inconsistente. E, para alcançar isso, a fiel reflexão das condições econômicas é mais e mais infringida. Tanto mais que raramente acontece que um código legal seja a expressão bruta, não mitigada e sem adulteração da dominação de uma classe — o que, em si mesmo, já ofenderia a "concepção de justiça". (Engels, carta a Conrad Schmidt, 27/out./1890 in Marx, 1935, 1, p. 385)

---

9 Essa é presumivelmente a base da observação de Scheler: "uma tese específica da concepção econômica da história é a subsunção das leis de desenvolvimento de *todo* conhecimento às leis de desenvolvimento das ideologias" (Scheler, 1926, p. 21).

Se isso é verdade para o direito, com sua conexão próxima às pressões econômicas, é ainda mais verdade para as outras esferas da "superestrutura ideológica". A filosofia, a religião, a ciência são particularmente constrangidas pelo estoque de conhecimento e crença preexistente e são apenas indiretamente e em última instância influenciadas pelos fatores econômicos (cf. Engels in Marx, 1935, 1, p. 386). Nesses campos não é possível "derivar" o conteúdo e o desenvolvimento da crença e do conhecimento meramente a partir da análise da situação histórica.

O desenvolvimento político, jurídico, filosófico, religioso, literário, artístico etc. é baseado no desenvolvimento econômico. Mas todos eles reagem entre si e também sobre a base econômica. A posição econômica não é a *causa*, *nem a única ativa* enquanto todo o resto tem somente um efeito passivo. Antes, existe interação com base na necessidade econômica, que, *em última instância*, sempre afirma a si própria. (Engels, carta a Heinz Starkenburg, 25/jan./1984, in Marx, 1935, 1, p. 392)

Mas dizer que a base econômica afirma a si própria "em última instância" é dizer que as esferas ideológicas exibem certo grau de desenvolvimento independente e, de fato, Engels vai observar que

quanto mais a esfera particular que estamos investigando está afastada da esfera econômica e mais próxima da ideologia abstrata pura, mais encontraremos que ela exibe acidentes [isto é, desvios do que é "esperado"] em seu desenvolvimento, mais a sua curva irá mover-se em zigue-zague. (Marx, 1935, 1, p. 393; cf. Engels, 1903)[10]

---

10 "Sabe-se que certos períodos de maior desenvolvimento da arte *não têm conexão direta* com o desenvolvimento geral da sociedade, nem com o da base material e da estrutura de sua organização" (Marx, 1904, p. 309-10).

A SOCIOLOGIA DO CONHECIMENTO (1945)

Finalmente, existe uma concepção ainda mais restrita do *status* sociológico da ciência natural. Em uma passagem bem conhecida, Marx expressamente distingue a ciência natural das esferas ideológicas:

Com a mudança da base econômica, toda a imensa superestrutura é mais ou menos rapidamente transformada. Ao considerar essas transformações, deve-se sempre fazer a distinção entre a transformação material das condições econômicas de produção, *que podem ser determinadas com a precisão da ciência natural*, e as formas legais, políticas, religiosas, estéticas ou filosóficas — em suma, formas ideológicas pelas quais os homens tornam-se conscientes desse conflito e lutam para resolvê-lo. (Marx, 1904, p.12)

Assim, a ciência natural e a economia política, que podem alcançar essa precisão, detêm um *status* muito distinto daquele da ideologia. O conteúdo conceitual da ciência natural não é imputado a uma base econômica, somente seus "objetivos" e seu "material".

Onde estaria a ciência natural sem a indústria e o comércio? Mesmo essa ciência natural "pura" é provida de um objetivo, assim como de seu material, *somente* por meio dos negócios e da indústria, por meio da atividade sensória do homem. (Marx & Engels, 1939, p. 36, itálicos inseridos)[11]

---

11 Cf. também Engels, 1910, p. 24-5, no qual as necessidades de uma classe média emergente são consideradas para dar conta do renascimento da ciência. A afirmação de que "somente" o comércio e a indústria proporcionam os objetivos é típica das declarações extremas e não testadas sobre relações, que predominam principalmente nos primeiros escritos marxistas. Termos tais como "determinação" não podem ser tomados por seu valor de face, eles são característicamente usados de modo muito fraco. A verdadeira *extensão* dessas relações entre a ativi-

Ao longo das mesmas linhas, Engels afirma que o aparecimento da concepção materialista da história de Marx foi ela própria determinada pela "necessidade", como indica o aparecimento de visões similares entre os historiadores ingleses e franceses na mesma época e a descoberta independente da mesma concepção por Morgan (cf. Engels in Marx, 1935, 1, p. 393).[12]

Ele vai ainda mais longe ao sustentar que a teoria socialista é, em si mesma, uma "reflexão" proletária do conflito de classes moderno, de modo que aqui, finalmente, o próprio conteúdo do "pensamento científico" é considerado como sendo socialmente determinado, sem que isso corrompa sua validade (cf. Engels, 1910, p. 97).

Havia, então, uma tendência incipiente no marxismo para considerar que a ciência natural estabelece uma relação com a base econômica diferente daquela das outras esferas de conhecimento e crença. Na ciência, o foco de atenção pode ser socialmente determinado, mas, presumivelmente, não o seu aparato conceitual. A esse respeito, as ciências sociais foram, algumas vezes, consideradas como significativamente diferentes das ciências naturais. A ciência social tendeu a ser assimilada à esfera da ideologia, uma tendência desenvolvida mais tarde pelos marxistas na questionável tese do vínculo de classe de uma ciência social, inevitavelmente

---

dade intelectual e as fundações materiais não foram investigadas nem por Marx, nem por Engels.

12 A ocorrência de descobertas e invenções independentes paralelas como "prova" da determinação social do conhecimento era um tema recorrente durante o século XIX. Logo em 1828, Macaulay, em seu ensaio sobre Dryden, notou, a respeito da invenção do cálculo por Newton e Leibniz, que "a ciência matemática, de fato, enriqueceu-se a tal ponto que, se nenhum deles tivesse existido, o princípio, inevitavelmente, ocorreria a algumas pessoas dentro de poucos anos". Ele cita outros casos do mesmo tipo. Os produtores vitorianos partilhavam a mesma visão de Marx e Engels. Em nossa própria época, essa tese, baseada nas invenções duplicadas independentes, tem sido especialmente enfatizada por Dorothy Thomas, Ogburn e Vierkandt.

A SOCIOLOGIA DO CONHECIMENTO (1945)

tendenciosa (cf. Lenin, 1935, p. 54), e na alegação de que somente a "ciência proletária" tem o *insight* válido sobre certos aspectos da realidade social (cf. Bukharin, 1925, p. xi-xii; Hessen, 1932, p. 154; Tiumeniev, 1935, p. 310).[13]

Mannheim segue na tradição marxista até o ponto de isentar as "ciências exatas" e o "conhecimento formal" de determinação existencial, mas não "o pensamento das ciências históricas, políticas e sociais, assim como o da vida cotidiana" (Mannheim, 1936, p. 150, 243; cf. Mannheim, 1929, p. 41). A posição social determina a "perspectiva", ou seja, "a maneira pela qual se vê um objeto, o que se percebe nele e como ele é construído no pensamento". A determinação situacional do pensamento não o torna inválido, entretanto, particulariza o escopo da investigação e os limites de sua validade (cf. Mannheim, 1936, p. 256, 264).

Se Marx não diferenciou detalhadamente a superestrutura, Scheler vai para o outro extremo. Ele distingue uma variedade de formas de conhecimento. Para começar, existem as "*Weltanschauungen* (visões de mundo) relativamente naturais", que são aceitas como dadas, não requerendo nem sendo capazes de justificação. Elas são, por assim dizer, os axiomas culturais dos grupos, o que Joseph Glanvill, há cerca de trezentos anos, chamou de "clima de opinião". Uma primeira tarefa da sociologia do conhecimento é descobrir as leis de transformação dessas *Weltanschauungen*. E como essas visões não são, de modo algum, necessariamente válidas, segue-se que à sociologia do conhecimento não cabe apenas traçar as bases existenciais da verdade, mas também da "ilusão social, da superstição e dos erros e formas de engano socialmente condicionados" (Scheler, 1926, p. 59-61).

As *Weltanschauungen* crescem organicamente e desenvolvem-se somente em longos períodos de tempo. Elas raramente são

---

13 "Somente o marxismo, somente a ideologia da classe revolucionária avançada é científica" (Tiumeniev, 1935, p. 310).

afetadas por teorias. Sem evidência adequada, Scheler sustenta que elas somente podem mudar, em qualquer sentido fundamental, por meio da mistura de raças ou, presumivelmente, pela "mistura" de linguagens e culturas. Sobre as *Weltanschauungen* lentamente mutáveis estão as formas de conhecimento mais "artificiais", que podem ser ordenadas em sete classes, de acordo com o grau de artificialidade:

(1) mito e lenda;

(2) conhecimento implícito na linguagem popular natural;

(3) conhecimento religioso (da vaga intuição emocional ao dogma fixo de uma igreja);

(4) os tipos básicos de conhecimento místico;

(5) conhecimento filosófico-metafísico;

(6) conhecimento positivo de matemática, ciências naturais e culturais;

(7) conhecimento tecnológico (Scheler, 1926, p. 62).

Quanto mais artificiais esses tipos de conhecimento, mais rapidamente eles mudam. É evidente, diz Scheler, que as religiões mudam muito mais lentamente do que as várias metafísicas, enquanto estas persistem por períodos muito mais longos do que os resultados da ciência positiva, que mudam de uma hora para outra.

Essa hipótese das taxas de mudança apresenta alguns pontos de similaridade com a tese de Alfred Weber, segundo a qual a mudança civilizacional é mais rápida do que a mudança cultural, e com a hipótese de Ogburn, para quem os fatores "materiais" mudam mais rapidamente do que os fatores "não materiais". A hipótese de Scheler partilha as limitações dessas outras teses, assim como muitas deficiências adicionais. Ele não indica em lugar algum com clareza o que realmente denota seu princípio de classificação dos tipos de conhecimento, a chamada "artificialidade". Por que, por exemplo, o "conhecimento místico" é concebido como mais "artificial" do que os dogmas religiosos? Ele tampouco considera, de modo algum, o que está implicado em dizer que um tipo de conhecimento muda mais rapidamente do que outro. Considere-se sua curiosa equiparação de novos "resultados" científicos com sistemas metafísicos; como se pode comparar o grau de mudança implicado na filosofia neokantiana com, digamos, as mudanças na teoria biológica durante o período correspondente? Scheler assevera ousadamente uma variação de sete níveis nas taxas de mudança e, obviamente, não confirma empiricamente essa elaborada alegação. Em vista das dificuldades encontradas para testar hipóteses muito mais simples, não é nada claro o que se ganha em estabelecer uma hipótese elaborada desse tipo.

Contudo, somente certos aspectos desse conhecimento são considerados como determinados sociologicamente. Com base em certos postulados, que não precisam ser levados em conta aqui, Scheler continua asseverando:

> É inquestionável o caráter sociológico de todo conhecimento, de todas as formas de pensamento, intuição e cognição. Embora o *conteúdo* e, menos ainda, a validade objetiva de todo conhecimento não sejam determinados pelas *perspectivas de controle dos interesses sociais*, esse é o caso, entretanto, da *seleção* dos objetos de conhecimento. Além disso, as "formas" dos processos mentais pelos quais o conhecimento é adquirido são sempre e necessariamente codeterminadas sociologicamente, isto é, pela estrutura social. (cf. Scheler, 1926, p. 55)

Uma vez que a explicação consiste em ligar o relativamente novo ao familiar e conhecido, e uma vez que a sociedade é "mais bem conhecida" do que qualquer outra coisa,[14] espera-se que os modos de pensamento e intuição e a classificação das coisas que podem ser conhecidas em geral sejam codeterminados (*mit-*

---

14 Cf. a mesma suposição em Durkheim, 1915, p. 443-4.

bedingt) pela divisão e classificação dos grupos que compõem a sociedade.

Scheler repudia completamente todas as formas de sociologismo. Ele procura escapar de um relativismo radical, recorrendo a um dualismo metafísico. Ele postula um domínio de "essências eternas" que, em graus variados, entram no *conteúdo* dos juízos; um domínio totalmente distinto daquele da realidade histórica e social que determina o *ato* do juízo. Mandelbaum sumarizou bem essa visão:

> (...) o domínio das essências para Scheler é um domínio de possibilidades a partir das quais, limitados pelo tempo e por nosso interesse, selecionamos para consideração primeiro um conjunto, e depois outro. Para onde nós, como historiadores, dirigimos o foco de nossa atenção depende de nossas próprias avaliações sociologicamente determinadas; o que vemos ali é determinado pelo conjunto de valores absolutos e eternos que estão implícitos no passado com o qual estamos lidando. (Mandelbaum, 1938, p. 150)[15]

Isso é de fato contrário ao relativismo por decreto. A simples afirmação da distinção entre essência e existência evita o pesadelo do relativismo, exorcizando-o. O conceito de essências eternas pode ser adequado para o metafísico, mas é completamente estranho à investigação empírica. É digno de nota que essas concepções não atuem em nenhuma parte significativa dos esforços empíricos de Scheler para estabelecer as relações entre conhecimento e sociedade.

Scheler indica que os diferentes tipos de conhecimento estão em estreita ligação com as formas particulares de grupos. O con-

---

15 Sorokin postula uma esfera similar de "ideias eternas" (cf., por exemplo, 1943, p. 215 ss.).

teúdo da teoria das ideias de Platão requeria a forma e a organização da academia platônica, assim também a organização das igrejas e seitas protestantes foi determinada pelo conteúdo de suas crenças, que somente poderiam existir nesse, e em nenhum outro, tipo de organização social, como mostrou Troeltsch. E, de modo similar, as sociedades de tipo *Gemeinschaft* têm uma reserva de conhecimento tradicionalmente definida que é adotada como conclusiva, elas não concernem à descoberta ou à ampliação do conhecimento. Na medida em que implica dúvida, o esforço efetivo para testar o conhecimento tradicional é descartado como virtualmente blasfêmico. Em um tal grupo, a lógica e o modo de pensamento prevalecentes são aqueles de uma "*ars demonstrandi*", não uma "*ars inveniendi*". Seus métodos são predominantemente ontológicos e dogmáticos, não epistemológicos e críticos; seu modo de pensamento é aquele do realismo conceitual, não nominalista, como no tipo de organização *Gesellschaft*; seu sistema de categorias é organicista e não mecanicista (cf. Scheler, 1926, p. 22-3).[16]

Durkheim estende a investigação sociológica até a gênese social das categorias de pensamento, baseando suas hipóteses em três tipos de evidência presumida:

(1) O fato da variação cultural das categorias e regras da lógica "prova que elas dependem de fatores históricos e, consequentemente, sociais" (Durkheim, 1915, p. 12, 18, 439).

(2) Como os conceitos estão imbricados na própria linguagem que o indivíduo adquire (e isso é aplicado igualmente à terminologia especial do cientista), e como alguns desses termos conceituais referem-se a coisas que nós, como indivíduos, jamais experimentamos, fica claro que eles são um produto da sociedade (p. 433-5).

---

16 Compare-se com uma caracterização similar das "escolas sagradas" de pensamento em Znaniecki, 1940, cap. 3.

Robert K. Merton

(3) A aceitação ou rejeição de conceitos não é determinada meramente por sua validade objetiva, mas também por sua consistência com outras crenças predominantes (p. 438).

Ainda assim, Durkheim não subscreve o tipo de relativismo para o qual existem meramente critérios de validade competindo entre si. A origem social das categorias não as torna completamente arbitrárias, a ponto de comprometer sua aplicabilidade à natureza. Elas são, em graus variados, adequadas a seu objeto. Mas desde que as estruturas sociais variam (e com elas o aparato categorial), existem inescapavelmente elementos "subjetivos" nas construções lógicas particulares, que são usuais em uma sociedade. Esses elementos subjetivos "precisam ser progressivamente erradicados, se vamos enfocar a realidade mais de perto". E isso ocorre sob determinadas condições sociais. Com a expansão dos contatos interculturais, com a generalização da intercomunicação entre as pessoas de diferentes sociedades, com o crescimento da sociedade, a estrutura de referência local vem a ser rompida. "As coisas não podem mais ser contidas nos moldes sociais pelos quais elas foram primitivamente classificadas, elas precisam ser organizadas de acordo com princípios que são seus. Assim, a organização lógica diferencia-se da organização social e torna-se autônoma. O pensamento genuinamente humano não é um fato primitivo, é o produto da história (...)" (Durkheim, 1915, p. 444-5, 437). Particularmente aquelas concepções que estão sujeitas à crítica cientificamente metódica vêm a ter a adequação empírica maior. A objetividade é ela mesma vista como emergindo da sociedade.

Todo o tempo, a epistemologia dúbia de Durkheim está interligada com sua descrição substantiva das raízes sociais das designações concretas de unidades temporais, espaciais e outras. Não precisamos ser indulgentes com a exaltação tradicional das categorias como um conjunto de coisas separadas e antevistas para notar que Durkheim não estava lidando com elas, mas sim com as divisões convencionais de tempo e espaço. Ele observa,

A SOCIOLOGIA DO CONHECIMENTO (1945)

de passagem, que diferenças quanto a isso não nos devem levar a "negligenciar as similaridades, que não são menos essenciais". Se Durkheim foi pioneiro ao relacionar variações nos sistemas de conceitos com variações na organização social, não chegou, contudo, a estabelecer a origem social das categorias.

Como Durkheim, Granet concede grande importância à linguagem na constrição e fixação dos conceitos e modos de pensamento prevalecentes. Ele mostrou como a linguagem chinesa não está equipada para perceber conceitos, analisar ideias ou apresentar doutrinas de modo discursivo, mantendo-se intratável à precisão formal. A palavra chinesa não fixa uma noção com um grau definido de abstração e generalidade, ela evoca um complexo indefinido de imagens particulares. Então, não há uma palavra que simplesmente signifique "idoso". Antes, um número considerável de palavras "retratam aspectos diferentes da idade avançada": $k'i$, aqueles que precisam de uma dieta mais nutritiva; $k'ao$, aqueles que têm dificuldade para respirar; e assim por diante. Essas evocações concretas envolvem uma miríade de outras imagens similarmente concretas de cada detalhe do modo de vida do idoso: aqueles que devem ser isentos do serviço militar, aqueles para quem o material funerário deveria ser fornecido imediatamente, aqueles que têm o direito de levar um grupo pela cidade etc. Essas são apenas algumas poucas imagens evocadas por $k'i$, que corresponde, em geral, à noção quase singular de pessoas idosas, de cerca de sessenta ou setenta anos de idade. Palavras e sentenças têm, então, um caráter inteiramente concreto, emblemático (cf. Granet, 1934, p. 37-8, 82, cap. 1).

Assim como a linguagem é concreta e evocativa, do mesmo modo as ideias mais gerais do pensamento chinês antigo eram inalteravelmente concretas, nenhuma delas comparável às nossas ideias abstratas. Nem o tempo nem o espaço eram abstratamente concebidos. O tempo procede por ciclos e é redondo; o espaço é quadrado. A Terra, que é quadrada, é dividida em quadrados; os muros das cidades, campos e acampamentos devem formar um quadrado. Acampamentos, construções e cidades precisam ser orientados e a seleção da orientação apropriada está nas mãos de um líder ritual. As técnicas de divisão e administração do espaço — mapeamentos, desenvolvimento da cidade, arquitetura, geografia política — e as especulações geométricas, que elas pressupõem, estão todas ligadas a um conjunto de regulações sociais. Em particular, como estas últimas concernem a assembleias periódicas, reafirmam e reforçam em cada detalhe os símbolos que representam o espaço. Elas dão conta de sua forma quadrada, de seu caráter heterogêneo e hierárquico, uma concepção de espaço que somente poderia surgir em uma sociedade feudal (cf. Granet, 1934, p. 87-95).

Embora Granet tenha estabelecido as bases sociais de designações concretas de tempo e espaço, não é nada claro que trabalhe com dados comparáveis às concepções ocidentais. Ele considera as concepções tradicionalizadas, ritualizadas ou mágicas e compara-as, implicitamente, com nossas noções de questões de fato, técnicas ou científicas. Mas, em um amplo espectro de *práticas* efetivas, os chineses não *agem* com base na suposição de que "o tempo é redondo" e "o espaço, quadrado". Quando esferas de atividade e pensamento comparáveis são consideradas, é questionável que ocorra essa clivagem radical de "sistemas categoriais", no sentido de que não existem denominadores comuns de pensamento e concepção. Granet demonstrou diferenças qualitativas de conceitos em *certos contextos*, mas não no interior de contextos comparáveis, tais como, digamos, o da prática técnica. Seu trabalho mostra diferentes focos de interesse intelectual nas duas esferas e, no interior da esfera ritualista, diferenças básicas de visão, mas não espaços que não se podem conectar a outras esferas. A falácia mais proeminente no conceito de Lévy-Bruhl da "pré-logicidade" da mente primitiva também está presente no trabalho de Granet. Como mostraram Malinowski e Rivers,

A SOCIOLOGIA DO CONHECIMENTO (1945)

quando esferas comparáveis de pensamento e atividade são consideradas, não se encontram essas diferenças irreconciliáveis.[17]

Sorokin partilha essa mesma tendência ao imputar critérios de verdade completamente disparatados aos seus diferentes tipos de cultura. Ele formulou em um idioma distintivo o fato das mudanças de atenção por parte de elites intelectuais em diferentes sociedades históricas. Em certas sociedades, as concepções religiosas e os tipos particulares de metafísica estão no centro da atenção, enquanto em outras sociedades a ciência empírica torna-se o centro do interesse. Mas muitos "sistemas de verdade" coexistem em cada uma dessas sociedades em certas esferas, a Igreja Católica não abandonou seus critérios "ideacionais", mesmo nesta época sensata.

Na medida em que Sorokin adota a posição de critérios de verdade radicalmente diferentes e disparatados, ele precisa situar seu próprio trabalho nesse contexto. Embora uma extensiva discussão fosse necessária para documentar isso, é preciso dizer que ele nunca resolve esse problema. Seus vários esforços para enfrentar um impasse radicalmente relativista diferem consideravelmente. Assim, logo no início, ele afirma que suas construções precisam ser testadas do mesmo modo "que qualquer lei científica. Primeiro, o princípio precisa, naturalmente, ser lógico; segundo, ele precisa obter sucesso no teste dos 'fatos relevantes', ou seja, ele precisa adequar-se a, e representar, os fatos" (Sorokin, 1937, 1, p. 36; cf. 1937, 2, p. 11-2, nota). Em sua própria terminologia, ele adota uma posição científica característica de um "sistema de verdade sensato". Contudo, quando ele confronta diretamente sua própria posição epistemológica, ele adota uma concepção "integralista" da verdade, que busca assimilar critérios empíri-

---

17 "Toda comunidade primitiva possui um estoque considerável de conhecimento baseado na experiência e moldado pela razão" (Malinowski, 1948, p. 9). Ver também Benoit-Smullyan, 1936.

cos e lógicos, assim como um "ato de 'intuição' ou 'experiência mística' supersensorial, super-racional e metalógica" (Sorokin, 1937, 4, cap. 16; 1943, cap. 5). Então, ele postula uma integração desses diversos sistemas. Para justificar a "verdade da fé" — o único item que o removeria dos critérios ordinários usados no trabalho científico corrente — ele indica que a "intuição" tem um importante papel como *fonte* de descoberta científica. Mas isso resolve o problema? A questão não é sobre as *fontes* psicológicas das conclusões válidas, mas sobre os *critérios* e os *métodos de validação*. Quais critérios Sorokin adotaria no caso das intuições "supersensoriais" não serem consistentes com a observação empírica? Nesses casos, presumivelmente, até onde podemos julgar pelo seu trabalho mais do que pelos seus comentários sobre seu trabalho, ele aceita os fatos e rejeita a intuição. Tudo isso sugere que Sorokin está discutindo, sob o rótulo genérico de "verdade", tipos de juízos muito diversos e incomparáveis. Do mesmo modo que a análise química de uma pintura a óleo não é consistente nem inconsistente com sua avaliação estética, os sistemas de verdade de Sorokin referem-se a tipos de juízos muito diferentes. E, de fato, ele é finalmente levado a dizer isso, quando observa que "cada um dos sistemas de verdade, no interior de seu campo legítimo de competência, nos dá uma cognição genuína dos respectivos aspectos da realidade" (1943, p. 230-1, nota). Mas seja qual for sua opinião particular sobre a intuição, ele não pode tomá-la, no interior de sua sociologia, como um *critério* (em vez de uma fonte) para conclusões válidas.

5 As RELAÇÕES ENTRE O CONHECIMENTO E A BASE EXISTENCIAL

Embora esse problema seja obviamente o núcleo de toda teoria na sociologia do conhecimento, ele tem sido frequentemente tratado

A SOCIOLOGIA DO CONHECIMENTO (1945)

por implicação mais que diretamente enfrentado. Ainda assim, cada tipo imputado de relação entre o conhecimento e a sociedade pressupõe toda uma teoria do método sociológico e da causação social. As teorias prevalecentes nesse campo têm lidado com um ou ambos dos dois maiores tipos de relação: causal ou funcional, e o simbólico ou orgânico ou significativo.[18]

Marx e Engels, sem dúvida, lidaram somente com certos tipos de relação causal entre a base econômica e as ideias, designando essa relação variavelmente como "determinação, correspondência, reflexo, desdobramento, dependência" etc. Além disso, há uma relação de "interesse" ou de "necessidade"; quando os estratos sociais têm necessidades (imputadas) em um estágio particular do desenvolvimento histórico, considera-se que existe uma pressão definida para o desenvolvimento de ideias e conhecimento apropriados. As inadequações dessas diversas formulações continuam a importunar aqueles vinculados à tradição marxista em nossos dias (cf. Speier, 1938; Mills, 1939).

Tendo em vista que Marx assumiu, como vimos, que o pensamento não é mero "reflexo" da posição de classe objetiva, isso levanta novamente o problema de sua atribuição a uma base determinada. As hipóteses marxistas predominantes para tratar desse problema envolvem uma teoria da história que é a base para determinar se a ideologia "é situacionalmente adequada" para um dado estrato social. Isso requer uma construção hipotética sobre o que os homens *pensariam* e *perceberiam* se eles fossem capazes de compreender a situação histórica de modo adequado (cf. Mannheim, 1936; Lukács, 1923; Child, 1941). Mas esse *insight* sobre a situação pode não estar *efetivamente* presente em estratos sociais particulares. Isso, então, conduz ao problema subsequente da

---

18 As distinções entre eles há muito têm sido consideradas no pensamento sociológico europeu. A discussão mais elaborada nos Estados Unidos é a de Sorokin (1937, 1, cap. 1-2).

"falsa consciência", do modo como vêm a prevalecer as ideologias que não estão em conformidade com os interesses de uma classe, nem são situacionalmente adequadas.

Uma consideração empírica parcial sobre a falsa consciência, implicada no *Manifesto*, baseia-se na visão de que a burguesia controla o conteúdo da cultura, difundindo, assim, doutrinas e padrões estranhos aos interesses do proletariado.[19] Ou, em termos mais gerais, "as ideias dominantes de cada época sempre foram as ideias de sua classe dominante". Mas isso é somente uma consideração parcial, no máximo, concerne à falsa consciência da classe subordinada. Ela pode, por exemplo, explicar parcialmente o fato notado por Marx de que, mesmo quando o agricultor proprietário "pertence ao proletariado por sua posição, ele não acredita nisso". Contudo, ela não seria pertinente na busca da consideração da falsa consciência da própria classe dominante.

Outro tema que, embora não claramente formulado, recai sobre o problema da falsa consciência perpassa toda a teoria marxista. Trata-se da concepção da ideologia como uma expressão *não intencional, inconsciente*, dos "motivos reais", os quais, por sua vez, são construídos em termos dos interesses objetivos das classes sociais. Assim, há uma ênfase contínua na natureza não intencional das ideologias:

> A ideologia é um processo realizado conscientemente pelo chamado pensador, mas, de fato, com uma falsa consciência. Os motivos reais que o impelem mantêm-se desconhecidos para ele, de outro modo não seria um processo ideológico em qual-

---

19 "Na medida em que eles dominam como uma classe e determinam a extensão e o compasso de uma época, é autoevidente que fazem isso em todo seu espectro, portanto, entre outras coisas, dominam como pensadores, como produtores de ideias, e regulam a produção e a distribuição das ideias de seu tempo" (Marx & Engels, 1939, p. 39).

A SOCIOLOGIA DO CONHECIMENTO (1945)

quer sentido. Portanto ele imagina motivos falsos ou aparentes. (Engels, carta a Mehring, 14/jul./1893 in Marx, 1935, 1, p. 388-9; cf. Marx, 1885, p. 33; 1904, p. 12)

Somente o entusiasta polêmico pode passar por cima da ambiguidade do termo "correspondência" para referir conexão entre a base material e a ideia. As ideologias são construídas como "distorções da situação social" (Marx, 1885, p. 39),[20] como meras "expressões" das condições materiais (Engels, 1910, p. 26-7),[21] e, "distorcidas" ou não, como suporte motivacional para mudanças reais na sociedade.[22] Nesse último ponto, quando admite que crenças "ilusórias" fornecem motivação para a ação, o marxismo concede uma medida de independência às ideologias no processo histórico. Elas não são mais apenas epifenomênicas, mas têm uma medida de autonomia. Disso decorre a noção de fatores em interação, pelos quais a superestrutura, embora interdependente da base material, é também presumida como possuindo certo grau de independência. Engels reconheceu explicitamente que as formulações anteriores eram inadequadas em pelo menos dois aspectos: primeiro, tanto ele como Marx haviam enfatizado demais o fator econômico e subestimado o papel da interação recíproca (Engels, carta a Joseph Bloch, 21/set./1890, in Marx, 1935, 1, p. 383); e, segundo, que eles "negligenciaram" o lado formal — o modo pelo qual se desenvolvem essas ideias (Engels, carta a Mehring, 14/ jul./1893, in Marx, 1935, 1, p. 390).

---

20 Passagem na qual os *montagnards* democráticos abandonam-se ao autoengano.

21 Cf. Engels, 1903, p. 122-3: "o fracasso em exterminar a heresia protestante *corresponde* à invencibilidade da burguesia nascente (...). Aqui o calvinismo prova a si mesmo que é o verdadeiro disfarce religioso dos interesses da burguesia de seu tempo (...)".

22 Marx confere significância motivacional às "ilusões" da burguesia (cf. 1885, p. 8).

As visões de Marx e Engels sobre as conjunções entre as ideias e a infraestrutura econômica sustentam, então, que a estrutura econômica constitui o enquadramento que limita o espectro de ideias que se tornarão socialmente efetivas, podem surgir ideias que não são pertinentes para uma ou outra das classes em conflito, mas elas terão pouca consequência. As condições econômicas são necessárias, mas não suficientes, para a emergência e difusão de ideias que não expressam os interesses e as perspectivas de nenhum ou de ambos os estratos sociais. Não há um determinismo estrito das ideias pelas condições econômicas, mas uma predisposição definida. Conhecendo as condições econômicas, podemos prever os tipos de ideias que podem exercer uma influência controladora em uma direção que pode ser efetiva. "Os homens fazem a própria história, mas não a fazem simplesmente como querem, eles não a fazem em circunstâncias que escolheram, mas em circunstâncias diretamente encontradas no presente, dadas e transmitidas pelo passado." E, no fazer a história, ideias e ideologias têm um papel definido; considere-se apenas a visão da religião como "o ópio das massas", considere-se, além disso, a importância atribuída por Marx e Engels a tornar os membros do proletariado "conscientes" de seus "próprios interesses". Como não há fatalidade no desenvolvimento da estrutura social total, mas somente o desenvolvimento de condições econômicas que fazem certas linhas de mudança *possíveis* e prováveis, os sistemas de ideias devem desempenhar um papel decisivo na seleção de uma alternativa que "corresponda" ao equilíbrio de poder real, mais do que outra alternativa que vai contra a situação de poder existente, estando, portanto, destinada a ser instável, precária e temporária. Há uma compulsão básica que deriva do desenvolvimento econômico, mas ela não opera com tal detalhamento de finalidade que nunca possa ocorrer qualquer variação nas ideias.

A teoria marxista da história assume que, *cedo ou tarde*, sistemas de ideias inconsistentes com a estrutura de poder presente

A SOCIOLOGIA DO CONHECIMENTO (1945)

realmente predominante serão rejeitados em favor daquele que expressa melhor o real alinhamento de poder. É essa visão que Engels expressa em sua metáfora do "curso em zigue-zague" da ideologia abstrata. As ideologias podem desviar-se temporariamente daquilo que é compatível com as relações sociais de produção existentes, mas elas finalmente entrarão na linha. Por essa razão, a análise marxista da ideologia é sempre obrigada a levar em conta a situação histórica "total", para considerar tanto os desvios temporários como a acomodação tardia das ideias às compulsões econômicas. Mas, por essa mesma razão, as análises marxistas abrem-se a um grau excessivo de "flexibilidade", quase até o ponto no qual *qualquer* desenvolvimento pode ser tomado como uma aberração ou desvio temporário, em que "anacronismos" e "defasagens" tornam-se rótulos para minimizar a explicação das crenças existentes que não correspondem às expectativas teóricas, e no qual o conceito de "acidente" fornece um instrumento pronto para salvar a teoria dos fatos que parecem desafiar sua validade (cf. M. Weber, 1922b, p. 166-70). Quando uma teoria inclui conceitos como "defasagens", "impulsos", "anacronismos", "acidentes", "independência parcial" e "dependência em última instância", ela se torna tão lábil e indistinta que pode ser reconciliada com, virtualmente, qualquer configuração dos dados. Assim como em muitas outras teorias na sociologia do conhecimento, uma questão decisiva precisa ser posta aqui para determinar se temos uma teoria genuína: como a teoria pode ser invalidada? Em qualquer situação histórica dada, quais dados vão contradizer e invalidar a teoria? A menos que isso possa ser respondido diretamente, a menos que a teoria envolva afirmações que podem ser controvertidas por tipos definidos de evidências, ela resta apenas como uma pseudoteoria que será compatível com qualquer arranjo de dados.

Embora Mannheim tenha ido longe no desenvolvimento efetivo de procedimentos de pesquisa na sociologia substantiva do conhecimento, ele não esclareceu apreciavelmente as conexões entre pensamento e sociedade.[23] Como ele indica, uma vez que a estrutura de pensamento tenha sido analisada, surge o problema de sua atribuição a grupos definidos. Isso requer não somente uma investigação empírica dos grupos ou estratos que pensam predominantemente nesses termos, mas também uma interpretação de por que esses grupos, e não outros, manifestam esse tipo de pensamento. Essa última questão implica uma psicologia social que Mannheim não desenvolveu sistematicamente.

O defeito mais sério da análise de Durkheim reside precisamente em sua aceitação acrítica de uma teoria ingênua da correspondência segundo a qual se considera que as categorias do pensamento "refletem" certas características da organização do grupo. Então, "há sociedades, na Austrália e na América do Norte, em que o espaço é concebido na forma de um imenso círculo *porque* o terreno tem uma forma circular (...) a organização social foi o modelo para a organização espacial e uma reprodução dela" (Durkheim, 1915, p. 11-2). De modo similar, a noção geral de tempo deriva das unidades específicas de tempo diferenciadas em atividades sociais (cerimônias, festas, ritos) (p. 10-1). A categoria de classe e os modos de classificação, que envolvem a noção de uma hierarquia, derivam da estratificação e dos agrupamentos sociais. Essas categorias sociais são, então, "projetadas em nossa concepção do novo mundo" (p. 148). Em suma, as categorias "expressam" diferentes aspectos da ordem social (p. 440). A sociologia do conhecimento de Durkheim debilita-se por evitar uma psicologia social.

A relação central entre as ideias e os fatores existenciais para Scheler é a interação. As ideias interagem com os fatores existenciais que servem como agências seletivas, dispensando

---

23 Esse aspecto do trabalho de Mannheim é tratado com detalhe em Merton, 1957a.

A SOCIOLOGIA DO CONHECIMENTO (1945)

ou medindo a extensão em que as ideias potenciais encontram expressão efetiva. Os fatores existenciais não "criam" ou "determinam" o conteúdo das ideias; eles apenas importam para a diferença entre potencialidade e atualidade, eles escondem, retardam ou agilizam a atualização de ideias potenciais. Em uma figura que lembra o demônio hipotético de Clerk Maxwell, Scheler afirma que "de certo modo e em certa ordem, os fatores existenciais abrem ou fecham os portões ao fluxo de ideias". Essa formulação, que confere aos fatores existenciais a função de seleção em um domínio autocontido de ideias, é, segundo Scheler, um ponto básico de concordância entre teorias de resto tão divergentes quanto as de Dilthey, Troeltsch, Max Weber e a do próprio Scheler (1926, p. 32).

Scheler opera igualmente bem com o conceito de "identidades estruturais", que se refere, por um lado, a pressuposições comuns de conhecimento ou crença, e, por outro, à estrutura social, econômica ou política (1926, p. 56). Assim, o surgimento do pensamento mecanicista no século XVII, que veio a dominar o pensamento organicista anterior, é inseparável do novo individualismo, do núcleo da dominação da máquina movida a energia sobre a ferramenta de mão, da nascente dissolução da *Gemeinschaft* na *Gesellschaft*, da produção para a compra e venda de mercadorias, da ascensão do princípio de competição no *éthos* da sociedade ocidental etc. A noção da pesquisa científica como um processo sem fim, pelo qual uma reserva de conhecimentos pode ser acumulada para aplicação prática conforme demande a ocasião, e o total divórcio dessa ciência da teologia e da filosofia não seriam possíveis sem a emergência de um novo princípio de aquisição infinita, característico do capitalismo moderno (1926, p. 25; cf. p. 482-4).

Ao discutir essas identidades estruturais, Scheler não concede primazia nem à esfera socioeconômica nem à do conhecimento. Antes — o que Scheler vê como uma das mais significativas

Robert K. Merton

proposições no campo — ambas são determinadas pela estrutura de impulso da elite, que é intimamente ligada ao *éthos* predominante. Assim, a tecnologia moderna não é apenas a aplicação da ciência pura, baseada na observação, na lógica e na matemática. Ela é, mais que isso, o produto de uma orientação para o controle da natureza que define os propósitos assim como a estrutura conceitual do pensamento científico. Essa orientação é amplamente implícita e não deve ser confundida com os motivos pessoais dos cientistas.

Com o conceito de identidade estrutural, Scheler dobra-se ao conceito de integração cultural ou *Sinnzusammenhang*. Ele corresponde à concepção de Sorokin de um "sistema cultural significativo" que envolve "a identidade dos princípios e valores fundamentais que permeiam todas as suas partes", o que se distingue de um "sistema causal" envolvendo interdependência entre as partes (cf. Sorokin, 1937, 4, cap. 1; 1, cap. 1). Tendo construído seus tipos de cultura, a busca de Sorokin por critérios de verdade, ontologia, metafísica, resultado científico e tecnológico etc. chega a uma tendência marcante para a integração significativa de todos eles à cultura predominante.

Sorokin enfrentou ousadamente o problema de como determinar a *extensão* na qual tal integração ocorre, reconhecendo, apesar de seus comentários ácidos sobre os estatísticos de nossa época sensata, que a abordagem da extensão ou do grau de integração implica, necessariamente, alguma medida estatística. Nesse sentido, ele desenvolveu índices numéricos dos vários escritos e autores de cada período, classificou-os na categoria apropriada e, então, calculou a frequência comparativa (e a influência) dos vários sistemas de pensamento. Seja qual for a avaliação técnica da validade e confiabilidade dessas estatísticas culturais, ele reconheceu diretamente o problema ignorado por muitos investigadores da cultura integrada ou *Sinnzusammenhang*, ou seja, o grau ou extensão aproximado dessa integração.

A SOCIOLOGIA DO CONHECIMENTO (1945)

Além disso, baseou larga e regularmente suas conclusões empíricas nessas estatísticas.[24] E essas conclusões outra vez testemunham que o seu enfoque leva à afirmação do problema das conexões entre as bases existenciais e o conhecimento, mais do que a sua solução. Assim, considerando um caso quanto a isso, o "empirismo" é definido como o típico sistema sensato de verdade. Os últimos cinco séculos, e mais particularmente o último século, representam "a cultura sensata por excelência!" (Sorokin, 1937, 2, p. 51). Ainda assim, mesmo nessa onda crescente de cultura sensata, os índices estatísticos de Sorokin mostram somente 53 por cento dos escritos influentes no campo do "empirismo". E, nos primeiros séculos dessa cultura sensata — do final do século XVI a meados do XVIII —, os índices do empirismo são consistentemente menores que os do racionalismo (que é associado, presumivelmente, com uma cultura idealista, mais do que com uma cultura sensata) (cf. 1937, 2, p. 30). O objetivo dessas observações não é perguntar se as conclusões de Sorokin coincidem com seus dados estatísticos, não é perguntar por que é dito que os séculos XVI e XVII têm um "sistema de verdade sensato" dominante, em face desses dados. O objetivo é indicar que, mesmo segundo as próprias premissas de Sorokin, as caracterizações gerais de culturas históricas constituem apenas um primeiro passo, que precisa ser seguido de análises dos desvios das tendências centrais da cultura. Uma vez que a noção de *extensão* da

---

24 Apesar do lugar elementar dessas estatísticas em seus achados empíricos, Sorokin adota uma curiosa atitude ambivalente a respeito delas, uma atitude similar àquela imputada a Newton a respeito do experimento: uma divisa para chegar a suas principais conclusões "inteligíveis e para convencer o vulgo". Note-se que Sorokin aprova a observação de Park, segundo a qual suas estatísticas são apenas uma concessão à mentalidade sensata predominante, "se eles as querem, deixe-os tê-las" (Sorokin, 1943, p. 95, nota). A ambivalência de Sorokin decorre de seu esforço para integrar "sistemas de verdade" muito díspares.

Robert K. Merton

integração é introduzida, a existência de tipos de conhecimento que não estão integrados às tendências dominantes não pode ser vista como "mistura" ou como "contingente". Suas bases *sociais* precisam ser asseguradas de uma maneira que não aquela de uma teoria emanacionista.

Um conceito básico que serve para diferenciar generalizações sobre o pensamento e o conhecimento de toda uma sociedade ou cultura é o de "audiência", ou "público" ou o que Znaniecki chama de "o círculo social". Os homens de conhecimento não se orientam exclusivamente por seus dados, nem pela sociedade total, mas por segmentos específicos dessa sociedade, com suas demandas específicas de critérios de validade, de conhecimento significativo, de problemas pertinentes etc. É pela antecipação dessas demandas e expectativas de audiências particulares, que podem ser efetivamente localizadas na estrutura social, que os homens de conhecimento organizam seu próprio trabalho, definem seus dados, apreendem os problemas. Portanto, quanto mais diferenciada a sociedade, maior o espectro de tais audiências efetivas, maior a variação nos focos de atenção científica, de formulação conceitual e de procedimentos para certificar alegações de conhecimento. Ligando cada uma dessas audiências definidas de modo tipológico a sua posição social distintiva, torna-se possível fornecer a consideração *wissenssoziologische* das variações e conflitos de pensamento no interior da sociedade, um problema que é necessariamente ignorado em uma teoria emanacionista. Então, os cientistas na Inglaterra e na França do século XVII, que estavam organizados em sociedades científicas recém-estabelecidas, dirigem-se a audiências muito diferentes daquelas dos acadêmicos que se mantêm exclusivamente nas universidades tradicionais. A direção de seus esforços para uma exploração "clara, sóbria, empírica" de problemas técnicos e científicos específicos diferia consideravelmente do trabalho especulativo, não experimental, daqueles nas universidades. Investigar essas

A SOCIOLOGIA DO CONHECIMENTO (1945)

variações em audiências efetivas, explorar seus critérios distintivos de conhecimento significativo e válido,[25] relacionando-os a sua posição no interior da sociedade, e examinar os processos sociopsicológicos pelos quais eles operam para constranger certos modos de pensamento constitui um procedimento que promete levar a pesquisa na sociologia do conhecimento do plano da imputação geral ao da investigação empírica testável.[26]

A consideração precedente trata da principal substância das teorias predominantes no campo. As limitações de espaço permitem somente uma consideração sumária de outro aspecto das teorias, escolhido em nosso paradigma: as funções atribuídas aos vários tipos de produções mentais.[27]

6 As funções do conhecimento existencialmente condicionado

Além de fornecer explicações causais do conhecimento, as teorias lhe atribuem funções sociais, funções que, presume-se, servem para dar conta de sua persistência ou mudança. Essas análises

---

25 O conceito de *"Wertbeziehung"* (relevância de valor) de Rickert-Weber é somente um primeiro passo nessa direção, permanece a tarefa seguinte de diferenciar os vários conjuntos de valores e relacioná-los aos distintos grupos ou estratos da sociedade.

26 Essa é talvez a variação mais típica na sociologia do conhecimento que se desenvolve agora nos círculos sociológicos norte-americanos, e quase pode ser vista como uma aculturação dos enfoques europeus. Esse desenvolvimento deriva caracteristicamente da psicologia social de G. H. Mead. Sua pertinência a esse respeito é indicada por C. W. Mills, Gerard de Gré e outros. Ver a concepção de "círculo social" de Znaniecki, 1940. Ver também o início das descobertas empíricas no campo mais geral das comunicações públicas em Lazarsfeld e Merton, 1943.

27 Omite-se necessariamente um exame dos enfoques historicistas e a-históricos. É preciso notar que essa controvérsia definitivamente admite um médio alcance.

funcionais não podem ser examinadas em detalhe aqui, embora um estudo detalhado certamente seria de valia.

O aspecto mais distintivo da imputação marxista de função não é sua atribuição à sociedade como um todo, mas a um estrato distinto dentro dela. Isso vale não apenas para o pensamento ideológico, mas também para a ciência natural. Na sociedade capitalista, a ciência e a tecnologia que dela deriva tornam-se mais um instrumento de controle da classe dominante.[28] Ao longo dessas mesmas linhas, pesquisando os determinantes econômicos do desenvolvimento científico, os marxistas frequentemente pensaram que era suficiente mostrar que os resultados científicos possibilitam a satisfação de uma necessidade econômica ou tecnológica. Mas a aplicação da ciência a uma necessidade não mostra obrigatoriamente que a necessidade esteve envolvida de modo significativo na busca do resultado. As funções hiperbólicas foram descobertas dois séculos antes de passarem a ter algum significação prática e o estudo das seções cônicas teve uma história interrompida por dois milênios, antes de ser aplicado na ciência e na tecnologia. Podemos, então, inferir que as "necessidades" que foram finalmente satisfeitas por essas aplicações serviram para orientar a atenção dos matemáticos para esses campos? Que existiu, digamos, uma influência retroativa de dois a vinte séculos? É preciso realizar investigações detalhadas sobre as relações entre a emergência de necessidades, o reconhecimento dessas necessidades pelos cientistas, ou por aqueles que os direcionam na seleção de problemas, e as consequências de tal reconhecimento, antes de poder estabelecer o papel das necessidades na determinação das

---

28 Por exemplo, Marx cita Ure, um apologista do capitalismo do século XIX, que afirma, comentando a invenção da máquina de fiar automática: "uma criação destinada a restaurar a ordem entre as classes produtivas (...). A invenção confirma a grande doutrina já proposta, segundo a qual quando o capital põe a ciência a seu serviço, a mão de obra refratária sempre recebe uma lição de docilidade" (Marx, 1906, p. 477).

temáticas da pesquisa científica (cf. Hessen, 1932; Merton, 1938, cap. 7-10; Bernal, 1939; Crowther, 1941; Barber, 1952; Gré, 1955). Em acréscimo a sua alegação de que as categorias emergem da sociedade, Durkheim também indica suas funções sociais. A análise funcional, entretanto, é orientada para dar conta não de um sistema categorial particular em uma sociedade, mas da existência de um sistema comum à sociedade. Para propósitos de intercomunicação e para coordenar as atividades humanas, um conjunto comum de categorias é indispensável — que o apriorista confunde com uma constrição inevitável. A forma nativa de entendimento é, na verdade, "a própria autoridade da sociedade, que se transfere para uma certa maneira de pensar que é condição indispensável de toda ação comum" (Durkheim, 1915, p. 17, 10-1, 443). É necessário que exista certo mínimo de "conformidade lógica", caso contrário, as atividades sociais conjuntas não se manterão; um conjunto comum de categorias é uma necessidade funcional. Essa visão é posteriormente desenvolvida por Sorokin que indica as muitas funções a que servem diferentes sistemas de tempo e espaço sociais (cf. Sorokin, 1943).

7 Problemas adicionais e estudos recentes

A discussão acima desenvolvida torna evidente que uma grande diversidade de problemas nesse campo requer investigação adicional.[29]

Scheler havia indicado que a organização social da atividade intelectual está significativamente relacionada ao caráter do conhecimento que se desenvolve sob seus auspícios. Um dos primeiros estudos sobre o problema nos Estados Unidos foi a análise

---

29 Para outros sumários, ver Wirth, 1936; Gittler, 1940.

cáustica, impressionista e muitas vezes perceptiva de Veblen das pressões que conformavam a vida universitária norte-americana (cf. Veblen, 1918). De modo mais sistemático, Wilson abordou os métodos e critérios de recrutamento, a atribuição de *status* e os mecanismos de controle do homem acadêmico, fornecendo, assim, uma base substancial para os estudos comparativos (cf. Hartshorne, 1937). Propondo uma tipologia dos papéis do homem de conhecimento, Znaniecki desenvolveu uma série de hipóteses sobre as relações entre esses papéis e os tipos de conhecimento cultivados, entre os tipos de conhecimento e as bases da apreciação do cientista pelos membros da sociedade, entre as definições dos papéis e as atitudes em relação ao conhecimento prático e teórico etc. (cf. Znaniecki, 1940). Há muito ainda a investigar acerca das bases de classe das identificações dos intelectuais, sua alienação dos estratos dominantes ou subordinados da população, sua esquiva por ou indulgência com as pesquisas com implicações imediatas de valor, que desafiam os arranjos institucionais atuais adversos ao cumprimento de objetivos culturalmente aprovados,[30] as pressões pelo tecnicismo e pelo abandono de pensamentos perigosos, a burocratização dos intelectuais como um processo no qual os problemas de políticas são convertidos em problemas administrativos, as áreas da vida social nas quais se adota o conhecimento especializado e positivo e aquelas nas quais somente a sabedoria do homem comum é considerada necessária — em suma, a mudança no papel do intelectual e a relação dessas mudanças com a estrutura, o conteúdo e a influência de seu trabalho requerem atenção crescente, enquanto as mudanças na organi-

---

30 Gunnar Myrdal, no tratado *Um dilema americano* (*An American dilemma*), indica reiteradamente as "avaliações escusas" dos cientistas sociais norte-americanos nos estudos sobre o negro norte-americano e o efeito dessas avaliações na formulação dos "problemas científicos" nessa área de pesquisa (cf. especialmente Myrdal, 1944, 2, p. 1027-64).

A SOCIOLOGIA DO CONHECIMENTO (1945)

zação social submetem, cada vez mais, o intelectual a demandas que conflitam entre si.[31]

Cada vez mais, assume-se que a estrutura social não apenas influencia a ciência chamando a atenção dos cientistas para certos problemas de pesquisa. Em acréscimo aos estudos a que já nos referimos, outros abordaram os modos pelos quais o contexto cultural e social entra na fraseologia conceitual dos problemas científicos. A teoria da seleção de Darwin foi modelada após o predomínio da noção de ordem econômica competitiva, uma noção à qual, por sua vez, foi atribuída uma função ideológica por meio de sua suposição de uma identidade natural dos interesses.[32] A observação não inteiramente séria de Russell sobre as características nacionais do aprendizado animal aponta para outro tipo de investigação acerca das relações entre a cultura nacional e as formulações conceituais.[33] Assim também Fromm tentou mos-

---

31 Mannheim refere-se a uma monografia sobre o intelectual não publicada, bibliografias gerais são encontradas em seus livros e no verbete "Intelectuais", de R. Michels (1932), na *Encyclopedia of the Social Sciences*. Para trabalhos recentes, ver Mills, 1944; Merton, 1943; Koestler, 1944.

32 Keynes observou que "o princípio da sobrevivência do mais apto poderia ser visto como uma ampla generalização da economia de Ricardo" (Keynes *apud* Parsons, 1937, p. 113; cf. Sandow, 1938).

33 Bertrand Russell afirma que os animais usados nas pesquisas de psicologia "têm exibido todas as características nacionais do observador. Os animais estudados pelos norte-americanos correm para todo lado freneticamente, com uma inacreditável disposição para o movimento e o vigor e, finalmente, alcançam o resultado desejado por acaso. Os animais observados pelos alemães ficam sentados e pensam e, finalmente, encontram a solução no interior de sua consciência" (Russell, 1927, p. 29-30). O humor não pode ser confundido com irrelevância, a possibilidade de diferenças nacionais na escolha e formulação dos problemas científicos foi repetidamente notada, embora não sistematicamente estudada. Mueller-Freienfels (1936, cap. 8) aborda as diferenças nacionais e de classe na escolha de problemas, nos "estilos de pensamento" etc., sem aceitar os requisitos *echt-deutsch* (autenticamente alemães) de um Krieck. Esse tipo de interpretação,

trar que o "liberalismo consciente" de Freud envolvia de modo tácito uma rejeição dos impulsos considerados como tabus pela sociedade burguesa e que o próprio Freud era, com seu caráter patriocêntrico, um típico representante de uma sociedade que demandava obediência e sujeição (cf. Fromm, 1935).

No mesmo sentido, aponta-se que a concepção de causação múltipla é especialmente congênita ao acadêmico que tem relativa segurança, é leal ao *status quo*, do qual retira dignidade e sustento, que busca a conciliação e vê algo valioso em todos os pontos de vista, tendendo a fazer uma taxinomia que o torna capaz de evitar a tomada de posição, indicando a multiplicidade de fatores e a complexidade dos problemas (cf. Feuer, 1940). As ênfases na natureza ou na educação como o primeiro determinante da natureza humana têm sido ligadas a orientações políticas opostas. Aqueles que enfatizam a hereditariedade são politicamente conservadores, enquanto os ambientalistas são predominantemente democratas ou radicais que desejam a mudança social (cf. Pastore, 1943). Mas até mesmo ambientalistas entre os atuais escritores norte--americanos de patologia social adotam concepções de "ajuste social", que assumem implicitamente como normas os padrões das comunidades pequenas e, de modo característico, falham em indagar acerca da possibilidade de certos grupos alcançarem seus objetivos sob as condições institucionais predominantes (cf.

---

porém, pode ser levada a um polêmico e infundado extremo, como na "análise" demolidora de Max Scheler sobre a dissimulação inglesa. Ele conclui que na ciência, assim como em todas as outras esferas, os ingleses são fingidos incorrigíveis. A concepção de Hume do ego, da substância e da continuidade como autoenganos biologicamente úteis era mera dissimulação deliberada, assim também a característica concepção inglesa das hipóteses de trabalho (Maxwell, Kelvin) como promotoras do progresso da ciência, mas não como verdadeiras — uma concepção que nada mais é do que um artifício perspicaz para obter um controle momentâneo dos dados e ordená-los. Ele diz que todo pragmatismo implica essa dissimulação oportunista (cf. Scheler, 1915).

A SOCIOLOGIA DO CONHECIMENTO (1945)

Mills, 1943). Atribuições de perspectiva como essas requerem mais estudo sistemático, antes de poderem ser aceitas, mas elas indicam tendências recentes para investigar as perspectivas dos acadêmicos e relacioná-las à estrutura de experiência e interesses constituída por suas respectivas posições sociais. O caráter questionável das atribuições, que não são baseadas em material *comparativo* adequado, é ilustrado por uma análise recente sobre os escritos dos acadêmicos negros. A seleção de categorias analíticas ao invés de morfológicas, dos determinantes ambientais do comportamento ao invés dos biológicos, dos dados excepcionais ao invés dos típicos é atribuída ao ressentimento de casta dos escritores negros, sem que qualquer esforço seja feito para comparar a frequência de tendências similares entre os escritores brancos (cf. Fontaine, 1944).

O curso atual dos acontecimentos históricos tem dissipado os vestígios de qualquer tendência para considerar o desenvolvimento da ciência e da tecnologia como *totalmente* autocontido e avançado em relação à estrutura social. Um controle crescentemente visível e muitas vezes restritivo da pesquisa e da invenção científicas tem sido seguidamente documentado, em especial em uma série de estudos de B. J. Stern (1937, 1938),[34] que também traçou as bases da resistência à mudança na medicina (cf. B. J. Stern, 1927, 1941; Shryock, 1936; Sigerist, 1932). A mudança básica na organização social da Alemanha forneceu um teste experimental virtual da íntima dependência que a direção e amplitude do trabalho científico tem da estrutura de poder e da visão cultural a ela associada, que são predominantes (cf. Hartshorne, 1937). E as limitações de qualquer afirmação não qualificada, de que a ciência e a tecnologia representam a base à qual a estrutura social deve ajustar-se, tornam-se evidentes à luz dos estudos que

---

34 Ver as outras referências em B. J. Stern (1938) e Hamilton (1941).

Robert K. Merton

mostram como a ciência e a tecnologia têm sido postas a serviço de demandas sociais ou econômicas.[35] O desenvolvimento da formidável lista de problemas que requerem e estão sendo objeto de investigação empírica foge aos limites deste trabalho. Há somente isto a dizer: a sociologia do conhecimento está rapidamente afastando-se da tendência inicial de confundir hipóteses provisórias com dogmas incontestáveis, todos os *insights* especulativos que marcaram seus primeiros estágios são agora sujeitos a testes crescentemente rigorosos. Embora Toynbee e Sorokin possam estar corretos ao falar de uma alternância de períodos de descoberta de fatos e de generalização na história da ciência, parece que a sociologia do conhecimento esposou essas duas tendências, o que promete ser uma união frutífera. Sobretudo, ela se concentra em problemas que estão no centro do interesse intelectual contemporâneo.[36]

---

35 Somente mais visíveis em tempo de guerra; ver a observação de Sorokin de que os centros de poder militar tendem a ser centros de desenvolvimento científico e tecnológico (Sorokin, 1937, 4, p. 249-51). Ver Cohen & Barber, *Science and war* (ms.); Merton, 1935a; Bernal, 1939; Huxley, 1935.

36 Para bibliografias extensas, ver Barber, 1952; Mannheim, 1936; Barnes, Becker & Becker, 1940.

CAPÍTULO 6

A ciência e a ordem social

(1938)[1]

Na virada do século XX, Max Weber observou que "a crença no valor da verdade científica não deriva da natureza, mas é produto de culturas definidas" (Weber, 1922b, p. 213; cf. Sorokin, 1937, 2, cap. 2). Podemos agora acrescentar que essa crença é transmutada em dúvida ou descrença. O desenvolvimento persistente da ciência ocorre somente em sociedades com certa ordem, sujeitas a complexos peculiares de pressuposições tácitas e constrições institucionais. O que para nós é um fenômeno normal que não exige explicação e sustenta muitos valores culturais autoevidentes foi, em outros tempos, e ainda é, em muitos lugares, anormal e infrequente. A continuidade da ciência requer a participação ativa de pessoas capazes e interessadas nos propósitos científicos. O apoio à ciência é assegurado somente por condições culturais apropriadas. É, portanto, importante examinar aqueles controles que motivam as carreiras científicas, que selecionam e dão prestígio a certas disciplinas científicas e rejeitam ou esquecem outras. Tornar-se-á evidente que mudanças na estrutura institucional podem interromper, modificar ou, possivelmente, impedir o avanço da ciência (cf. Merton, 1970 [1938], cap. 11).

---

1 Apresentado na conferência da *American Sociological Society* (Sociedade Americana de Sociologia), dezembro de 1937. O autor agradece ao professores Read Bain e Talcott Parsons e aos doutores E. Y. Hartshorne e E. P. Hutchinson, por suas valiosas sugestões.

1 As fontes da hostilidade à ciência

A hostilidade à ciência pode surgir de, pelo menos, dois conjuntos de condições, embora os sistemas concretos de valores — humanitários, econômicos, políticos, religiosos — sobre os quais se baseia possam variar consideravelmente. O primeiro conjunto envolve a conclusão lógica, embora não necessariamente correta, de que os resultados ou os métodos da ciência são hostis à satisfação de valores importantes. O segundo consiste largamente de elementos não lógicos. A ele subjaz o sentimento de incompatibilidade entre os sentimentos incorporados no *éthos* científico e aqueles encontrados em outras instituições. Sempre que esse sentimento é desafiado, ele é racionalizado. Ambos os conjuntos de condições subjazem, em graus variados, às revoltas atuais contra a ciência. Pode-se acrescentar que tais raciocínios e respostas afetivas também estão envolvidos na aprovação social da ciência. Mas, nesses casos, considera-se que a ciência facilita a realização de fins aprovados, e sente-se que os valores baseados na cultura são congruentes com aqueles da ciência, ao invés de emocionalmente inconsistentes com eles. A posição da ciência no mundo moderno pode ser analisada, então, como resultante de dois conjuntos de forças contrárias, que aprovam e opõem-se à ciência enquanto uma atividade social de larga escala.

Restringimos nosso exame a poucos exemplos evidentes de certa reavaliação do papel social da ciência, sem que isso implique que o movimento anticiência seja, em qualquer sentido, assim localizado. Muito do que é dito aqui pode provavelmente ser aplicado a casos de outros tempos e lugares.[2]

A situação da Alemanha nazista desde 1933 ilustra os modos pelos quais os processos lógicos e não lógicos convergem para

---

2   A morte prematura de E. Y. Hartshórne interrompeu um estudo sobre a ciência no mundo moderno na perspectiva de análise apresentada neste capítulo.

modificar ou impedir a atividade científica. Em parte, o impedimento da ciência é um subproduto não intencional de mudanças na estrutura política e no credo nacionalista. De acordo com o dogma da pureza racial, praticamente todas as pessoas que não satisfaziam o critério politicamente imposto da ancestralidade "ariana" e da simpatia declarada com os objetivos nazistas foram eliminadas das universidades e dos institutos científicos.[3] Como esses banidos incluem um número considerável de cientistas eminentes, uma consequência direta do expurgo racial é o enfraquecimento da ciência na Alemanha.

Nesse racismo, está implícita a crença na contaminação racial pelo contato real ou simbólico.[4] As pesquisas científicas feitas por aqueles de ancestralidade "ariana" incontestável, que, entretanto, colaboram com não arianos, ou mesmo, que aceitam suas teorias científicas, são confinadas ou proscritas. Uma nova categoria racial-política foi introduzida para incluir esses arianos incorrigíveis: a categoria de "judeus brancos". O membro mais proeminente dessa nova raça é o físico ganhador do Prêmio Nobel, Werner Heisenberg, que persistiu em sua declaração de que a teoria da relatividade de Einstein constitui uma "óbvia base para as pesquisas futuras".[5]

---

3   Ver o capítulo 3 de E. Y. Hartshorne (1937) sobre o expurgo nas universidades; ver também *Volk im Werden*, 5, 1937, p. 320-1, que refere alguns dos novos requisitos para o doutoramento.

4   Essa é uma das muitas fases da introdução de um sistema de castas na Alemanha. Como observou R. M. MacIver (1931, p. 172), "a ideia de contaminação é comum a todo sistema de castas".

5   Cf. o órgão oficial da ss, *Schwarze Korps*, 15/jul./1937, num. 2. Nesse número, Johannes Stark, presidente da *Physikalisch-Technischen Reichsanstald*, insiste na eliminação dessas colaborações, que ainda persistem, e protesta contra a nomeação de três professores universitários que foram "discípulos" de não arianos (cf. Hartshorne, 1937, p. 112-3; Rosenberg, 1933, p. 45 ss.); ver Stark (1936), em que Heisenberg, Schrödinger, Von Laue e Planck são castigados por não terem se divorciado da "física judia" de Einstein.

Robert K. Merton

Nesses exemplos, os sentimentos de pureza nacional e racial claramente prevaleceram sobre a racionalidade utilitária. Como revelou E. Y. Hartshorne,[6] a aplicação de tais critérios levou a uma perda proporcionalmente maior na ciência natural e nas faculdades de medicina das universidades alemãs do que nas faculdades de teologia e de direito. Em contraste, nas políticas oficiais relativas às diretrizes da pesquisa científica as considerações utilitárias são priorizadas. Deve-se promover acima de tudo o trabalho científico que promete benefícios práticos diretos ao partido nazista ou ao Terceiro Reich, e os fundos de pesquisa devem ser redistribuídos de acordo com essa política (cf. Wissenschaft, 1937; Hartshorne, 1937, p. 110 ss.; Jaensch, 1937, p. 57 ss.).[7] O reitor da Universidade Heidelberg anuncia que "a questão da significação científica [*Wissenschaftlichkeit*] de qualquer conhecimento é de importância secundária quando comparada à questão de sua utilidade" (Krieck, 1935, p. 8).

O tom geral de anti-intelectualismo, com sua depreciação do teórico e sua glorificação do homem de ação,[8] pode ter uma ligação

---

6   Os dados nos quais está baseada essa afirmação encontram-se em estudo não publicado de E. Y. Hartshorne.

7   No campo da história, por exemplo, Walter Frank, diretor do *Reichsinstitut für Geschichte des neuen Deutschlands*, "a primeira organização científica alemã criada sob o espírito da revolução nacional-socialista", declara ser a última pessoa a renunciar à simpatia pelo estudo da história antiga, "ainda que seja a dos povos estrangeiros", mas também sustenta que os fundos previamente atribuídos ao Instituto Arqueológico devem ser realocados para esse novo corpo histórico, que terá "a honra de escrever a história da Revolução Nacional Socialista" (cf. Frank, 1935, p. 30 ss.).

8   O teórico nazista Alfred Baeumler escreveu: "se hoje um estudante se recusa a conformar-se à norma política, recusando-se, por exemplo, a participar de um campo de trabalho ou de um campo de esporte militar, porque isso o faria perder o tempo necessário aos seus estudos, ele mostra que não tem a mínima ideia do que está acontecendo a sua volta. A única maneira que ele tem de perder tempo é com estudos abstratos e sem direcionamento" (1934, p. 153).

A CIÊNCIA E A ORDEM SOCIAL

de longa duração, mais do que a ligação imediata, com o lugar da ciência na Alemanha. Pois para que essas atitudes sejam fixadas, os elementos mais bem-dotados da população devem rejeitar essas disciplinas intelectuais, que perdem, assim, a reputação. No final dos anos 1930, os efeitos dessa atitude antiteórica podiam ser detectados na alocação dos interesses acadêmicos nas universidades alemãs (cf. Hartshorne, 1937, p. 106 ss.).[9]

Seria um equívoco sugerir que o governo nazista repudiou completamente a ciência e o intelecto. As atitudes oficiais com relação à ciência são claramente ambivalentes e instáveis. (Por essa razão, todas as afirmações sobre a ciência na Alemanha nazista estão sujeitas a revisão.) Por um lado, o ceticismo desafiador da ciência interfere com a imposição de um novo conjunto de valores que demandam uma aquiescência inquestionável. Mas as novas ditaduras precisam reconhecer, como o fez Hobbes, que também sustentou que o estado precisa ser tudo ou nada, que a ciência é poder. Por razões militares, econômicas e políticas, a ciência teórica — para não dizer nada sobre seu mais respeitável rebento, a tecnologia — não pode ser descartada sem perigo. A experiência tem mostrado que a mais esotérica das pesquisas encontrou aplicações importantes. A menos que a utilidade e a racionalidade sejam dispensadas sem apelação, não se pode esquecer que as especulações de Clerk Maxwell sobre o éter levaram Hertz à descoberta que culminou no rádio. E mesmo um porta-voz nazista observou: "assim como a prática de hoje baseia-se na ciência de ontem, do mesmo modo a pesquisa de hoje é a prática de amanhã" (Thiessen in Wissenschaft, 1937, p. 12). A ênfase na

---

9   Ver Wissenschaft (1937, p. 25-6), em que se afirma que a atual "tomada de fôlego da produtividade científica" é parcialmente devida ao fato de que um número considerável daqueles que devem receber treinamento científico tem sido recrutado pelo exército. Embora esta seja uma explicação dúbia dessa situação particular, uma quebra prolongada no interesse pela ciência teórica provavelmente produzirá um declínio das realizações científicas.

Robert K. Merton

utilidade requer inevitavelmente um mínimo interesse na ciência, que pode ser recrutada a serviço do Estado e da indústria.[10] Ao mesmo tempo, essa ênfase leva a uma limitação da pesquisa na ciência pura.

2 As pressões sociais sobre a autonomia da ciência

Uma análise do papel da ciência no Estado nazista revela os seguintes elementos e processos. O avanço da dominação de um segmento da estrutura social — o Estado — envolve uma demanda por lealdade primária. Os cientistas, assim como todos os outros, são chamados a abandonar a adesão a todas as normas institucionais que, na opinião das autoridades políticas, conflitam com aquelas do Estado.[11] As normas do *éthos* científico precisam ser sacrificadas, na medida em que requerem o repúdio dos critérios politicamente impostos de validade ou de pertinência científicas. A expansão do controle político introduz, portanto, lealdades conflitantes entre si. A esse respeito, as reações dos católicos devotos que resistem aos esforços da autoridade política para redefinir a estrutura social, transgredindo os dogmas tradicionais da religião, são de mesma ordem que a resistência do cientista. Do ponto de vista sociológico, o lugar da ciência no mundo totalitário é, em grande medida, o mesmo de todas as outras instituições, exceto a do Estado recém-dominante. A mudança básica consiste em situar a ciência em um novo contexto social no qual ela parece,

---

10 Por exemplo, a química é altamente prezada por causa de sua importância prática. Como disse Hitler, "nós continuaremos porque temos a vontade fanática de ajudar-nos e porque, na Alemanha, nós temos os químicos e os inventores que vão satisfazer nossas necessidades" (*apud* Wissenschaft, 1937, p. 6 ss).

11 Isso é claramente exposto pelo ministro da ciência do Reich (cf. Rust, 1936, p. 1-22, especialmente, p. 21).

A CIÊNCIA E A ORDEM SOCIAL

em certos momentos, competir com a lealdade ao Estado. Assim, a cooperação com os não arianos é redefinida como um símbolo de deslealdade política. Em uma ordem liberal, a limitação da ciência não aparece dessa forma, pois, em tais estruturas, as instituições não políticas gozam de uma substancial esfera de autonomia, evidentemente de extensão variável.

Assim, o conflito entre o Estado totalitário e o cientista deriva, em parte, de uma incompatibilidade entre a ética da ciência e o novo código político que é imposto a todos, a despeito do credo ocupacional. O *éthos* da ciência[12] envolve a exigência funcionalmente necessária de que as teorias ou as generalizações sejam avaliadas em termos de sua consistência lógica e de sua consonância com os fatos. A ética política introduziria o critério, até aqui irrelevante, de raça ou credo político do teórico (cf. Baeumler, 1934, p. 145).[13] A ciência moderna tem considerado o fator pessoal como potencial fonte de erro e desenvolveu crité-

---

12 O *éthos* da ciência refere-se a um complexo emocionalmente modulado de regras, prescrições, costumes, crenças, valores e pressuposições, que é mantido pelo compromisso do cientista. Certas fases desse complexo podem ser metodologicamente desejáveis, mas a observância das regras não é ditada somente por considerações metodológicas. Esse *éthos*, assim como em geral os códigos sociais, é sustentado pelos sentimentos daqueles aos quais se aplica. A transgressão é refreada por proibições internalizadas e por reações emocionais de desaprovação, que são mobilizadas por aqueles que sustentam o *éthos*. Uma vez dado um *éthos* efetivo desse tipo, ressentimento, desprezo e outras atitudes de antipatia operam quase automaticamente para estabilizar a estrutura existente. Isso pode ser visto na atual resistência dos cientistas na Alemanha a modificações marcantes no conteúdo desse *éthos*, o qual pode ser pensado como o componente "cultural", distinto do componente "civilizacional", da ciência (cf. Merton, 1936a).

13 Ver também Krieck (1935) que afirma: "nem tudo que pode reivindicar cientificidade encontra-se no mesmo nível de importância e de valor; a ciência protestante e católica, francesa e alemã, germânica e judaica, humanista ou racista são, antes de tudo, possibilidades, valores ainda não realizados ou até mesmo de importância similar. A decisão sobre o valor da ciência origina-se de sua 'atualidade', do seu grau de fecundidade, de sua força formadora da história (...)".

rios impessoais para controlar esse erro. É preciso agora afirmar que certos cientistas, dadas suas afiliações extracientíficas, são *a priori* incapazes de qualquer coisa senão teorias falsas e espúrias. Em certos casos, requer-se dos cientistas que aceitem os juízos de líderes políticos cientificamente incompetentes a respeito de *questões de ciência*. Mas tais táticas politicamente recomendáveis vão contra as normas institucionalizadas da ciência. Isso, entretanto, é rejeitado pelo Estado totalitário como preconceitos "liberais", "cosmopolitas" ou "burgueses",[14] na medida em que não podem ser facilmente integrados na campanha por um credo político inquestionável.

De uma perspectiva mais ampla, o conflito é uma fase da dinâmica institucional. A ciência, que adquiriu considerável grau de autonomia e desenvolveu um complexo institucional que envolve a lealdade dos cientistas, agora tem tanto sua autonomia tradicional como suas regras do jogo — em uma palavra, seu *éthos* — desafiadas por uma autoridade externa. Os sentimentos corporificados no *éthos* da ciência — caracterizado por termos tais como honestidade intelectual, integridade, ceticismo organizado, desinteresse, impessoalidade — são afrontados pelo conjunto de novos sentimentos que o Estado quer impôr na esfera da pesquisa científica. Com a mudança da estrutura anterior, na qual *loci* limitados de poder são fixados nos muitos campos da atividade humana, para uma estrutura em que há um *locus* centralizado de autoridade sobre todos os padrões do comportamento, os representantes de cada esfera atuam na resistência a essas mudanças e para preservar a estrutura original da autoridade pluralística. Embora seja comum

---

14 Portanto, diz Ernst Krieck, "no futuro, não se adotará mais a ficção de uma neutralidade enfraquecida da ciência mais que no direito, na economia, no Estado ou na vida pública em geral. O método da ciência é, com efeito, somente um reflexo do método de governo" (Krieck, 1935, p. 6; cf. Baeumler, 1934, p. 152; Frank, 1935, p. 10); e contraste-se com o "preconceito" de Max Weber (1921) de que "a política não é pertinente à sala de aula".

A CIÊNCIA E A ORDEM SOCIAL

pensar no cientista como um indivíduo sem paixão, impessoal — e isso pode não ser inadequado, quando se considera sua atividade técnica —, é preciso lembrar que o cientista, assim como todos os outros trabalhadores profissionais, tem um amplo envolvimento emocional com o seu modo de vida, definido pelas normas institucionais que governam sua atividade. A estabilidade social da ciência somente pode estar assegurada se defesas adequadas são ativadas contra mudanças impostas do exterior à fraternidade científica.

Esse processo de preservação da integridade institucional e de resistência a novas definições da estrutura social, as quais podem interferir na autonomia da ciência, encontram expressão ainda em outra direção. É uma suposição básica da ciência moderna que as proposições científicas "são invariantes com respeito ao indivíduo" e ao grupo (cf. Levy, 1933, p. 189). Mas, em uma sociedade completamente politizada — na qual, nas palavras de um teórico nazista, "a importância universal da política é reconhecida" (Baeumler, 1934, p. 152) —, essa suposição é impugnada. As descobertas científicas são consideradas como mera expressão da raça, da classe, ou da nação.[15] Na medida em que doutrinas como essas infiltram-se entre os leigos, elas convidam a uma desconfiança geral na ciência e a uma depreciação do prestígio do cientista, cujas descobertas aparecem como arbitrárias e inconstantes. Essa variedade de anti-intelectualismo, que ameaça sua posição social, recebe uma resistência característica

---

15 É de considerável interesse que os teóricos totalitários tenham adotado as doutrinas relativistas radicais da *Wissenssoziologie* como um expediente político para desacreditar a ciência "liberal", "burguesa" ou "não ariana". Um modo de escapar desse beco sem saída é proporcionado pelo estabelecimento de um ponto arquimediano: a infalibilidade do *Führer* e de seu povo [*Volk*] (cf. Goering, 1934, p. 79). Variações politicamente efetivas do "relacionismo" de Karl Mannheim (por exemplo, em *Ideologia e utopia*) são usadas com propósitos propagandísticos por teóricos nazistas, tais como Walter Frank, Krieck, Rust e Rosenberg.

por parte do cientista. Do mesmo modo, no fronte ideológico, o totalitarismo implica um conflito com as suposições tradicionais da ciência moderna.

3 As funções das normas da ciência pura

Um sentimento, que é assimilado pelo cientista desde o início de seu treinamento, diz respeito à pureza da ciência. A ciência não pode aceitar transformar-se no serviçal da teologia, da economia ou do Estado. A função desse sentimento é igualmente preservar a autonomia da ciência. Pois se critérios extracientíficos de valor da ciência, tais como a consonância presumida com doutrinas religiosas, ou a utilidade econômica, ou a pertinência política forem adotados, a ciência se tornará aceitável somente na medida em que atender a esses critérios. Em outras palavras, à medida que o sentimento da ciência pura é eliminado, a ciência torna-se sujeita ao controle direto de outras agências institucionais e seu lugar na sociedade torna-se incrivelmente incerto. O repúdio persistente dos cientistas pela aplicação de normas utilitárias ao seu trabalho tem como principal função evitar esse perigo, que é particularmente marcante no tempo atual. Um reconhecimento tácito dessa função pode ser a fonte desse brinde, possivelmente apócrifo, em um jantar de cientistas em Cambridge: à matemática pura, e que ela jamais tenha uso algum para ninguém!

A exaltação da ciência pura é, portanto, vista como uma defesa contra a invasão de normas que limitam as direções do avanço potencial e ameaçam a estabilidade e a continuidade da pesquisa científica como uma atividade social valorizada. Por certo, o critério tecnológico de realização científica também tem uma função social positiva para a ciência. Os confortos e conveniências crescentes, que advêm da tecnologia e, ultimamente, da ciência, convidam ao apoio social à pesquisa científica. Eles também

A CIÊNCIA E A ORDEM SOCIAL

testemunham a integridade do cientista, uma vez que teorias abstratas e difíceis, que não podem ser entendidas ou avaliadas pelos leigos, são presumivelmente provadas de um modo que pode ser entendido por todos, a saber, por suas aplicações tecnológicas. A disposição para aceitar a autoridade da ciência repousa, em considerável extensão, sobre sua demonstração diária de poder. Se não fosse por essas demonstrações indiretas, o contínuo apoio social a essa ciência, que é intelectualmente incompreensível para o público, dificilmente poderia alimentar-se apenas de fé.

Ao mesmo tempo, essa ênfase na pureza da ciência teve outras consequências que ameaçam mais do que preservam a estima social da ciência. Exige-se continuamente que os cientistas, em sua pesquisa, ignorem todas as outras considerações que não o avanço do conhecimento.[16] A atenção deve estar exclusivamente voltada para a importância científica do trabalho, sem consideração pelos usos práticos que possa vir a ter, ou por suas repercussões sociais em geral. A justificação costumeira desse princípio — que é parcialmente baseado em fatos[17] e que, para qualquer efeito, tem funções sociais definidas, como acabamos de ver — sustenta que

---

16 Por exemplo, Pareto escreve que "a procura de uniformidades experimentais é um fim em si mesmo". Veja-se uma declaração típica de George A. Lundberg: "Não faz parte do trabalho do químico, que inventa um alto explosivo, ser influenciado em sua tarefa por considerações tais como se o seu produto será usado para explodir catedrais ou construir túneis através das montanhas. Tampouco faz parte do trabalho do cientista social que estabelece leis do comportamento grupal permitir-se ser influenciado por considerações acerca do modo como suas conclusões irão coincidir com noções existentes, ou qual o efeito de seus achados na ordem social" (Lundberg, Bain & Anderson, 1929, p. 404-5). Compare-se com as observações de Bain, 1933.

17 Uma justificativa neurológica dessa visão é encontrada em ensaio de E. D. Adrian (1937): "para o comportamento discriminador (...) precisa haver algum interesse. Mas, se houver muito interesse, o comportamento deixará de ser discriminador. Sob pressão emocional intensa, o comportamento tende a conformar-se a um dos muitos padrões estereotipados" (p. 9).

Robert K. Merton

o fracasso em aderir a tal injunção obstrui a pesquisa, aumentando a possibilidade de viés e de erro. Mas essa visão *metodológica* negligencia os resultados *sociais* de uma atitude como essa. As consequências objetivas dessa atitude forneceram uma base adicional para a revolta contra a ciência; uma revolta incipiente que se encontra virtualmente em cada sociedade em que a ciência alcançou um alto estágio de desenvolvimento. Como o cientista não controla ou não pode controlar a direção na qual são aplicadas suas descobertas, ele se torna objeto de reprovação e das mais violentas reações, tanto quanto essas aplicações são desaprovadas pelos agentes da autoridade ou por grupos de pressão. A antipatia pelos produtos tecnológicos é projetada sobre a própria ciência. Desse modo, quando gases ou explosivos recém-descobertos são utilizados como instrumentos militares, a química como um todo é censurada por aqueles cujos sentimentos humanitários são ultrajados. A ciência é considerada amplamente responsável por gerar essas máquinas de destruição humana que, afirma-se, podem mergulhar nossa civilização na escuridão e confusão eternas. Ou, para tomar outro exemplo notável, o rápido desenvolvimento da ciência e da tecnologia a ela correlata levou a um movimento implicitamente contra a ciência por interesses estabelecidos e por aqueles cujo senso de justiça econômica foi ofendido. O eminente Sir Josiah Stamp e um grande número de pessoas menos ilustres propuseram uma moratória da invenção e da descoberta,[18] para

---

18 Por certo isso não constitui, enquanto tal, um movimento oposto à ciência. Além do mais, a destruição da maquinaria pelos trabalhadores e a supressão de invenções pelo capital também ocorreram no passado (cf. Merton, 1935b, p. 464 ss.). Mas esse movimento mobiliza a opinião de que a ciência deve ser estritamente responsável por seus efeitos sociais. A sugestão de Sir Josiah Stamp pode ser encontrada em seu discurso na Associação Britânica para o Avanço da Ciência (*British Association for the Advancement of Science*), Aberdeen, 6/set./1934. Tal moratória também foi proposta por M. Caillaux (cf. Strachey, 1935, p. 183), por H. W. Sumners, na *US House of Representatives*, e por muitos outros. Nos termos dos

A CIÊNCIA E A ORDEM SOCIAL

que o homem possa ter um momento para respirar, no qual ajustar sua estrutura social e econômica ao ambiente em mudança constante que lhe oferece a "embaraçosa fecundidade da tecnologia." Essas propostas receberam grande publicidade na imprensa e foram defendidas com insistência incansável diante de corpos científicos e de agências governamentais.[19] A oposição veio igualmente daqueles representantes dos trabalhadores que temem perder o investimento em habilidades que se tornam obsoletas em face do fluxo das novas tecnologias e também daquele tipo de capitalista que recusa a obsolescência prematura da sua maquinaria. Embora essas propostas provavelmente não sejam transformadas em ato no futuro imediato, elas constituem um núcleo potencial em torno do qual se pode materializar uma revolta contra a ciência em geral. É irrelevante se essas opiniões, que responsabilizam, em última

---

critérios humanitários, sociais e econômicos correntes, certos produtos da ciência são mais perniciosos do que benéficos. Essa avaliação pode destruir o fundamento do trabalho científico. Como observou pateticamente um cientista, "se o homem de ciência precisa desculpar-se por seu trabalho, então eu desperdicei minha vida" (cf. Soddy, 1935, p. 42 ss.).

19 Os cientistas ingleses têm reagido especialmente contra "a prostituição do esforço científico para propósitos de guerra". Discursos presidenciais nos encontros anuais da Associação Britânica para o Avanço da Ciência, frequentes editoriais e cartas publicadas no periódico *Nature* atestam esse movimento de "uma nova consciência da responsabilidade social entre a geração emergente de trabalhadores científicos". Sir Frederick Gowland Hopkins, Sir John Orr, o professor Soddy, Sir Daniel Hall, os doutores Julian Huxley, J. B. S. Haldane e o professor L. Hogben estão entre os líderes do movimento. Ver, por exemplo, a carta assinada por 22 cientistas da Universidade de Cambridge, exigindo um programa para dissociar a ciência da guerra (cf. Scientific, 1936, p. 829). Essas iniciativas de ação conjunta dos cientistas ingleses contrastam agudamente com a apatia dos cientistas dos Estados Unidos em relação a essas questões. (Essa observação vale para o período anterior ao desenvolvimento de armas atômicas.) As bases desse contraste podem ser proveitosamente investigadas. Em todo caso, embora esse movimento possivelmente derive dos sentimentos, ele pode cumprir a função de eliminar uma fonte de hostilidade à ciência nos regimes democráticos.

instância, a ciência por situações indesejáveis, são válidas ou não. O teorema sociológico de W. I. Thomas — "se os homens definem as situações como reais, elas são reais em suas consequências" — foi reiteradamente verificado.

Em suma, essa base para a reavalização da ciência deriva do que eu chamei em outro lugar de "imperiosa imediaticidade do interesse" (cf. Merton, 1936b). O compromisso com o objetivo primário, o avanço do conhecimento, é acompanhado da suspensão daquelas consequências do conhecimento que se situam fora da área do interesse imediato, mas esses resultados sociais reagem interferindo nos objetivos originais. Tal comportamento pode ser racional no sentido em que se pode esperar que leve à satisfação do interesse imediato. Mas é irracional no sentido em que nega outros valores que não são, nesse momento, equivalentes, mas que são, no mínimo, uma parte integral da escala social de valores. Precisamente porque a pesquisa científica não é conduzida em um vácuo social, seus efeitos ramificam-se em outras esferas de valor e interesse. Quando esses efeitos são considerados socialmente indesejáveis, atribui-se responsabilidade à ciência. Os bens da ciência não são mais considerados como uma bênção indubitável. Examinado dessa perspectiva, o princípio da ciência pura e do desinteresse ajudou a preparar o seu próprio epitáfio.

Linhas de luta são traçadas em torno da questão: pode uma árvore boa dar maus frutos? Aqueles que querem cortar ou podar a árvore do conhecimento por causa de seus frutos malditos enfrentam a alegação de que o mau fruto foi enxertado na árvore boa pelos agentes do Estado e da economia. Sustentar que uma estrutura social inadequada levou à perversão de suas descobertas pode salvar a consciência individual do homem de ciência, mas dificilmente satisfará uma oposição exasperada. Assim como os *motivos* dos cientistas podem ir de um desejo passional pelo avanço do conhecimento a um interesse profundo em obter fama pessoal, e assim como as *funções* da pesquisa científica podem variar, indo desde proporcionar racionalizações prestigiosas da ordem existente até o aumento de nosso controle sobre a natureza, assim também outros *efeitos* sociais da ciência podem ser considerados perniciosos à sociedade ou resultar na modificação do próprio *éthos* científico. Há uma tendência entre os cientistas de assumir que os efeitos sociais da ciência *devem* ser benéficos a longo prazo. Esse artigo de fé desempenha a função de prover um fundamento para a pesquisa científica, contudo ele não é evidentemente um enunciado baseado em fato. Ele envolve a confusão entre a verdade e a utilidade social, que se encontra, de modo característico, na penumbra não lógica da ciência.

4 A CIÊNCIA ESOTÉRICA COMO MISTICISMO POPULAR

Raramente se reconhece outro aspecto relevante das conexões entre a ciência e a ordem social. Com a crescente complexidade da pesquisa científica, um longo programa de treinamento rigoroso é necessário para testar ou simplesmente para entender os novos resultados científicos. O cientista moderno subscreve necessariamente um culto à ininteligibilidade, o que resulta em crescente distância entre o cientista e o leigo. O leigo precisa acreditar nos enunciados publicizados sobre a relatividade, ou os *quanta*, ou outros objetos esotéricos. O que ele faz prontamente, na medida em que lhe é continuamente assegurado que as descobertas tecnológicas de que provavelmente ele se beneficia derivam desse tipo de pesquisa. No entanto, ele retém certa suspeita em relação a essas teorias bizarras. Versões popularizadas e frequentemente deturpadas da nova ciência enfatizam essas teorias que parecem contrariar o senso comum. Para a mentalidade pública, a ciência e a terminologia esotérica tornam-se indissoluvelmente ligadas. Os pronunciamentos supostamente científicos dos porta-vozes totalitários sobre a raça, a economia ou a história são, para o leigo sem qualificação, de mesma ordem do que as afirmações sobre a expansão do universo ou a mecânica ondulatória. Em ambos os casos, os leigos não estão em posição de entender esses conceitos ou checar sua validade científica e, em ambos os casos, eles podem não ser consistentes com o senso comum. No mínimo, para o público em geral, os mitos dos teóricos totalitários serão vistos como mais plausíveis, embora não certamente mais compreensíveis do que as teorias científicas aceitas, já que aqueles estão mais próximos da experiência do senso comum e do viés cultural. Em parte como um resultado do avanço da ciência, portanto, a população em geral foi preparada para novos misticismos, veiculados em jargão aparentemente científico. Isso promove o sucesso da propaganda em geral. A autoridade tomada da ciência torna-se um símbolo poderoso de prestígio para doutrinas que não são científicas.

5 A HOSTILIDADE PÚBLICA
AO CETICISMO ORGANIZADO

Outra característica da atitude científica é o ceticismo organizado, que se tornou suficientemente iconoclasta (cf. Knight, 1925).[20] A ciência pode ser vista como desafiando as "confortáveis pressuposições de poder" de outras instituições (Merriam, 1934, p. 82-3), simplesmente por submetê-las a minucioso escrutínio. O ceticismo organizado envolve um questionamento latente de certas bases da rotina estabelecida, da autoridade, dos procedimentos instituídos e do reino do "sagrado" em geral. É verdade

---

20 O cientista sem sofisticação, esquecendo que o ceticismo é primariamente um cânone metodológico, permite que seu ceticismo avance sobre a área dos valores em geral. As funções sociais dos símbolos são ignoradas e impugnadas como "não verdadeiras". Novamente, confundem-se a utilidade social e a verdade.

A CIÊNCIA E A ORDEM SOCIAL

que estabelecer *logicamente* a origem empírica das crenças e dos valores não é negar sua validade, mas esse é muitas vezes o efeito psicológico na mentalidade ingênua. Símbolos e valores institucionalizados demandam atitudes de lealdade, adesão e respeito. A ciência que faz perguntas sobre os fatos relativos a cada aspecto da natureza e da sociedade entra em conflito psicológico, não lógico, com outras atitudes em relação a esses mesmos dados, que foram cristalizadas e frequentemente ritualizadas em outras instituições. Muitas instituições demandam fé incondicional, mas a instituição científica fez do ceticismo uma virtude. Cada instituição envolve, nesse sentido, uma área sagrada, que é resistente ao exame profano, nos termos da observação e da lógica científicas. A própria instituição da ciência envolve a adesão emocional a certos valores. Mas seja a esfera sagrada das convicções políticas, ou da fé religiosa, ou dos direitos econômicos, o investigador científico não se conduz do modo prescrito, obediente e ritualístico. Ele não preserva a clivagem entre o sagrado e o profano, entre aquilo que requer respeito não crítico e o que pode ser objetivamente analisado.[21]

Em parte, é isso que está na raiz das revoltas contra a chamada intrusão da ciência em outras esferas. No passado, essa resistência veio, em sua maior parte, da Igreja, que restringia o exame científico das doutrinas santificadas. A crítica textual da Bíblia é ainda suspeita. Essa resistência, por parte da religião organizada, tornou-se menos significativa com o desvio do lugar do poder social para as instituições econômicas e políticas, o que, por seu turno, evidencia um antagonismo indisfarçável para com o ceticismo generalizado, que se percebe desafiar as bases da estabilidade institucional. Essa oposição pode existir independentemente da introdução de certas descobertas científicas, que parecem invali-

---

21 Para uma discussão geral sobre o sagrado nesses termos, ver Durkheim, 1915, p. 37 ss.

dar dogmas particulares da Igreja, da economia e do Estado. Trata-se antes de um reconhecimento difuso, frequentemente vago, de que o ceticismo generalizado ameaça o *status quo*. É preciso enfatizar novamente que não há necessidade lógica de conflito entre o ceticismo no interior da esfera da ciência e as adesões emocionais demandadas por outras instituições. Mas, como um derivativo psicológico, esse conflito invariavelmente aparece onde quer que a ciência estenda sua pesquisa a novos campos em relação aos quais existem atitudes institucionalizadas, ou para onde quer que outras instituições estendam sua área de controle. Na sociedade totalitária, a centralização do controle institucional é a maior fonte de oposição à ciência; em outras estruturas, a ampliação da pesquisa científica é de grande importância. A ditadura organiza, centraliza e, então, intensifica as fontes de revolta contra a ciência que, em uma estrutura liberal, mantêm-se desorganizadas, difusas e com frequência latentes.

Em uma sociedade liberal, a integração deriva primariamente do corpo de normas culturais que orienta a atividade humana. Em uma estrutura ditatorial, a integração é efetuada, primariamente, pela organização formal e centralização do controle social. A pronta disposição para aceitar esse controle é instilada pela aceleração do processo de infundir no corpo político novos valores culturais, substituindo a propaganda de alta pressão pelo processo mais lento de inculcação difusa de padrões sociais. Essas diferenças nos mecanismos pelos quais a integração é tipicamente afetada permitem um espaço maior na estrutura liberal do que na totalitária para a autodeterminação e a autonomia das várias instituições, incluindo a ciência. Por meio dessa organização rigorosa, o Estado ditatorial intensifica seu controle sobre as instituições não políticas, levando a uma situação diferente tanto em tipo como em grau. Por exemplo, represálias contra a ciência podem encontrar expressão mais facilmente no Estado nazista do que na América do Norte, onde os interesses não são tão organizados para forçar limitações sobre a ciência, mesmo quando isso é desejado. Sentimentos incompatíveis precisam ser isolados entre si ou integrados um ao outro, se é para ter estabilidade social. Mas essa insulação torna-se virtualmente impossível quando existe o controle centralizado dos protetores de cada um dos setores da vida social, que impõe, ou tenta impor, a obrigação da adesão a valores e sentimentos como condição para continuar existindo. Nas estruturas liberais, a ausência de tal centralização permite o necessário grau de isolamento, garantindo direitos restritos de autonomia a cada esfera e permitindo, assim, a integração gradual de elementos temporariamente inconsistentes.

Conclusões

As principais conclusões deste artigo podem ser brevemente sumarizadas. Existe uma hostilidade latente e ativa contra a ciência em muitas sociedades, embora o alcance desse antagonismo não possa ser ainda estabelecido. O prestígio que a ciência adquiriu nos últimos três séculos é tão grande que as ações que limitam seu escopo ou que o negam em parte são usualmente acompanhadas pela afirmação da imperturbável integridade da ciência ou "do renascimento da verdadeira ciência". Frequentemente esse apreço verbal pelo sentimento a favor da ciência varia com o comportamento daqueles que o sustentam. Em parte, o movimento anticiência deriva do conflito entre o *éthos* da ciência e o de outras instituições sociais. Um corolário dessa proposição é que as revoltas contemporâneas contra a ciência são *formalmente* similares às revoltas anteriores, embora as fontes *concretas* sejam diferentes. Os conflitos surgem quando os efeitos sociais do conhecimento científico aplicado são considerados indesejáveis, quando o ceticismo científico é dirigido aos valores básicos de outras instituições, quando a expansão da autoridade política, religiosa ou econômica limita a autonomia do cientista, quando o anti-intelectualismo questiona o valor e a integridade da ciência e quando são introduzidos critérios não científicos de elegibilidade da pesquisa científica.

Este artigo não apresenta um programa de ação para enfrentar as ameaças ao desenvolvimento e à autonomia da ciência. Ele pode sugerir, entretanto, que quanto mais o lugar do poder social situe-se em outra instituição que não a ciência, e quanto mais os cientistas estejam incertos de sua lealdade primária, mais sua posição torna-se tênue e incerta.

Parte 3:
A estruturação da comunidade científica e a dinâmica social da tecnologia

CAPÍTULO 7

A ciência e a
estrutura social democrática

(1942)

A ciência, como qualquer outra atividade que envolve a colaboração social, está submetida às mudanças da fortuna. Por mais difícil que a noção possa parecer àqueles educados em uma cultura que garante à ciência um lugar de destaque, quando não de comando, no esquema das coisas, é evidente que a ciência não é imune ao ataque, à restrição e à repressão. Escrevendo pouco tempo atrás, Veblen podia observar que a fé da cultura ocidental na ciência era ilimitada, inquestionável e inigualável. A revolta contra a ciência, que então parecia tão improvável, já que concernia apenas a tímidos acadêmicos, que ponderavam todas as contingências, apesar de remotas, chama agora a atenção tanto do cientista como do homem leigo. A contaminação local de anti-intelectualismo ameaça tornar-se epidêmica.

1 CIÊNCIA E SOCIEDADE

Os incipientes ataques atuais à integridade da ciência *levaram os cientistas a reconhecer sua dependência de tipos particulares de estrutura social*. Manifestos e pronunciamentos de associações de cientistas devotam-se às relações entre a ciência e a sociedade. Uma instituição que está sendo atacada precisa reexaminar seus fundamentos, restabelecer seus objetivos, buscar seu princípio. A crise convida à autoavaliação. Agora que são confrontados com desafios ao seu modo de vida, os cientistas são lançados a um estado de aguda autoconsciência: consciência de si como elemento integrante da sociedade, com obrigações e interesses correspondentes.[1] A torre de marfim torna-se insustentável quando seus muros estão sendo atacados. Após um prolongado período de relativa segurança, durante o qual a busca e difusão de conhecimento alçou-se a um lugar de liderança, se não mesmo ao primeiro lugar na escala dos valores culturais, os cientistas são compelidos a defender os modos da ciência para o homem. Assim, eles têm de fechar o círculo em torno do ponto de reemergência da ciência no mundo moderno. Há três séculos, quando a instituição da ciência podia reivindicar pouca garantia independente de apoio social, os filósofos naturais foram igualmente levados a justificar a ciência como um meio para alcançar os fins culturalmente válidos da utilidade econômica e da glorificação de Deus. A atividade da ciência não tinha então, em si mesma, valor evidente. Entretanto, com o infindável fluxo de realizações, o instrumental foi transformado em terminal, os meios em fim. Assim fortalecido, o cientista passou a ver a si mesmo como independente da sociedade e a considerar a ciência como um empreendimento que se valida a si mesmo, que está na sociedade, mas não faz parte dela. Um assalto frontal à autonomia da ciência foi necessário para converter esse isolacionismo sanguíneo em participação realista no conflito revolucionário entre culturas. A adesão à questão levou a uma clarificação e reafirmação do *éthos* da ciência moderna.

"Ciência" é uma palavra enganosamente inconclusiva, que se refere a uma variedade de itens distintos, embora inter-relacionados entre si. É comumente usada para denotar:

---

1 Desde que isso foi escrito em 1942, é evidente que a explosão de Hiroshima forçou muito mais cientistas a tomarem consciência das consequências sociais de seus trabalhos.

A CIÊNCIA E A ESTRUTURA SOCIAL DEMOCRÁTICA

(1) um conjunto de métodos característicos por meio dos quais o conhecimento é certificado;

(2) um estoque de conhecimento acumulado que se origina da aplicação desses métodos;

(3) um conjunto de valores e costumes culturais que governam as atividades denominadas científicas; ou

(4) qualquer combinação das três anteriores.

De modo preliminar, estamos preocupados aqui com a estrutura cultural da ciência, ou seja, com um aspecto limitado da ciência enquanto instituição. Portanto, consideraremos não os métodos da ciência, mas os costumes com os quais eles são delimitados. Claramente, os cânones metodológicos são com frequência tanto expedientes técnicos como coerções morais, mas é unicamente nestas últimas que estamos interessados. Este é um ensaio de sociologia da ciência e não uma excursão na metodologia. Similarmente, não trataremos dos resultados substantivos das ciências (hipóteses, uniformidades, leis), exceto quando sejam pertinentes para os sentimentos sociais padronizados acerca da ciência. Esta não é uma aventura de erudição.

O *éthos* da ciência é esse complexo afetivamente modulado de valores e normas que se considera serem obrigatórios para o homem de ciência.[2] As normas são expressas na forma de prescrições, proscrições, preferências e permissões. Elas são legitimadas em termos de valores institucionais. Esses imperativos, transmitidos por preceitos e exemplo, e reforçados por sanções, são internalizados em graus variados pelos cientistas, modelando sua consciência científica ou, se alguém preferir a expressão mais atual, seu superego. Embora o *éthos* da ciência não tenha sido

---

2   Sobre o conceito de *éthos*, ver Sumner (1906, p. 36 ss.), Speier (1938, p. 196 ss.), Scheler (1933, p. 225-62). Albert Bayet (1931), em seu livro sobre o assunto, logo abandona a descrição e a análise pela homilia.

Robert K. Merton

codificado,[3] ele pode ser inferido do consenso moral entre os cientistas, tal como ele se expressa no uso e costume, em incontáveis escritos sobre o espírito da ciência e na indignação moral provocada pelas contravenções do *éthos*.

Um exame do *éthos* da ciência moderna é somente uma introdução limitada a um problema mais amplo: o estudo comparativo da estrutura institucional da ciência. Embora monografias detalhadas que juntem o material comparativo necessário sejam poucas e dispersas, elas oferecem alguma base para a suposição provisória de que "à ciência é dada oportunidade de desenvolvimento em uma ordem democrática, que está integrada ao *éthos* da ciência". Isso não quer dizer que a atividade científica esteja confinada às democracias.[4] As mais diferentes estruturas sociais deram, em alguma medida, suporte para a ciência. Precisamos apenas lembrar que a Academia do Cimento (*Accademia del Cimento*) teve como mecenas dois Medicis; que Carlos II chamou a atenção da história por sua concessão de privilégios para a Sociedade Real de Londres e por seu patrocínio do Observatório Greenwich; que a Academia de Ciências foi fundada sob os auspícios de Luís XIV, por conselho de Colbert; que, instado a aquiescer por Leibniz, Frederico I decretou uma dotação para a Academia de Berlim, e que a Academia de Ciências de São Petersburgo foi instituída por Pedro,

---

3   Como observa Bayet: "essa moral [da ciência] não teve seus teóricos, mas teve seus artesãos. Ela não exprime seu ideal, mas serviu a ele: ela está implicada na própria existência da ciência" (1931, p. 43).

4   Tocqueville foi além: "O futuro provará se essas paixões [pela ciência], ao mesmo tempo tão raras e tão produtivas, surgem e crescem tão facilmente no meio das comunidades democráticas quanto nas aristocráticas. De minha parte, confesso que reluto em acreditar nisso" (Tocqueville, 1945 [1835], 2, p. 51). Veja-se este outro texto da evidência: "é impossível estabelecer uma relação causal simples entre a democracia e a ciência e afirmar que só a sociedade democrática pode fornecer o solo necessário para o desenvolvimento da ciência. Contudo, não pode ser mera coincidência que a ciência tenha realmente florescido em períodos democráticos" (Sigerist, 1938, p. 291).

A CIÊNCIA E A ESTRUTURA SOCIAL DEMOCRÁTICA

o Grande (para refutar a visão de que os russos eram bárbaros). Mas esses fatos históricos não implicam uma associação aleatória entre a ciência e a estrutura social. Existe a questão adicional da razão entre a realização científica e as potencialidades científicas. Certamente a ciência se desenvolve em variadas estruturas sociais, mas qual delas oferece um contexto institucional para um desenvolvimento mais completo?

2 O *éthos* DA CIÊNCIA

O objetivo institucional da ciência é a ampliação do conhecimento certificado. Os métodos técnicos empregados para esse fim fornecem a definição relevante de conhecimento: predições empiricamente confirmadas e logicamente consistentes. Os imperativos institucionais (costumes) derivam do objetivo e dos métodos. Toda a estrutura de normas técnicas e morais implementa o objetivo final. A norma técnica da evidência empírica, adequada, válida e confiável é um pré-requisito para a sustentação de predições verdadeiras, a norma técnica da consistência lógica, um pré-requisito da previsão sistemática e válida. Os costumes da ciência possuem um fundamento metodológico, mas eles são seguidos não somente porque são predominantemente eficientes, mas porque se acredita que eles são corretos e bons. Eles são prescrições morais tanto quanto técnicas.

Quatro conjuntos de imperativos institucionais compreendem o *éthos* da ciência moderna: universalismo, comunismo, desinteresse, ceticismo organizado.

UNIVERSALISMO

O universalismo encontra expressão imediata no cânone de que as alegações de verdade, de qualquer que seja a fonte, devem ser submetidas a *critérios impessoais preestabelecidos*: consoante com a observação e com o conhecimento anteriormente confirmado.[5] A aceitação ou rejeição das alegações que são consideradas científicas não deve depender de atributos pessoais ou sociais de seus protagonistas, sua raça, nacionalidade, religião, classe e qualidades pessoais são irrelevantes. A objetividade impede o particularismo. A circunstância de que formulações cientificamente verificadas referem-se a sequências e correlações objetivas atua contra todos os esforços para impor critérios particularistas de validade. O processo Haber não pode ser invalidado por um decreto de Nuremberg, nem a lei da gravidade por uma recusa anglófoba. O chauvinista pode expurgar os nomes de cientistas estrangeiros dos livros de história, mas suas formulações continuam indispensáveis para a ciência e a tecnologia. Seja o incremento final autenticamente alemão (*echt-deutsch*) ou cem por cento norte--americano, alguns suplementos estrangeiros antecedem o fato de cada novo avanço técnico. O imperativo do universalismo está profundamente enraizado no caráter impessoal da ciência.

Entretanto, a instituição da ciência é apenas parte de uma estrutura social maior à qual nem sempre está integrada. Quando a cultura mais ampla se opõe ao universalismo, o *éthos* da ciência fica sujeito a sérias restrições. O etnocentrismo não é compatível com o universalismo. Particularmente em tempos de conflito internacional, quando a definição dominante da situação busca enfatizar lealdades nacionais, o homem de ciência está sujeito aos imperativos conflitantes do universalismo científico e do particularismo etnocêntrico.[6] A estrutura das situações nas quais ele se encontra

---

5   Para uma análise básica do universalismo nas relações sociais, ver Parsons, 1951. Para uma expressão da crença de que "a ciência é totalmente independente de fronteiras nacionais, de raças e de credos", cf. Resolutions, 1938, p. 100; Advancement, 1938, p. 169.

6   O texto permanece tal como escrito em 1942. Em 1948, os líderes políticos da

A CIÊNCIA E A ESTRUTURA SOCIAL DEMOCRÁTICA

determina o papel social que é chamado a desempenhar. O homem de ciência pode ser convertido em homem de guerra — e agir de acordo com isso. Assim, em 1914, o manifesto de 93 cientistas e acadêmicos alemães — entre os quais Baeyer, Brentano, Ehrlich, Haber, Eduard Meyer, Ostwald, Planck, Schmoller e Wassermann — deflagrou uma polêmica na qual alemães, franceses e ingleses ornavam seus egos políticos com vestes de cientistas. Frios cientistas impugnaram as contribuições "inimigas", acusadas de viés nacionalista, de troca de citações mútuas, de desonestidade intelectual, de incompetência e falta de capacidade criativa.[7] En-

---

Rússia Soviética fortaleceram sua ênfase no nacionalismo russo e começaram a insistir no caráter "nacional" da ciência. Assim, em um editorial intitulado "Contra a ideologia burguesa do cosmopolitismo" que apareceu no jornal *Voprosy Filosofii*: "Somente um cosmopolita sem terra natal, profundamente insensível aos destinos atuais da ciência, poderia negar com indiferença contumaz a existência das formas nacionais matizadas nas quais a ciência vive e se desenvolve. O cosmopolita substitui a história real da ciência e das trajetórias concretas de seu desenvolvimento por conceitos fabricados de um tipo de ciência supranacional e sem classes, desprovida, por assim dizer, de toda a riqueza da coloração nacional, privada do brilho vívido e do caráter particular do trabalho criativo de um povo, transformando-a em uma espécie de espírito descorporificado (...) O marxismo-leninismo despedaça as ficções cosmopolitas sobre a ciência 'universal', a superclasse, o não nacional, e prova definitivamente que a ciência, tal como toda a cultura na sociedade moderna, é nacional na forma e classista no conteúdo" (Against, 1949, p. 9). Essa visão confunde duas questões distintas: primeiro, o contexto cultural no qual qualquer nação ou sociedade dada pode predispor os cientistas a concentrarem-se em certos problemas, a serem sensíveis a certos problemas e não a outros, na fronteira da ciência. Isso foi observado há muito tempo. Mas isso é basicamente diferente da segunda questão: os critérios de validade das alegações de conhecimento científico não são matéria de gosto nacional ou de cultura. Cedo ou tarde, as alegações de validade em competição enfrentam os fatos universais da natureza que estão em consonância com uma teoria e não com outra. A passagem acima é de interesse primário para ilustrar a tendência ao etnocentrismo e o modo pelo qual lealdades nacionais penetram até os próprios critérios de validade científica.

7   Para uma instrutiva coleção de documentos sobre isso, cf. Petit & Leudet, 1916. Félix Le Dantec, por exemplo, revela que tanto Ehrlich como Weismann perpetraram fraudes tipicamente alemãs no mundo da ciência (Dantec, 1916). Pierre

tretanto, o próprio desvio da norma do universalismo pressupõe, com efeito, a legitimidade da norma. Pois o viés nacionalista só é opróbrio se julgado em termos do padrão do universalismo, em outro contexto institucional ele é redefinido como virtude, como patriotismo. Assim, pelo próprio processo de contenção de sua violação, os costumes são reafirmados.

Mesmo sob contrapressão, cientistas de todas as nacionalidades aderiram ao padrão universalista em termos mais diretos. O caráter internacional, impessoal e virtualmente anônimo da ciência foi reafirmado.[8] (Pasteur: "o cientista tem uma pátria, a ciência não a tem".) A recusa dessa norma foi concebida como uma quebra da profissão de fé.

O universalismo encontrou nova expressão na demanda de que as carreiras sejam abertas ao talento. O fundamento é fornecido pelo objetivo institucional. Restringir as carreiras científicas em quaisquer outras bases que não a falta de competência é prejudicar a promoção do conhecimento. O livre acesso às atividades científicas é um imperativo funcional. Conveniência e moralidade coincidem. Daí a anomalia de um Carlos II invocando os costumes da ciência para reprovar a Sociedade Real pela pretensa exclusão de John Graunt, o aritmético político, e suas instruções de que, "se encontrassem outro como esse comerciante, deveriam admiti-lo sem qualquer hesitação".

Aqui novamente o *éthos* da ciência pode não ser consistente com o da sociedade mais ampla. Os cientistas podem assimilar

---

Duhem (1915) conclui que o "espírito de geometria" da ciência alemã sufocou o "espírito de *finesse*". Kellermann (1915) é uma contrapartida vigorosa. O conflito persistiu no período pós-guerra (cf. Kherkhof, 1933).

8 Ver a profissão de fé do professor E. Gley (Petit & Leudet, 1916, p. 181): "não pode haver uma verdade alemã, inglesa, italiana ou japonesa, como tampouco francesa. E falar de ciência alemã, inglesa ou francesa é enunciar uma proposição contraditória à própria ideia de ciência". Ver também, na mesma obra, as afirmações de Grasset e Richet.

A CIÊNCIA E A ESTRUTURA SOCIAL DEMOCRÁTICA

padrões de castas e cerrarem suas fileiras para os de *status* inferior, não importando sua capacidade ou realizações. Mas isso provoca uma situação instável. Apela-se a ideologias intrincadas para obscurecer a incompatibilidade entre os costumes de castas e o objetivo institucional da ciência. É preciso mostrar que os membros de castas inferiores são inerentemente incapazes de realizar o trabalho científico ou, em última análise, que suas contribuições devem ser sistematicamente desvalorizadas. "Pode-se aduzir da história da ciência que os grandes criadores que fundaram a pesquisa em física, e os grandes descobridores, de Galileu e Newton aos pioneiros da física de nossa época, eram quase exclusivamente arianos, predominantemente de raça nórdica." A frase modificativa "quase exclusivamente" é uma base de todo insuficiente para negar aos excluídos todo o direito à realização científica. Então, a ideologia é arredondada por uma concepção de ciência "boa" e "má": a ciência realista e pragmática dos arianos é oposta à ciência dogmática e formal dos não arianos (cf. Stark, 1938, p. 772; Stark, 1936).[9] Ou, então, veem-se bases para a exclusão na capacidade extracientífica dos cientistas, enquanto inimigos do Estado ou da Igreja.[10] Assim, os expoentes de uma cultura que repudia padrões universalistas em geral sentem-se constrangidos a propagar esse valor no domínio da ciência. De modo enviesado, o universalismo é afirmado na teoria e suprimido na prática.

A despeito de sua inadequação quando posto em prática, o *éthos* da democracia inclui o universalismo como um princípio

---

9 Isso se liga às diferenças feitas por Duhem entre a ciência "alemã" e a "francesa".

10 "Nós não os excluímos ['os negadores marxistas'] porque eles eram cientistas, mas porque sustentavam uma doutrina política que pretende subverter todo tipo de ordem. E tivemos de agir com toda determinação, visto que a ideologia dominante de uma ciência sem valores e sem premissas parecia dar-lhes uma proteção oportuna para a continuidade de seus planos. Não fomos nós que ofendemos a dignidade da ciência livre (...)" (Rust, 1936, p. 13).

Robert K. Merton

orientador dominante. A democratização opera tanto para a eliminação progressiva das restrições ao exercício como para o desenvolvimento das capacidades socialmente valorizadas. Os critérios impessoais de realização e de não fixação do *status* caracterizam a sociedade democrática. Na medida em que essas restrições persistem, serão vistas como obstáculos no caminho da plena democratização. Assim, na medida em que a democracia *laissez-faire* permite a acumulação de vantagens diferenciais para certos segmentos da população, vantagens que não estão ligadas a diferenças demonstradas de capacidade, o processo democrático leva à crescente regulação pela autoridade política. Sob condições em mudança, novas formas técnicas de organização precisam ser introduzidas para preservar e ampliar a igualdade de oportunidades. O aparato político designado para pôr em prática os valores democráticos pode, portanto, variar, mas os padrões universalistas são mantidos. Na medida em que uma sociedade é democrática, ela fornece escopo para o exercício dos critérios universalistas na ciência.

"Comunismo"

"Comunismo" no sentido não técnico e amplo de propriedade comum de bens é o segundo elemento integrante do *éthos* científico. As descobertas substantivas da ciência são um produto de colaboração social dirigida para a comunidade. Elas constituem uma herança comum na qual o interesse do produtor individual é severamente limitado. Uma lei ou teoria eponímica não é propriedade exclusiva de seu descobridor e de seus herdeiros, nem os costumes lhes concedem direitos especiais de uso e disposição. Os direitos de propriedade na ciência são reduzidos ao mínimo pelo fundamento da ética científica. O direito do cientista a "sua propriedade" intelectual é limitado ao reconhecimento e estima, que, se a instituição funcionar com um mínimo de eficiência, é

A CIÊNCIA E A ESTRUTURA SOCIAL DEMOCRÁTICA

mais ou menos proporcional à significação dos incrementos incorporados ao fundo comum de conhecimento. A eponímia — por exemplo, o sistema copernicano ou a lei de Boyle — é, portanto, a um só tempo um recurso mnemônico e comemorativo. Diante dessa ênfase institucional no reconhecimento e estima como o único direito de propriedade do cientista sobre suas descobertas, a preocupação com a prioridade científica torna-se uma resposta "normal". Essas controvérsias sobre prioridade que pontuam a história da ciência moderna são geradas pela importância institucional conferida à originalidade.[11] Surge uma cooperação competitiva. Os produtos da competição são disponibilizados para a comunidade,[12] e a estima cresce para o produtor. As nações reivindicam prioridade,[13] e as novas realizações

---

11 Newton falava a partir de experiência duramente adquirida quando observou que "a filosofia [natural] é uma dama tão impertinentemente litigiosa que um homem prefere estar envolvido em processos judiciais do que ter de se haver com ela". Robert Hook, um indivíduo em mobilidade social, cuja ascensão de *status* esteve unicamente baseada em suas realizações científicas, era notavelmente "litigioso".

12 Embora possa estar marcada pelo comercialismo da sociedade mais ampla, uma profissão como a medicina aceita o conhecimento científico como propriedade comum: "(...) a profissão médica (...) normalmente olha com desagrado as patentes registradas por médicos (...). A profissão regular (...) manteve essa posição contra monopólios privados desde o advento da lei de patentes no século XVII" (Shryock, 1938, p. 45). Surge então uma situação ambígua na qual a socialização da prática médica é rejeitada naqueles círculos em que a socialização do conhecimento não é discutida.

13 Agora que os russos adotaram oficialmente uma profunda reverência pela pátria, chegam a insistir na importância da determinação das prioridades de descobertas científicas. Assim: "a menor desatenção às questões de prioridade na ciência, a menor negligência a elas, deve, portanto, ser condenada, pois ela deixa nas mãos de nossos inimigos, que escondem sua agressão ideológica com o discurso cosmopolita da suposta inexistência de questões de prioridade na ciência, por exemplo, as questões relativas a quais povos fizeram quais contribuições para o estoque geral da cultura mundial". E depois: "O povo russo tem a história mais rica. No curso dessa história, foi criada a cultura mais rica e todos os outros países

da comunidade científica são rotuladas com nomes nacionais, testemunho disso é a controvérsia em torno das alegações rivais de Newton e de Leibniz quanto ao cálculo diferencial. Mas nada disso ameaça o *status* do conhecimento científico como propriedade comum.

A concepção institucional da ciência como parte do domínio público está ligada ao imperativo da comunicação de resultados. O segredo é a antítese dessa norma; a comunicação plena e franca, seu cumprimento.[14] A pressão para difundir os resultados é reforçada pelo objetivo institucional de ampliar as fronteiras do conhecimento e pelo incentivo do reconhecimento que, obviamente, depende da publicação. Um cientista que não comunica suas importantes descobertas à fraternidade científica — um Henry Cavendish, portanto — torna-se alvo de respostas ambivalentes. Ele é estimado por seu talento e, talvez, por sua modéstia. Mas, considerada institucionalmente, sua modéstia está seriamente fora de lugar em face da compulsão moral para dividir a riqueza

---

do mundo dela beberam e continuam a fazê-lo até hoje" (Against, 1949, p. 10, 12). Isso é uma reminiscência das alegações nacionalistas feitas na Europa Ocidental durante o século XIX e as alegações nazistas do século XX (cf. a nota 7). O nacionalismo particularista não faz avaliações imparciais do curso do desenvolvimento científico.

14 Ver Bernal (1939) que observa: "o crescimento da ciência moderna coincide com uma rejeição definitiva do ideal do segredo". Bernal cita uma passagem notável de Réaumur — *A arte de transformar a forja em aço* (*L'art de convertir le forgé en acier*) —, na qual a compulsão moral para publicar as próprias pesquisas é explicitamente relacionada a outros elementos do *éthos* da ciência. Por exemplo, "(...) há pessoas que acharão estranho que eu tenha publicado segredos que não deviam ser revelados (...) é certo que nossas descobertas nos pertençam tanto que o público não tenha direito a elas, que elas não lhe pertençam de modo algum? (...) haveria mesmo circunstâncias nas quais seríamos absolutamente senhores de nossas descobertas? (...) Devemos primeiramente a nossa pátria, mas estamos em dívida com o resto do mundo; aqueles que trabalham para aperfeiçoar as ciências e as artes devem considerar-se como cidadãos do mundo inteiro" (Réaumur *apud* Bernal, 1939, p. 150-1).

A CIÊNCIA E A ESTRUTURA SOCIAL DEMOCRÁTICA

da ciência. Embora feito por um leigo, o comentário de Aldoux Huxley sobre Cavendish ilumina essa conexão: "nossa admiração por seu gênio é temperada por certa desaprovação, sentimos que um tal homem é egoísta e antissocial". Os epítetos são particularmente instrutivos, pois implicam a violação de um imperativo institucional definitivo. Mesmo que não sirva a qualquer outro motivo, a supressão da descoberta científica é condenada.

O caráter comunal da ciência reflete-se no reconhecimento dos cientistas de sua dependência de uma herança cultural em relação à qual não há direitos diferenciais. O comentário de Newton — "se pude ver mais longe, foi por estar sobre os ombros de gigantes" — expressa simultaneamente um senso de dívida para com a herança comum e um reconhecimento da qualidade essencialmente cooperativa e cumulativa da realização científica.[15] A humildade do gênio científico não é só culturalmente apropriada, mas resulta da compreensão de que o avanço científico envolve a colaboração das gerações presentes e passadas. Foi Carlyle, e não Maxwell, que se entregou a uma concepção mitopoética da história.

O comunismo do *éthos* científico é incompatível com a definição da tecnologia como "propriedade privada" em uma economia capitalista. Os escritos atuais sobre a "frustração da ciência" refletem esse conflito. As patentes proclamam direitos exclusivos de uso e, frequentemente, de não uso. A supressão da invenção nega o fundamento da produção e difusão científicas, como se pode ver na decisão do júri no caso do governo norte-americano contra a Companhia Americana de Telefone Bell (*American Bell Telephone Co.*): "o inventor é aquele que descobriu alguma coisa de valor. Isso

---

15 É de algum interesse que o aforismo de Newton seja uma frase padronizada que encontrou repetida expressão desde pelo menos o século XII. Parece que a dependência da descoberta e da invenção para com a base cultural existente já havia sido observada algum tempo antes das formulações dos sociólogos modernos (cf. Sarton, 1935; Ockenden, 1936).

é sua propriedade absoluta. Ele pode recusar esse conhecimento ao público" (cf. 167 U.S. 224 (1897) *apud* B. J. Stern, 1938, p. 21).[16] As respostas a essa situação conflituosa têm variado. Como medida defensiva, alguns cientistas começaram a patentear o seu trabalho para assegurar que ele estivesse disponível para uso público. Einstein, Millikan, Compton, Langmuir registraram patentes (cf. Hamilton, 1941, p. 154; Robin, 1928). Os cientistas foram instados a tornar-se promotores de novas empresas econômicas (cf. Bush, 1934). Outros buscam resolver o conflito advogando o socialismo (cf. Bernal, 1939, p. 155 ss.). Essas propostas — tanto as que demandam retorno econômico para as descobertas científicas como as que demandam uma mudança do sistema social para permitir que a ciência continue seu trabalho — refletem as discrepâncias na concepção da propriedade intelectual.

Desinteresse

A ciência, tal como as profissões em geral, inclui o desinteresse como um elemento institucional básico. O desinteresse não deve ser identificado ao altruísmo nem a ação interessada ao egoísmo. Essas equivalências confundem os níveis institucional e motivacional de análise (cf. Parsons, 1939, p. 458-9; Sarton, 1931, p. 130 ss.).[17] Uma paixão pelo conhecimento, pela curiosidade, uma preocupação altruísta com os benefícios para a humanidade e um conjunto de outros motivos especiais têm sido atribuídos ao cientista. A busca por motivos distintivos parece estar mal dirigida. *É antes um padrão distintivo de controle institucional de uma ampla gama de motivos o que caracteriza o comportamento dos cientistas.* Pois, quando a instituição abraça a atividade desinteressada, é do

---

16 Para uma discussão ampliada, cf. B. J. Stern, 1938; Hamilton, 1941.

17 A distinção entre compulsões institucionais e motivos é, sem dúvida, uma concepção-chave da sociologia marxista.

A CIÊNCIA E A ESTRUTURA SOCIAL DEMOCRÁTICA

interesse dos cientistas conformarem-se a ela diante do risco de sanções e, na medida em que a norma foi internalizada, sob pena de conflito psicológico.

A ausência virtual de fraude nos anais da ciência, que aparece como excepcional quando comparada com outras esferas de atividade, tem sido por vezes atribuída às qualidades pessoais dos cientistas. Por implicação, os cientistas são recrutados entre aqueles que exibem um grau excepcional de integridade moral. Não há, em verdade, evidência satisfatória de que esse seja o caso, uma explicação mais plausível pode ser encontrada em certas características distintivas da própria ciência. Como ela envolve a verificabilidade dos resultados, a pesquisa científica está sob o escrutínio dos pares especialistas. Posto de outro modo — e sem dúvida a observação pode ser interpretada como *lesa-majestade* —, as atividades dos cientistas estão sujeitas a um controle rigoroso, em um nível talvez sem paralelo em nenhum outro campo de atividade. A demanda por desinteresse tem uma base firme no caráter público e testável da ciência e pode-se supor que essa circunstância tem contribuído para a integridade dos homens de ciência. Há competição no reino da ciência, competição que é intensificada pela ênfase na prioridade como critério de realização, e, sob condições competitivas, pode-se muito bem gerar incentivos para eclipsar o trabalho dos rivais por meios ilícitos. Mas tais impulsos encontram escassa oportunidade de expressão no campo da pesquisa científica. Cultismo, grupos informais, publicações prolíficas mas triviais — essas e outras técnicas podem ser usadas para a promoção pessoal (cf. L. Wilson, 1941, p. 201 ss.). Mas, em geral, alegações espúrias parecem ser negligenciáveis e ineficazes. A tradução da norma do desinteresse na prática é efetivamente apoiada pela responsabilidade última dos cientistas em relação a seus pares competidores. Os ditames do sentimento socializado e da conveniência coincidem amplamente, uma situação que contribui para a estabilidade institucional.

Robert K. Merton

A esse respeito, o campo da ciência difere em certa medida dos de outras profissões. O cientista não fica face a face com um cliente leigo do mesmo modo que, por exemplo, o médico ou o advogado. A possibilidade de explorar a credulidade, a ignorância e a dependência do leigo é, portanto, consideravelmente reduzida. A fraude, a chicana e as alegações irresponsáveis (charlatanismo) são ainda menos prováveis do que entre as profissões de "serviços". Na medida em que a relação entre o cientista e o leigo se iguala, desenvolvem-se incentivos para o descumprimento dos costumes da ciência. O abuso da autoridade especializada e a criação de pseudociências aparecem em cena quando a estrutura de controle exercida pelos pares competidores qualificados perde efetividade (cf. Brady, 1937, cap. 2; Gardner, 1953).

É provável que a reputação da ciência e seu elevado *status* ético na apreciação dos leigos seja devida em não menor medida às realizações tecnológicas.[18] Toda nova tecnologia testemunha a integridade do cientista. A ciência realiza suas alegações. Entretanto, sua autoridade pode ser e é apropriada para propósitos interessados, precisamente porque os leigos não estão frequentemente em posição de distinguir as alegações espúrias das genuínas, pronunciadas por tal autoridade. Os pronunciamentos supostamente científicos dos porta-vozes totalitários sobre a raça, a economia ou a história são, para o leigo sem formação, de mesma ordem que os relatos jornalísticos sobre um universo em expansão ou a mecânica ondulatória. Nos dois casos, não podem ser checados pelo homem comum e, nos dois casos, podem opor-se ao senso comum. Os mitos parecerão mais plausíveis, e certamente mais compreensíveis, para o público em geral do que as teorias científicas reconhecidas, já que eles são mais próximos

---

18 Francis Bacon formulou um dos primeiros e mais sucintos enunciados desse pragmatismo popular: "o que é mais útil na prática é mais correto na teoria" (*Novum organum*, livro 2, §4).

da experiência do senso comum e do viés cultural. Portanto, em parte como resultado da atividade científica, a população em geral torna-se suscetível a novos misticismos, expressos em termos aparentemente científicos. Usa-se da autoridade da ciência para conferir prestígio a uma doutrina não científica.

Ceticismo organizado

Como se viu no capítulo anterior [desta coletânea], o ceticismo organizado está inter-relacionado de vários modos com os outros elementos do *éthos* científico. Ele é um mandato tanto metodológico como institucional. A suspensão do julgamento até "que os fatos estejam à mão" e o escrutínio imparcial de crenças em termos de critérios empíricos e lógicos têm periodicamente envolvido a ciência em conflitos com outras instituições. A ciência — que formula questões sobre os fatos, incluindo as potencialidades, concernentes a todo aspecto da natureza e da sociedade — pode vir a entrar em conflito com outras atitudes em relação aos mesmos dados, que foram cristalizadas e frequentemente ritualizadas por outras instituições. O investigador científico não preserva a clivagem entre o sagrado e o profano, entre o que requer respeito sem crítica e o que pode ser analisado objetivamente. ("Um professor universitário é um ser humano com outro ponto de vista".)

Parece ser essa a fonte das revoltas contra a assim chamada intrusão da ciência nas outras esferas. Tal resistência por parte da religião organizada tornou-se menos significativa quando comparada com a dos grupos econômicos e políticos. A oposição pode existir bastante apartada da introdução de descobertas científicas específicas que parecem invalidar os dogmas particulares da Igreja, da economia ou do Estado. Trata-se mais de uma apreensão difusa, frequentemente vaga, de que o ceticismo ameaça a atual distribuição de poder. Os conflitos tornam-se acentuados sempre que a ciência amplia sua pesquisa para novas áreas em relação às quais existem atitudes institucionalizadas, ou sempre que outras instituições ampliam sua área de controle. Na sociedade totalitária moderna, tanto o antirracionalismo como a centralização do controle institucional servem para limitar o âmbito da atividade científica.

CAPÍTULO 8

O efeito Mateus na ciência II: a vantagem cumulativa e o simbolismo da propriedade intelectual

(1988)[1]

O assunto deste ensaio é um problema na sociologia da ciência que há muito tem sido do meu interesse. Como me disse francamente um amigo, esse problema é um tanto obscurecido pelo título formidável que lhe é atribuído. Contudo, apropriadamente decifrado, o título não é tão opaco como poderia, a princípio, parecer.

Considere-se primeiramente o sinal emitido pelo numeral romano II no título principal. Ele nos informa que o artigo segue outro anterior, "O efeito Mateus na ciência", que enviei para impressão há muito anos (cf. Merton, 1968a). Segue-se o subtítulo pesado, para não dizer tortuoso, de modo a assinalar a direção dessa sequência. O primeiro conceito, vantagem cumulativa, aplicado ao domínio da ciência, refere-se aos processos sociais por meio

---

1 Este artigo contém a parte principal da conferência inaugural da Cátedra George Sarton, proferida em 28 de novembro de 1986, na Universidade de Ghent. A pedido, ele inclui referências bibliográficas detalhadas desse ramo de meu trabalho, desde que fui aprendiz de George Sarton. A conferência completa, com suas páginas de prefácio dedicadas a Sarton, deve aparecer em tradução na revista da Universidade de Ghent, *Tijdschrift voor Sociale Wetenschappen*. Versões preliminares foram apresentadas em *New York Hospital/Cornell Medical Center*, Universidade de Yale, Laboratórios Bell, *College of Physicians and Surgeons da Universidade de Columbia*, *Smith College*, Universidade de Washington e no *Fox Chase Cancer Center*.

dos quais vários tipos de oportunidades de pesquisa científica, assim como as recompensas simbólicas e materiais subsequentes aos resultados daquela pesquisa, tendem a acumular-se para os praticantes individuais da ciência, assim como também para as organizações implicadas no trabalho científico. O conceito de vantagem cumulativa dirige nossa atenção para as maneiras pelas quais as vantagens comparativas iniciais, relativas a capacidade adquirida, localização estrutural e recursos disponíveis, contribuem para incrementos sucessivos da vantagem, de modo que as distâncias entre os que têm e os que não têm na ciência (assim como em outros domínios da vida social) ampliam-se até que sejam refreadas por processos compensatórios.

A segunda frase no subtítulo dirige-nos para o caráter distintivo da propriedade intelectual na ciência. Eu proponho o aparente paradoxo de que, na ciência, a propriedade privada é estabelecida por ter sua substância livremente dada a outros que possam querer fazer uso dela. Argumentarei, ademais, que certos aspectos institucionalizados desse sistema de propriedade, principalmente na forma de reconhecimento público da fonte de conhecimento e informação assim livremente doados aos colegas cientistas, relacionam-se com as estruturas sociais e cognitivas de modos interessantes que afetam o avanço coletivo do conhecimento científico.

Trata-se de uma longa agenda para um breve exame. Uma vez que essa agenda somente pode ser executada por um amplo tratamento das questões, não tentarei resumir em detalhe os resultados que derivam de um programa de pesquisa, hoje amplamente disperso, sobre as vantagens e desvantagens cumulativas na estratificação social da ciência.

Um título obscuro também pode ter uma função latente: evitar que se assuma que o título realmente fala por si mesmo e, desse modo, tornar necessária a elucidação do intento do autor. Quanto ao título principal, pode-se muito bem perguntar: a que se refere

O EFEITO MATEUS NA CIÊNCIA II

"o efeito Mateus na ciência"? Uma curta retomada generosa do trabalho que introduz essa noção deve conduzir-nos a sua ulterior elucidação.

1 O EFEITO MATEUS

Começamos notando um tema que percorre todas as longas entrevistas, de horas de duração, de Harriet Zuckerman com os laureados do Nobel no início dos anos 1960. Nessas entrevistas, sugere-se reiteradamente que cientistas eminentes obtêm créditos desproporcionalmente grandes por suas contribuições para a ciência, enquanto cientistas relativamente desconhecidos tendem a obter créditos desproporcionalmente pequenos por suas contribuições ocasionalmente comparáveis. Como expressa um laureado em física: "o mundo é peculiar nessa questão de como se dá crédito. Ele tende a dar o crédito para pessoas que já são famosas" (Zuckerman, 1965).[2] Tampouco estão sozinhos os laureados em enunciar que os cientistas mais proeminentes tendem a obter a parte do leão do reconhecimento; em uma amostra transversal estudada por Warren O. Hagstrom (cf. 1965, p. 24-5), cientistas menos notáveis relataram experiências similares. Mas são os cientistas eminentes, não menos que aqueles que receberam a

---

2   Os resultados posteriores da pesquisa aparecem em Zuckerman (1977); uma descrição dos procedimentos adotados nessas entrevistas gravadas em áudio aparece em Zuckerman (1972). Esta é a ocasião para repetir o que declarei ao reimprimir o original, "O efeito Mateus na ciência": "é agora [1973] tardiamente evidente para mim que eu utilizei a entrevista e outros materiais do estudo de Zuckerman em tal extensão que, claramente, o artigo deveria ter aparecido com uma autoria conjunta". Um senso suficiente de justiça distributiva e cumulativa requer que se reconheça, ainda que tardiamente, que escrever um artigo científico ou acadêmico não é uma base necessariamente suficiente para designar-se a si próprio como seu único autor.

última honra contemporânea, o Prêmio Nobel, que fornecem a evidência presuntiva desse padrão. Pois eles testemunham sua ocorrência não como vítimas prejudicadas, o que poderia tornar seu testemunho suspeito, mas como "beneficiários", ainda que por vezes desconcertados e sem intenção.

A afirmação de que o principal reconhecimento para o trabalho científico, por parte dos pares informados e não simplesmente pelo público leigo, inevitavelmente desinformado, apresenta um viés em favor dos cientistas estabelecidos requer, obviamente, que a natureza e a qualidade das contribuições diferentemente avaliadas sejam idênticas ou, pelo menos, muito parecidas. Há uma aproximação a essa condição nos casos de colaboração completa e nos casos de descobertas múltiplas independentes. As contribuições distintivas de colaboradores são frequentemente difíceis de separar; as descobertas múltiplas independentes, se não são idênticas, pelo menos são suficientemente parecidas de modo a serem definidas como equivalentes funcionais pelos principais envolvidos, ou por seus pares informados.

Em textos publicados em conjunto por cientistas de nível e reputação marcadamente desiguais, segundo o relato de outro laureado em física, "aquele que é mais conhecido obtém mais crédito, uma quantidade extraordinária de crédito" (Zuckerman, 1977, p. 140). Ou, como declarado por um laureado de química, "se meu nome estava em um texto, as pessoas lembravam *dele* e não dos nomes de quem mais estivesse envolvido" (p. 228). Os cientistas biólogos R. C. Lewontin e J. L. Hubby relataram, posteriormente, um padrão similar de experiência com dois de seus artigos escritos em colaboração, que foram citados com tanta frequência a ponto de serem qualificados como "clássicos da citação" (tal como designado pelo *Institute for Scientific Information*). Um artigo foi citado 310 vezes; o outro, 525 vezes. O primeiro artigo descrevia um método; o segundo

O efeito Mateus na ciência II

fornece o resultado detalhado da aplicação do método às populações naturais. Os dois artigos eram um esforço genuinamente colaborativo na concepção, execução e escrita e claramente formavam um par indivisível (...), publicados sequencialmente no mesmo número do periódico. A ordem dos autores foi alternada, com o bioquímico Hubby como autor principal no artigo sobre o método e o geneticista de populações Lewontin como autor principal no artigo de aplicação. Entretanto, o segundo artigo tem sido citado cerca de 50 por cento mais frequentemente do que o primeiro artigo. As citações ao primeiro artigo nunca são virtualmente isoladas, quase sempre acompanhadas de uma citação do segundo artigo, mas o inverso não é verdadeiro. Por quê? Parece que temos aqui um caso claríssimo do "efeito Mateus" de Merton, de que o investigador que é mais conhecido em um campo obtém o crédito do trabalho conjunto, independentemente da ordem dos autores no artigo, e assim fica ainda mais conhecido por um processo autocatalítico. Em 1966, Lewontin já estava na profissão há uma dúzia de anos e era bem conhecido entre os geneticistas populacionais, aos quais o artigo estava endereçado, enquanto a carreira de Hubby era muito mais recente, sendo conhecida principalmente pelos geneticistas bioquímicos. Como resultado, os geneticistas populacionais consideraram consistentemente Lewontin como o principal membro da equipe e deram-lhe um crédito indevido pelo que havia sido um trabalho completamente colaborativo, que teria sido impossível para qualquer um de nós isoladamente. (Lewontin & Hubby, 1985, p. 16)

No caso extremo, essa má alocação de crédito pode ocorrer mesmo quando um artigo publicado tem apenas o nome de um cientista até aqui desconhecido e não credenciado. Considere-se a observação feita pelo invencível geneticista e bioquímico, J. B. S. Haldane (que, não tendo recebido um Prêmio Nobel, pode ser citado como uma evidência primária da falibilidade dos juízes reunidos em Estocolmo). Falando com Ronald Clark sobre S. K. Roy, seu talentoso estudante indiano que conduzia experimentos importantes destinados ao melhoramento de variedades de arroz, Haldane observou que

o próprio Roy merecia cerca de 95 por cento do crédito.(...) "os outros 5 por cento podem ser divididos entre mim e o *Indian Statistical Institute*", acrescentou. "Eu mereço crédito por ter permitido que ele tentasse fazer o que eu pensava ser um experimento bastante mal planejado, com base no princípio geral de que não sou onisciente." Mas [Haldane] tinha pouca esperança de que o crédito seria dado dessa maneira. "Todo esforço será feito aqui para menosprezar seu trabalho", escreveu. "Ele não possuía um doutorado, nem mesmo um mestrado. De modo que ou a pesquisa não é boa, ou eu a fiz." (R. W. Clark, 1969, p. 247)

São esses padrões da má alocação do reconhecimento do trabalho científico que descrevi como "o efeito Mateus". O termo não muito adequado deriva, obviamente, do primeiro livro do Novo Testamento, o Evangelho segundo Mateus (13:12 e 25:29). Na prosa eloquente da versão do Rei James, criada por uma das mais escrupulosas e consequentes equipes de estudiosos da história ocidental, pode-se ler na bem conhecida passagem: "para todo aquele que tem, mais será dado e ele terá abundância; mas daquele que não tem, será tirado inclusive o que tem".[3]

---

3 O termo e o conceito "efeito Mateus" difundiram-se amplamente desde sua cunhagem há um quarto de século. Geograficamente, tornou-se de uso comum no Ocidente e, segundo me informa meu colega Andrew Walder, chegou até o continente chinês, onde é conhecido como "*mati-xiaoying*". Substantivamente, difundiu-se em vários domínios para além da sociologia e da história da ciência. Como exemplos, ele foi adotado na economia e nas políticas sociais de bem-estar (por exemplo, por Herman Deleeck, 1983), na educação (Walberg & Tsai, 1983), nos estudos administrativos (Hunt & Blair, 1987), e, para ir mais longe, na geron-

Dito em linguagem menos eloquente, o efeito Mateus é a intensificação dos incrementos de reconhecimento pelos pares dos cientistas de grande reputação por suas contribuições particulares,

---

tologia social (Dannefer, 1987). Apesar da ampla difusão, acontece também que o termo "efeito Mateus", embora não o conceito, foi questionado desde o início em várias bases. Em 1968, logo após sua primeira aparição impressa, meu colega e posterior colaborador, David L. Sills, baseou suas ponderações relativas ao termo "(1) na questão da prioridade das palavras em Mateus 25:29 (Marcos 4:25 as disse antes, sem falar de Lucas 8:18 e 19:26, estando Mateus provavelmente em dívida com ambos); (2) a questão da autoria (é quase certo que Mateus não escreveu o Evangelho segundo Mateus); (3) a questão da atribuição (as palavras são de Cristo, e não do autor-compilador do evangelho); e (4) a questão da interpretação (é bastante improvável que o cerne da parábola seja 'quanto mais, mais')" (Sills para Merton, 29/mar./1968). Essas objeções foram variavelmente reiteradas durante os anos. Assim, o astrônomo Charles D. Geilker (1968) mantém que uma vez que todos os três evangelistas estavam citando Jesus, eu poderia muito bem tê-lo chamado "o efeito Jesus". Mas então isso teria impedido minha neutralização ou redução do efeito Mateus do próprio termo, pelo simples fato de tê-lo chamado "o efeito Mateus". Mais recentemente, estou em dívida com M. de Jonge, professor de teologia na Universidade de Leyden, que fez algumas das mesmas observações de Sills. Mas ele nota, além disso, que "é altamente provável que [Jesus] tomasse um dito geral, corrente nos círculos de saber judaicos (e/ou helenistas) — ver, por exemplo, Provérbios 9:9, Daniel 2:21 ou Marcial, Epigr. v 81: '*semper pauper eris, si pauper es, Aemiliane. Dantur opes nullis [nunc] nisi divitibus*'". E De Jonge conclui: "o uso feito desta sentença [em Mateus] pelos autores modernos negligencia a essência escatológica inerente ao dito em todas as versões, e (com toda a probabilidade) na própria versão de Jesus. Ele se liga, entretanto, com outro dito de sabedoria assumido por Jesus: 'olhe a sua volta e veja o que acontece: se você tem algo, obtém mais; se você não tem um centavo, eles tomarão de você o pouco que tem'" (M. de Jonge, resumo de leitura, "O efeito Mateus", 24/jul./1987). Não posso resolver essas questões. É melhor deixar para os historiadores especializados a questão da prioridade de Mateus, Marcos, Lucas ou uma sabedoria proverbial ainda mais antiga. Ao cunhar o termo, eu estava simplesmente transferindo a sentença pertinente de seu contexto teológico para um contexto secular. Tendo estudado as várias interpretações das cinco passagens similares nos evangelhos sinópticos — principalmente tal como resumidos e propostos por Ronald Knox (1952) — decidi dar expressão pública a minha preferência por Mateus. Foi reconfortante tomar recentemente conhecimento de que Wittgenstein escolheu Mateus como seu evangelho preferido (cf. Drury, 1981, p. 177).

Robert K. Merton

em contraste com a minimização ou recusa desse reconhecimento para os cientistas que ainda não deixaram sua marca. A parábola bíblica gera uma parábola sociológica correspondente. Pois, ao que parece, essa também é a forma da distribuição do recurso psíquico e da riqueza cognitiva na ciência. Como isso acontece e com qual consequência para o destino dos cientistas individuais e para o avanço do conhecimento científico são questões abertas.

2 A ACUMULAÇÃO DE VANTAGEM E DESVANTAGEM PELOS CIENTISTAS

Retirada de seu contexto espiritual e posta em um contexto totalmente secular, a doutrina Mateus pareceria sustentar que o processo postulado deve resultar em um crescimento ilimitado da desigualdade de riqueza, qualquer que seja o modo de a riqueza ser produzida em todas as esferas da atividade humana. Concebida como um processo local em andamento, e não como um evento simples, a prática de dar muito para todos os que têm, enquanto se tira de todos os que pouco têm, conduzirá os ricos a ficarem mais ricos para sempre, enquanto os pobres tornam-se mais pobres. A ordem contínua do dia seria o aumento absoluto, e não apenas relativo, da privação. Mas, como sabemos, as coisas não são tão simples assim. Afinal, a extrapolação de expoentes locais é notoriamente enganosa. Ao notar isso, não pretendo nem sou competente para aceder à teoria econômica corrente da distribuição de riqueza e de renda. Em lugar disso, relatarei o que o foco sobre a distribuição enviesada do reconhecimento pelos pares e da produtividade de pesquisa na ciência conduziu alguns de nós a identificar como os processos e as consequências da acumulação de vantagens e desvantagens na ciência.

(Os leitores inclementes sem dúvida descreverão esta parte de meu relato como incoerente; os leitores críticos, como con-

O EFEITO MATEUS NA CIÊNCIA II

fusa; e os leitores gentis e compreensivos, como complexa. Eu mesmo poderia descrevê-la como a lenta e laboriosa emergência de uma tradição intelectual de trabalho na evolução da sociologia da ciência.)

Eu me deparei pela primeira vez com a questão geral da estratificação social na ciência no início da década de 1940. Um artigo daquele período alude à "acumulação de vantagens diferenciais para certos segmentos da população, diferenciais que não estão [necessariamente] ligados a diferenças demonstradas de capacidade" (Merton, 1973, p. 273). Não seria correto simplesmente dizer que aquele texto não é mais claro para mim do que o notoriamente obscuro Sordello era claro para Robert Browning, quando confessou: "quando escrevi isso, Deus e eu sabíamos o que eu queria dizer, mas agora só Deus sabe".[4] Entretanto, posso relatar que a noção de acumulação de vantagens figurava ali apenas como um protoconceito — inerte, despercebido e não explicado — até que foi retomado, quase um quarto de século depois, em meu primeiro artigo sobre o efeito Mateus. Até então, a noção de vantagem cumulativa na ciência tinha levado uma existência espiritual em encontros privados, esporadicamente evocada para a transmissão oral, antes que levada à prensa.[5]

---

4   Existem outras versões dessa confissão. Edmund Gosse relata que ele "viu [Browning] pegar uma cópia da primeira edição e dizer, fazendo careta, 'Ah! O inteiramente ininteligível 'Sordello'''" (Gosse, 1901, p. 308). A observação também foi atribuída ao poeta setecentista Friedrich Klopstock e a Hegel. Mais uma vez, não é de minha alçada adjudicar reivindicações de prioridade.

5   A ideia central foi brevemente apresentada na *National Institute of Health Lecture* em fevereiro de 1964 e, posteriormente, nesse mesmo ano em uma forma expandida no encontro anual da Associação Americana para o Avanço da Ciência (*American Association for the Advancement of Science*). Teve então várias edições em uma sucessão de conferências públicas, especialmente uma exposição na Universidade de Leyden em 1965, antes de ser publicada em *Science* (ver nota 1).

Robert K. Merton

A investigação posterior do processo de vantagem cumulativa ganhou impulso no final dos anos 1960 com a formação de um quarteto de pesquisa na Universidade de Columbia, composto por Harriet Zuckerman, Stephen Cole, Jonathan R. Cole e eu próprio. Desde então, emergiu um "colégio invisível" — para adotar a brilhante reformulação terminológica de Derek Price — que rapidamente contribuiu para um programa de pesquisa sobre vantagem e desvantagem cumulativa na estratificação social em geral e, especificamente, na ciência. Incluindo notavelmente o próprio Price, até sua lamentável morte recente, esse colégio também conta com Paul D. Allison, Bernard Barber, Stephen J. Bensman, Judith Blau, Walter Broughton, Daryl E. Chubin, Dale Dannefer, Simon Duncan, Mary Frank Fox, Eugene Garfield, Jerry Gaston, Jack A. Goldstone, Warren O. Hagstrom, Lowell L. Hargens, Karin D. Knorr, Tad Krauze, J. Scott Long, Robert McGinnis, Volker Meja, Roland Mettermeir, Edgar W. Mills Jr., Nicholas C. Mullins, Barbara Reskin, Leonard Rubin, Dean K. Simonton, Nico Stehr, John A. Stewart, Norman W. Storer, Stephen P. Turner e Herbert J. Walberg, entre outros.[6]

Esta não é certamente a ocasião para fornecer uma sinopse do que é agora um corpo considerável de materiais de pesquisa. Ao contrário, lembrarei apenas de umas poucas desigualdades marcantes e distribuições de produtividade e de recursos fortemente enviesadas na ciência, para então concentrar-me nas consequências do viés em favor da precocidade, que é construído

---

6 Price estendeu o termo seiscentista "colégio invisível" de Robert Boyle para designar os coletivos informais de cientistas que interagem em suas pesquisas sobre problemas similares, sendo esses grupos geralmente limitados a um tamanho "que pode ser manejado por relações interpessoais" (Price, 1986, p. 76-83). Para um artigo-chave sobre vantagem cumulativa, ver Price (1976). Para uma análise e história detalhadas e uma substancial bibliografia, ver Zuckerman (1989), trabalho apresentado na *Amalfi Conference of the Associazione Italiana di Sociologia*, em 1987.

em nossas instituições para detectar e premiar o talento, um viés institucionalizado que pode ajudar a produzir severas desigualdades durante o curso de vida de acadêmicos e cientistas.

Primeiro, então, uma rápida amostragem da abundância de distribuições e desigualdades conspicuamente enviesadas, identificáveis em um momento dado.

• O número total de artigos científicos publicados por cientistas difere enormemente, variando da grande proporção de PhDs que publicam um artigo ou nenhum, até os casos raros como William Thomson, Lord Kelvin, com seus mais de seiscentos artigos, ou o matemático Arthur Cayley, que publicou um artigo a cada semana durante sua vida de trabalho, perfazendo um total de mais de mil artigos (cf. Thompson, 1910, 2, p. 1225-74; North, 1970-1980, 3, p. 163).

• Aproximamo-nos melhor da distribuição enviesada no número bruto de artigos publicados por meio de variantes da "lei do quadrado inverso" da produtividade científica, formulada por Alfred J. Lotka, a qual enuncia que o número de cientistas com n publicações é proporcional a n^2. Em grande número de disciplinas, isto chega a cerca de 5 ou 6 por cento dos cientistas que *efetivamente publicam*, produzindo cerca de metade de todos os artigos em sua disciplina (cf. Lotka, 1926; Price, 1986, p. 38-42).

• As distribuições são ainda mais enviesadas no uso dos trabalhos dos cientistas por seus pares, pois esse uso é cruamente indexado pelo número de citações que se fazem dele. Uma distribuição bastante igual foi encontrada em vários conjuntos de dados, sendo típica a descoberta de Garfield de que, para um agregado de cerca de 19 milhões de artigos publicados nas ciências físicas e biológicas entre 1961 e 1980, 0,3 por cento foram citados mais do que cem vezes, outros 2,7 por cento foram citados entre 25 e uma centena de vezes, e, no outro extremo, cerca de 58 por cento daqueles que chegaram a ser citados foram citados apenas uma vez naquele período de vinte anos (cf. Garfield, 1985, p. 176). Essa desigualdade, é preciso reconhecer, é maior do que as distribuições de renda de tipo Pareto.

Quando se chega às *mudanças* na extensão das desigualdades de produtividade e de reconhecimento na pesquisa durante o curso de uma vida individual de trabalho como cientista, os dados longitudinais necessários são muito mais escassos. Novamente, alguns poucos achados devem servir.

• Em sua simulação de dados longitudinais (através da desagregação de uma seção transversal de algo em torno de 2 mil biólogos, matemáticos, químicos e físicos americanos em vários estratos por tempo de carreira), Paul D. Allison e John A. Stewart encontraram "um claro e substancial aumento na desigualdade para ambos [tanto o número de publicações de pesquisa durante os cinco anos precedentes como o número de citações a trabalhos previamente publicados], dos estratos mais jovens aos estratos mais velhos, dando forte suporte à hipótese da vantagem cumulativa" (Allison & Stewart, 1974; cf. Faia, 1975; Allison & Stewart, 1975; Mettermeir & Knorr, 1979).[7]

• Allison e Stewart também confirmaram a hipótese de Zuckerman-Merton de que a diminuição da produtividade na pesquisa com o aumento da idade resulta amplamente de médias diferentes do desgaste nos papéis de pesquisa, e que isso se aproxima de um fenômeno tudo ou nada. A hipótese sustentada de que "os cientistas mais produtivos, reconhecidos como tal pelo sistema de recompensa da ciência, tendem a persistir em seus papéis de pesquisa", enquanto aqueles com uma produtividade de pesquisa declinante tendem a mudar para outros papéis indispensáveis na

---

7   Um estudo posterior de Allison, Long e Krauze (1982), baseado em dados atuais, ao invés de dados simulados, de coortes de idade para químicos e bioquímicos, encontra desigualdades crescentes na publicação de pesquisas segundo as coortes de idade, mas, o que ainda é inexplicável, não encontra esses mesmos aumentos nas médias de citação.

O efeito Mateus na ciência ii

ciência, sem excluir o papel convencionalmente mal-afamado de administrador da pesquisa (cf. Allison & Stewart, 1974; Zuckerman & Merton, 1973).

• Derek Price reformulou e desenvolveu pontualmente essa hipótese, "porque existe uma chance bastante grande, mas decrescente, de que qualquer pesquisador dado descontinue a publicação, o grupo de pesquisadores que alcança o fronte [da pesquisa], durante um ano particular, declinará constantemente no cômputo geral, à medida que passa o tempo. Gradualmente, um após o outro, eles deixarão o fronte da pesquisa. Assim, o cômputo anual do grupo como um todo declinará, [e agora vem o ponto essencial que Zuckerman e eu tentamos enfatizar], muito embora qualquer indivíduo dado em seu interior possa produzir em uma taxa constante, durante toda a sua vida profissional. Necessitamos, portanto, distinguir este efeito [da mortalidade no fronte da pesquisa] de todas as diferenças nas médias reais de produtividade, em diferentes idades, entre aqueles que permanecem no fronte" (Price, 1975, p. 414).[8]

Com relação ao efeito Mateus e a acumulação associada de vantagens,

• Stephen Cole encontrou, em um estudo engenhosamente desenhado de uma amostra de físicos americanos, que quanto maior sua reputação como autor científico, será mais provável que seus artigos de qualidade aproximadamente igual (tal como indicado pelo número recente de citações a eles) recebam rápido reconhecimento pelos pares (por meio de citação em até um ano após a publicação). A reputação anterior dos autores de algum modo aumenta a velocidade de difusão de suas contribuições (S. Cole, 1970, p. 291-2).

---

8 Os estudos de Stephen Cole (1979) sobre as coortes de idade em várias ciências confirma esse padrão de uma taxa constante de publicação para uma fração significativa de cientistas.

Robert K. Merton

• Cole também encontrou que é uma clara vantagem para os físicos de reputação ainda pequena pertencerem aos departamentos que são mais bem avaliados pelos pares: seu trabalho ainda novo difunde-se mais rapidamente pelas redes científicas do que o trabalho a ele comparável feito por suas contrapartes em departamentos de universidades periféricas (S. Cole, 1970, p. 292).

3 A ACUMULAÇÃO DE VANTAGEM E DESVANTAGEM ENTRE OS JOVENS

Concentro-me agora nos problemas especiais da acumulação de vantagem e desvantagem que deriva de um viés institucionalizado em favor da precocidade. As vantagens obtidas com realizações precoces tomadas como um sinal de coisas a vir está em contraste de tipo Mateus com a situação enfrentada por jovens cientistas cujo trabalho é julgado como regular (cf. Cole & Cole, 1973, p. 112-22). Sugiro que tais prognósticos antecipados conduzem, em alguma fração desconhecida de casos, à supressão inadvertida do talento, por meio do processo da profecia autorrealizada. Além disso, esse é mais provavelmente o caso em uma sociedade, tal como a sociedade norte-americana, na qual as instituições educacionais estão organizadas de modo a premiar as manifestações de habilidade relativamente *precoces* — em uma palavra, premiar a precocidade. O sábio cientista médico Alan Gregg levou-me a ter consciência desse viés institucionalizado em nosso sistema educacional; e como não posso melhorar sua formulação, transmito-a aqui com a intenção de que também o leitor possa achá-la reveladora.

Sendo generosa com o tempo, sim, presenteando-o, a natureza oferece ao homem uma extraordinária oportunidade de aprender. Que ganho pode então existir em jogar fora essa vantagem natural premiando a precocidade, como certamente fazemos quando ajustamos os graus escolares à idade cronológica, iniciando o primeiro grau na idade de seis anos e a entrada no colégio, para ampla maioria, entre os dezessete e meio e os dezenove anos? *Pois, ao passo que se tem a maioria dos estudantes da mesma idade, as recompensas acadêmicas* — das bolsas de pesquisa às bolsas de permanência e residência — vão para aqueles que são excepcionalmente brilhantes *para sua idade.* Em outras palavras, recompensa-se a precocidade, que pode ou não ser a precursora de habilidade posterior. Assim, com efeito, diminuiu-se inadvertidamente o capital educacional cardinal do homem — o tempo para amadurecer. (Gregg, 1957, p. 125-6)

O fato social notado por Gregg não é de pouca consequência para o avanço coletivo do conhecimento, assim como para a justiça distributiva. Como ele continuará argumentando, "a precocidade pode ter assim sucesso na luta competitiva imediata, mas, a longo prazo, às expensas daqueles mutantes, que possuem uma taxa mais lenta de desenvolvimento, mas maiores potencialidades" (Gregg, 1957, p. 125). Ao sugerir que existem esses mutantes de início lento que possuem *maiores* potencialidades que alguns dos precoces, Gregg está claramente assumindo parte do que ele conclui. Mas, como notei há quase trinta anos atrás,

o argumento de Gregg, ainda assim, penetra profundamente. Pois sabemos apenas dos "florescimentos tardios" que eventualmente chegam a florescer; não conhecemos os florescimentos tardios potenciais que, desprovidos de apoio e resposta em sua juventude, nunca conseguem chegar a ser eles mesmos. Julgados comumente por comparação a seus "pares em idade" precoces, eles são tratados como jovens pouco capazes. Eles escorregam pela rede de nossas malhas institucionais de alocação da habilidade, uma vez que ela é uma rede que toma a idade cronológica como base para aceder à habilidade relativa. Tratados pelo sistema institucional como mediocridades com pouca promessa de melhoramento, muitos desses florescimentos tardios potenciais acabam, presumivelmente, acreditando nisso e agindo de acordo. Pelo menos, o pouco que sabemos da formação das autoimagens sugere que assim acontece. Pois a maioria de nós, a maior parte do tempo, e não apenas os chamados "homens dirigidos por outros" entre nós, tende a formar nossa autoimagem — nossa imagem de potencialidade e de realização — como um reflexo das imagens que os outros deixam evidente que têm de nós. *E são as imagens que as autoridades institucionais têm de nós que tendem, em particular, a tornarem-se imagens autorrealizadas: se os professores, ao inspecionar nossas notas e nossos índices no teste de aptidão e comparar nossa nota com [aquela] de nossos "pares em idade", concluem que não somos especiais e nos tratam de acordo, então eles nos conduzem a tornarmo-nos o que eles pensam que somos.* (Merton, 1973a, p. 428, grifo acrescentado)[9]

De importância direta ainda maior para nosso objeto imediato é a observação ulterior de que o viés institucionalizado em favor da precocidade, notado por Gregg, pode ter consequências notavelmente diferentes para os igualmente jovens de classes sociais e grupos étnicos diversos.

Os florescimentos potenciais tardios nos estratos sociais menos privilegiados têm maior probabilidade de não se realizarem do que suas contrapartes nos estratos médios e superiores. Se os

---

9 Essa extensão sociológica da observação biopsicossocial de Gregg permanece tal como formulada em 1960 (cf. Merton, 1973a). Muito debate teórico e centenas de estudos empíricos desse tipo de profecia autorrealizada nas escolas norte--americanas resultaram do trabalho pioneiro de Robert Rosenthal (cf. Rosenthal & Jacobson, 1968; Elashoff & Snow, 1971; Cooper & Good, 1983).

[jovens] pobres não são precoces, se eles não exibem grande habilidade mais cedo em suas vidas e não são, assim, premiados com bolsas e outros auxílios de sustento, eles deixam a escola e em muitas instâncias nunca chegam a realizar suas potencialidades. Os florescimentos potenciais tardios entre os bem situados possuem uma perspectiva melhor de reconhecimento tardio. Ainda que de início seu trabalho escolar seja fraco, eles, de qualquer modo, são aptos para a faculdade. Os valores de sua classe social definem que isso é o que se deve fazer, e suas famílias esperam deles que sigam adiante. Permanecendo no sistema, eles podem eventualmente ser notados. Mas muitas de suas contrapartes [presumivelmente] mais numerosas nos estratos inferiores são provavelmente perdidas para sempre. O viés em favor da precocidade em nossas instituições produz assim um estrago profundo [e comumente escondido] nos florescimentos [potenciais] tardios com poucas vantagens econômicas ou sociais. (Merton, 1973a, p. 428-9)

Esses resultados diferenciais não precisam ser visados pelas pessoas engajadas no funcionamento de nossas instituições educacionais, afetando desse modo os padrões de seleção social. E são tais consequências não antecipadas e não pretendidas da ação social com propósito — neste caso, premiar primeiramente os sinais precoces de habilidade — que tendem a persistir. Pois eles são problemas sociais *latentes*, não manifestos, isto é, condições e processos sociais que estão em desacordo com certos interesses e valores da sociedade, mas não são geralmente reconhecidos como tais.[10] Ao identificar o desperdício que resulta de desigualdades marcantes no treinamento e exercício do talento

---

10 Para o primeiro conceito, ver Merton, 1936b; para o conceito de problemas sociais manifestos ou latentes, ver Merton, 1982, p. 55 ss.

Robert K. Merton

socialmente apreciado, os cientistas sociais põem em foco o que foi experimentado por muitos como sendo apenas um problema pessoal, ao invés de um problema social que requer novos arranjos institucionais para sua redução ou eliminação.

Mutatis mutandis, o que vale para a acumulação de vantagens e desvantagens nos primeiros anos de educação valeria também, em um estágio posterior, para aqueles jovens que fizeram seu caminho em campos da ciência e da academia, mas que, não tendo ainda *performance* de excelência, são empurrados para os meios menos estimulantes do trabalho científico, com seus recursos limitados. Ausentes ou de pequena monta são os recursos de acesso ao equipamento necessário, a abundância de assistência disponível, o tempo posto institucionalmente de lado para a pesquisa e, acima de tudo, talvez, um microambiente cognitivo composto de colegas que estão na fronteira da pesquisa e que inspiram, por si mesmos, a excelência, extraindo o melhor das pessoas a sua volta. Não é pouco o recurso especial de estar localizado nos nós estratégicos das redes de comunicação científica que proporcionam pronto acesso à informação nas fronteiras da pesquisa. Por hipótese, uma fração desconhecida de trabalhadores não precoces nas vinhas da ciência são apanhados em um processo de desvantagem cumulativa que os remove muito cedo do sistema de trabalho científico e acadêmico.[11]

---

11 Os padrões de florescimento tardio na ciência permanecem uma área de pesquisa largamente inexplorada. Jonathan R. Cole e Stephen Cole encontraram (em uma amostra de 120 universitários físicos que, pelo desenho [da pesquisa], são muito representativos dos físicos produtivos e eminentes) que "três quartos desses físicos iniciaram suas carreiras profissionais publicando, pelo menos, três artigos logo após seus doutorados. Existem poucos 'florescimentos tardios'; apenas cinco entre trinta físicos que começaram lentamente tornam-se altamente produtivos (com média de 1,5 ou mais artigos por ano)" (Cole & Cole, 1973, p. 112). Trata-se obviamente de uma questão de julgamento tácito escrever que "apenas" cinco entre trinta (17 por cento) ou "até" 17 por cento apresentaram florescimento tardio (cf. S. Cole, 1979; N. Stern, 1978; Reskin, 1979).

O efeito Mateus na ciência II

Outros contextos sociais e cognitivos podem produzir tais diferenciais padronizados de vantagem e desvantagem cumulativa. Em um exemplo sugerido por Harriet Zuckerman, assim como as origens de classe podem afetar diferencialmente as taxas em que os florescimentos tardios potenciais permanecem no sistema educacional o tempo suficiente para florescer, assim também as disciplinas acadêmicas podem diferir em tolerância não planificada ao florescimento tardio. As disciplinas nas quais o acadêmico frequentemente se desenvolve comparativamente tarde — digamos, as humanidades — presumivelmente proporcionam maiores oportunidades para os florescimentos tardios do que aquelas nas quais a maturação precoce é mais comum — por exemplo, as matemáticas e as ciências físicas e biológicas. Generalizadas, essas conjecturas sustentam que as *diferenças contextuais*, tais como a classe social ou os campos de atividade intelectual, assim como as *diferenças individuais* no padrão de crescimento intelectual, afetam a probabilidade de sucesso e de fracasso para os florescimentos tardios potenciais (cf. Zuckerman, 1989).

Postas de lado as diferenças nas habilidades individuais, então, os processos de vantagem e desvantagem cumulativa acentuam as desigualdades na ciência e no aprendizado: desigualdades de reconhecimento dos pares, desigualdades de acesso aos recursos e desigualdades de produtividade científica. A autosseleção individual e a seleção social institucional interagem de modo a afetar as sucessivas probabilidades de estar variavelmente localizado na estrutura de oportunidades da ciência. Quando a *performance* do papel científico dos indivíduos alcança ou excede claramente os padrões de uma instituição ou disciplina particular — quer isso aconteça por habilidade ou por acaso —, começa um processo de vantagem cumulativa na qual aqueles indivíduos tendem a adquirir sucessivamente oportunidades ampliadas para fazer avançar ainda mais seu trabalho (e as recompensas que vão com ele).[12] Na medida em que as instituições de elite possuem, comparativamente, grande financiamento para incentivar a pesquisa em certos domínios, os talentos que fazem seu caminho nessas instituições mais cedo têm o potencial alargado de adquirir vantagens diferencialmente cumulativas. O sistema de recompensa, a alocação de recursos e outros elementos da seleção social operam assim para criar e manter uma estrutura de classe na ciência, ao proporcionar uma distribuição estratificada, entre os cientistas, das chances de trabalho científico significativo.[13]

4 A ACUMULAÇÃO DE VANTAGEM E DESVANTAGEM ENTRE AS INSTITUIÇÕES CIENTÍFICAS

Encontram-se entre as instituições científicas distribuições enviesadas de recursos e de produtividade, que se assemelham àquelas que apontamos entre os cientistas individuais. Também essas desigualdades parecem resultar de processos de autocrescimento. Claramente, os centros que historicamente produziram realizações demonstradas na ciência atraem muito mais recursos de todo tipo, humanos e materiais, do que organizações de pesquisa que ainda não deixaram sua marca. Essas distribuições

---

12 Em termos de uma sociologia clínica em vez de estatística, procurei traçar o processo de acumulação de vantagens no curso da vida acadêmica do historiador da ciência, e há longo tempo meu colega e amigo, Thomas S. Kuhn, assim como fiz mais recentemente, ao traçar minha própria experiência como aprendiz para o então líder mundial da história da ciência, que foi honrado com o estabelecimento da Cátedra George Sarton de História da Ciência na Universidade de Ghent. Para o caso de Kuhn, ver Merton, 1979a, p. 71-109; para meu próprio caso, ver Merton, 1985.

13 Para os processos de estratificação na ciência, ver Zuckerman, 1970, 1977; Cole & Cole, 1973; J. R. Cole, 1979; Gaston, 1978; Gilbert, 1977; Hagstrom, 1965; Hargens, Mullins & Hecht, 1980; Felmlee & Felmlee, 1984; Storer, 1966; Goldstone, 1979 e Turner & Chubin, 1979.

O EFEITO MATEUS NA CIÊNCIA II

enviesadas são bem conhecidas e apenas precisam ser mencionadas aqui.

• Em 1981, cerca de 28 por cento do financiamento federal de $4,4 bilhões destinado à pesquisa e ao desenvolvimento acadêmico foram destinados a somente dez universidades (National, 1983, p. 79-80).

• Universidades com maiores recursos e prestígio, por sua vez, atraem parcelas desproporcionais dos estudantes presumivelmente mais promissores (sujeitas à restrição da precocidade que apontamos): em 1983, dois terços dos quinhentos graduados da *National Science Foundation* escolheu estudar em apenas quinze universidades (National, 1984, p. 215-7).

• Essas concentrações foram ainda mais conspícuas no caso de cientistas proeminentes. Zuckerman encontrou, por exemplo, que, no período em que eles faziam a pesquisa que os conduziu finalmente ao Prêmio Nobel, 49 por cento dos futuros laureados norte-americanos que trabalhavam em universidades encontravam-se em apenas cinco delas: Harvard, Columbia, Rockefeller, Berkeley e Chicago. Comparativamente, essas cinco universidades compreendiam menos que 3 por cento de todos os membros de faculdades nas universidades norte-americanas (cf. Zuckerman, 1977, p. 171).

• Zuckerman também encontrou que essas universidades repletas de recursos e de prestígio parecem aptas a iluminar e manter esses pesquisadores de excelência na ciência contemporânea. Por exemplo, elas retêm 70 por cento dos futuros laureados que treinam, em comparação a 28 por cento de outros doutores que tenham treinado. Um padrão muito semelhante, embora menos marcado, vale para um conjunto ampliado de dezesseis instituições de elite (cf. Zuckerman, 1977, cap. 5).

Mas isto é suficiente para esses detalhes das grandes desigualdades organizacionais na ciência. Serve apenas para levantar novamente a questão: se os processos de acumulação de vantagem

Robert K. Merton

e desvantagem funcionam verdadeiramente, por que não há ainda maior desigualdade do que a encontrada?

5 Os processos compensatórios

Ora, colocando a questão mais concreta e paroquialmente, por que Harvard, com seus 350 anos de vantagens, e Columbia, com seus 230 anos, e, permanecendo paroquial, Rockefeller, com seus 75 anos de grande reputação, seja como instituto de pesquisa, seja como universidade, não retêm conjuntamente quase *todos* os laureados norte-americanos do Nobel, ao invés de um "mero" terço deles, no intervalo de cinco anos após o prêmio? (Zuckerman, 1977, p. 241). Posto de modo mais geral, por que os processos postulados de acumulação de vantagem e desvantagem não continuam sem um limite atribuível?

Mesmo o aluno ubíquo de Thomas Macaulay saberia hoje em dia que os processos exponenciais não continuam ininterruptamente. Entretanto, alguns de nós fazemos representações sensíveis de processos de crescimento dentro de um âmbito local e depois as extrapolamos sem pensar bem para além desse âmbito. Como dizia com razão Derek Price, se a taxa exponencial de crescimento no número de cientistas durante a última metade do século fosse simplesmente extrapolada, então todo homem, mulher e criança — para não dizer seus gatos e cachorros — teriam que terminar sendo cientistas. Contudo, temos um sentido intuitivo de que, de algum modo, eles não serão cientistas.

De modo bastante análogo, toda aluna sabe que quando dois sistemas crescem a taxas exponenciais diferentes, a distância entre eles aumenta rápida e amplamente. Contudo, por vezes esquecemos que enquanto tal distância se aproxima de um limite, outras forças entram em cena para inibir ainda mais concentrações e desigualdades de tudo o que esteja em questão. Tais proces-

O EFEITO MATEUS NA CIÊNCIA II

sos compensatórios, que encerram a acumulação ininterrupta de vantagem, não foram ainda sistematicamente investigados para o caso da ciência — mais particularmente, para a distribuição dos recursos humanos e materiais nas universidades de pesquisa e da produtividade científica nelas. Ainda assim, desejo especular brevemente acerca das formas que os processos compensatórios poderiam ter.

Considere-se, por exemplo, a noção de uma densidade excessiva de talento. Não é uma questão frívola perguntar: quanto talento concentrado pode um único departamento acadêmico ou unidade de pesquisa suportar? Quantos pesquisadores de excelência em uma área de pesquisa particular podem efetivamente trabalhar em um único lugar? Talvez possa realmente existir muito de uma coisa abstratamente boa.

Pense-se um pouco acerca das motivações padronizadas dos talentos ingressantes à medida que se confrontam com uma alta densidade de mestres talentosos no mesmo departamento ou unidade de pesquisa. Os mais autônomos entre eles poderiam não apreciar inteiramente a perspectiva de permanecer na vizinhança e, com o efeito Mateus em funcionamento, na sombra de seus mestres, especialmente se eles sentem, como os jovens compreensivelmente sentem com frequência — algumas vezes em bases amplas — que esses mestres já viram seus melhores dias. Correlativamente, alguns dos mestres firmemente estabelecidos, em um padrão de ambivalência mestre/aprendiz, podem não apreciar a ideia de ter jovens excessivamente talentosos em seu próprio terreno de pesquisa ou no terreno concorrente, os quais eles percebem que poderiam sujeitá-los a uma substituição prematura, pelo menos na estima dos pares locais, quando, como qualquer um pode ver, eles, os mestres, estão ainda em sua indubitável excelecência (cf. Merton & Barber, 1976, p. 4-6; Merton, Merton & Barber, 1983, p. 26-7). Nem todos nós, os mais velhos, temos o mesmo poder de autoavaliação crítica e a mesma amplitude de

Robert K. Merton

espírito de Isaac Barrow, o primeiro ocupante da Cadeira Lucasian de matemática em Cambridge, que deixou essa cátedra especial na idade avançada de 39 anos, em favor de seu estudante de 27 anos de idade — um rapaz chamado Isaac Newton. Em nossa época, obviamente, pelo menos durante os anos de aparente ininterrupção da afluência e expansão acadêmicas, Barrow teria permanecido e a Newton teria sido dada uma nova cátedra. Mas novamente, como temos ampla ocasião de saber, uma expansão contínua desse tipo em uma única instituição também tem seus limites.

À parte tais forças, geradas *no interior* das universidades, que produzem a dispersão do capital humano na ciência e no aprendizado, existe também o processo sistêmico de competição social e cognitiva *entre* as universidades. Novamente, uma breve observação deve aguardar por uma análise detalhada. A entrada nessa competição externa vem do fato de que o total de recursos disponíveis a uma universidade ou instituto de pesquisa deve ser, de algum modo, alocado dentre suas unidades constituintes. Alguns departamentos empobrecem mesmo em universidades ricas. Isso proporciona oportunidades para instituições de recursos e reputação consideravelmente menores. Elas podem escolher concentrar seus recursos limitados em campos e departamentos particulares e proporcionar assim microambientes competitivamente atrativos para talentos de primeira classe nesses campos.

Como outro processo compensatório, valores populares e democráticos podem ser postos em cena na sociedade mais ampla, externa às instituições acadêmicas e à ciência, e conduzir a influência governamental a ser mais amplamente distribuída em um esforço calculado de compensar a vantagem cumulativa nos grandes centros de ensino e pesquisa.

Mas essas especulações são suficientes. Não devo mais adiar o exame do simbolismo da propriedade intelectual na ciência, continuando com observações sobre as forças compensatórias que emergem para restringir a acumulação de vantagem que

O EFEITO MATEUS NA CIÊNCIA II

poderia, de outro modo, conduzir a um monopólio institucional permanente, ou a um oligopólio estável nos campos da ciência e à dominação estável de uns poucos indivíduos nesses campos. Assim como há razão para saber que a proeminência de cientistas individuais inexoravelmente chegará ao fim, assim também há razão para esperar que vários departamentos científicos proeminentes declinarão, enquanto outros ascenderão na plenitude do tempo.[14]

6 O SIMBOLISMO DA PROPRIEDADE INTELECTUAL NA CIÊNCIA

Para explorar as formas de desigualdade na ciência, registradas por conceitos tais como o efeito Mateus e a acumulação de vantagem, devemos ter alguma maneira de pensar, no domínio da ciência, acerca dos equivalentes distintivos de renda, riqueza e propriedade, encontrados no domínio econômico. Como fazem os cientistas para perceberem-se mútua e simultaneamente como pares e como desiguais, no sentido de alguns serem os primeiros entre os iguais — *primus inter pares*, como os antigos gostavam de dizer? Qual é a natureza distintiva da moeda do reino e da propriedade intelectual na ciência?

A resposta hipotética à questão da cunhagem que propus em 1957 parece ter ganhado força à luz do trabalho subsequente na sociologia da ciência (cf. Merton, 1973 [1957]). Considera-se que

---

14 *Surveys* sobre a qualidade dos departamentos de pós-graduação nas universidades norte-americanas são realizados de tempos em tempos, tendo os três últimos, que datam de 1966, 1970 e 1982, adotado métodos de pesquisa mais ou menos similares. Estou em dívida com um estudo não publicado de Donald Hood, que identifica padrões de mudança substancial na avaliação de qualidade de departamentos acadêmicos no curso de pequenos intervalos.

o sistema de cunhagem está baseado no reconhecimento público, por pares qualificados, das contribuições científicas individuais. Essa cunhagem comporta várias denominações: a mais ampla na escala e a mais curta em suprimentos é o reconhecimento máximo, simbolizado por epônimos para uma época inteira na ciência, como quando falamos das eras newtoniana, darwiniana, freudiana, einsteiniana ou keynesiana. Um plano considerável abaixo, embora ainda próximo ao ápice do reconhecimento em nosso tempo, é o Prêmio Nobel. Outras formas ou escalas de eponímia — a prática de afixar os nomes de cientistas a tudo ou a parte de suas contribuições — compreendem milhares de leis, teorias, teoremas, hipóteses e constantes epinômicas, como quando falamos dos teoremas de Gauss, da constante de Planck, do princípio de incerteza de Heisenberg, uma distribuição Pareto, um coeficiente Gini ou uma estrutura latente Lazarsfeld. Outras formas de reconhecimento pelos pares distribuídas em número muito mais amplo adquirem formas graduadas: eleição para sociedades científicas honoríficas, medalhas e prêmios de vários tipos, nome em cátedras de instituições de ensino e pesquisa e, chegando ao que é certamente a mais difundida e completa forma básica de reconhecimento acadêmico, ter o próprio trabalho usado e explicitamente *reconhecido* por seus pares.

Argumentarei que a riqueza cognitiva na ciência é o estoque cambiante do conhecimento, enquanto o lucro psíquico dos cientistas, socialmente baseado, toma a forma de porções de reconhecimento pelos pares que se agrega à riqueza reputacional. Esta questão dirige-nos para aquela do caráter distintivo da propriedade intelectual na ciência.

Como sugeri ao início, trata-se de um aparente paradoxo que, na ciência, a propriedade intelectual de alguém seja estabelecida pela doação de sua substância. Pois, em uma realidade social de longo termo, somente quando os cientistas publicaram seu trabalho e tornaram-no geralmente acessível, preferivelmente pela

O EFEITO MATEUS NA CIÊNCIA II

impressão pública de artigos, monografias e livros que entram em arquivos, o trabalho torna-se legitimamente estabelecido como mais ou menos seguramente seu. É isso, afinal, o que queremos dizer com a expressão "contribuição científica": um oferecimento que é aceito, embora provisoriamente, para o fundo comum de conhecimento.

Esse elemento crucial da comunicação livre e aberta é o que descrevi como a norma do "comunismo" na instituição social da ciência — com Bernard Barber propondo o termo "comunalismo", menos carregado de conotações (cf. Merton, 1973, p. 273-5; Barber, 1952, p. 130-2). Com efeito, muito antes que, no século XIX, Karl Marx adotasse essa palavra como *slogan* de uma sociedade comunista completamente realizada — "de cada um segundo suas habilidades, para cada um segundo suas necessidades" — essa era a prática institucionalizada no sistema de comunicação da ciência. Não se trata de uma questão de natureza humana, de altruísmo naturalmente dado. Os arranjos institucionalizados evoluíram para motivar os cientistas a contribuírem livremente para a riqueza comum do conhecimento segundo suas capacidades treinadas, assim como podem usar livremente o que precisam dessa riqueza comum. Além disso, na medida em que esse fundo comum de conhecimento não é diminuído pelo uso excessivamente intensivo por parte dos membros da coletividade científica — ao contrário, é presumivelmente ampliado —, esse bem virtualmente livre e comum não está sujeito ao que Garret Hardin (1968) analisou, com aptidão, como "a tragédia dos bens comuns": primeiro, a erosão e, a seguir, a destruição da fonte comum por meio de sua exploração individualmente racional e coletivamente irracional. Nos [bens] comuns da ciência, acontece estruturalmente o caso de que ambos, o dar e o receber, trabalham para alargar a fonte comum de conhecimento acessível.

A estrutura e a dinâmica desse sistema são razoavelmente claras. Uma vez que o reconhecimento positivo pelos pares é a forma básica de reconhecimento extrínseco na ciência, é dele que derivam todos os outros reconhecimentos extrínsecos, tais como o lucro econômico advindo de atividades conectadas com a ciência, o avanço na hierarquia dos cientistas e o acesso ampliado ao capital científico humano e material. Mas, obviamente, o reconhecimento dos pares pode ser amplamente concedido somente quando o trabalho corretamente atribuído é amplamente conhecido pela comunidade científica pertinente. Juntamente com a recompensa intrinsecamente motivadora de trabalhar em um problema científico e resolvê-lo, esse tipo de sistema de recompensa extrínseca proporciona grande incentivo para o engajamento nos labores frequentemente árduos e extenuantes requeridos para produzir resultados que atraem a atenção de pares qualificados e são postos em uso por alguns deles.

Esse sistema de publicação aberta, que contribui para o avanço do conhecimento científico, requer reciprocidades normativamente guiadas. Ele apenas pode operar efetivamente se a prática de tornar o próprio trabalho comunitariamente acessível é sustentada pela prática correlativa na qual os cientistas que fazem uso daquele trabalho reconhecem ter feito isso. Com efeito, eles reafirmam assim os direitos de propriedade do cientista com quem eles estão em dívida. Isso equivale a um padrão de apropriação legítima, enquanto oposto ao padrão de expropriação ilegítima (o plágio).

Começamos agora a ver que a prática institucionalizada das citações e referências na esfera do ensino não é uma questão trivial. Enquanto muitos leitores gerais — isto é, o leitor leigo localizado fora do domínio da ciência e da academia — pode considerar as notas de rodapé, ou a nota ao final, ou os parênteses de referência como um inconveniente dispensável, pode-se argumentar que eles são, na verdade, centrais para o sistema de incentivos e para um sentido subjacente de justiça distributiva, que contribui muito para energizar o avanço do conhecimento.

O EFEITO MATEUS NA CIÊNCIA II

Enquanto parte do sistema de propriedade intelectual da ciência e da academia, as referências e as citações servem a dois tipos de funções: as funções cognitivas instrumentais e as funções institucionais simbólicas. A primeira delas envolve dirigir os leitores às fontes do conhecimento que foram utilizadas no trabalho. Isso permite que os leitores que se orientam para a pesquisa, se tiverem essa disposição, acedam por si próprios às reivindicações de conhecimento (as ideias e as descobertas) na fonte citada; utilizem outros materiais pertinentes àquela fonte, que podem não ter sido utilizados pela publicação intermediária que a cita; e serem dirigidos, por sua vez, pelo trabalho citado a outras fontes primárias, que foram obliteradas por sua incorporação na publicação intermediária.

Mas as citações e referências não são apenas auxiliares essenciais dos cientistas e acadêmicos preocupados em verificar enunciados ou dados no texto citado ou em recuperar informação adicional. Elas também possuem funções simbólicas não tão latentes. Elas mantêm tradições intelectuais e proporcionam o reconhecimento dos pares requerido para o efetivo trabalho da ciência como uma atividade social. Tudo isso, poder-se-ia dizer, está condensado no aforismo que Newton tornou seu na famosa carta a Hooke, na qual escreveu: "se pude ver mais longe, foi por estar sobre os ombros de gigantes".[15] A própria forma do artigo científico, tal como evoluiu nos últimos três séculos, requer, normativamente, que os autores reconheçam nos ombros de quem eles se encontram, sejam eles os ombros de gigantes ou, como frequentemente é o caso, aqueles de homens e mulheres de ciência de dimensões aproximadamente médias para as espécies

---

15 George Sarton interessou-se há muito pela história do aforismo. Como essa história diz muito, com muito pouco, sobre uma das maneiras pela qual cresce o conhecimento científico, eu me permiti fazer uma apresentação shandaliana da aventura histórica do aforismo em Merton (1965).

scientificus. Assim, em nosso breve estudo sobre a evolução do periódico científico como uma invenção sociocognitiva, Harriet Zuckerman e eu notamos como Henry Oldenburg, o editor do recém-inventado *Transactions of the Royal Society*, na Inglaterra do século XVII, induziu a nova espécie emergente de cientistas a abandonar uma antiquíssima prática frequente de guardar segredo e aderir, ao contrário, à "nova forma de livre comunicação por meio de um intercâmbio motivador: divulgação aberta em troca de direitos de propriedade honorífica, institucionalmente garantidos, do novo conhecimento dado aos outros" (Zuckerman & Merton, 1971).

Esse conjunto historicamente evolutivo de obrigações complementares conseguiu um enraizamento institucional profundo. Um referencial composto, cognitivo e moral, exige o uso sistemático de referências e citações. Tal como todas as coerções normativas na sociedade, a profundidade e a força consequencial da obrigação moral de reconhecer as próprias fontes torna-se mais evidente quando a norma é violada (e a violação é publicamente visível). Não ter citado o texto original, que foi amplamente citado e utilizado, torna-se socialmente definido como roubo, como apropriação intelectual indébita ou, como é mais conhecida desde pelo menos o século XVII, como plágio. O plágio envolve a expropriação de um tipo de propriedade privada que mesmo o abolicionista dedicado da propriedade produtiva privada, Karl Marx, considerava apaixonadamente como inalienável (como testemunha seu prefácio à primeira edição de *O capital* e seus subsequentes brados sobre o assunto por todo esse trabalho revolucionário).

Recapitulando, a nota bibliográfica, a referência a uma fonte, não é simplesmente uma nota gratuita, afixada como modo de ornamentação erudita. (Que a nota pode ser usada desse modo, ou que se pode abusar da nota, não nega obviamente seus usos nucleares.) A referência serve tanto a funções instrumentais como simbólicas na transmissão e ampliação do conhecimento. Instrumentalmente, ela nos fala de trabalho do qual podemos não ter conhecimento anterior, alguns dos quais podem vir a ter interesse para nós; simbolicamente, ela registra, em arquivos duradouros, a propriedade intelectual da fonte reconhecida, proporcionando uma parcela de reconhecimento pelos pares à reivindicação de conhecimento, aceita ou expressamente rejeitada, que foi feita naquela fonte.

A propriedade intelectual no domínio científico, que toma a forma de reconhecimento pelos pares, sustenta-se, então, por meio de um código de lei comum. O que proporciona incentivos socialmente padronizados, ao lado do interesse intrínseco na investigação, na tentativa de fazer bom trabalho científico e de oferecê-lo à riqueza comum da ciência, na forma de uma contribuição aberta disponível a todos os que poderiam fazer uso dela, assim como a lei comum exige a obrigação correlativa por parte daqueles que a usam, para proporcionar a recompensa do reconhecimento dos pares por referência àquela contribuição. Se o espaço permitisse — o que felizmente para o leitor não ocorre — eu examinaria o caso especial da citação tácita e da "obliteração por incorporação" (ou, ainda mais brevemente, OBI): a obliteração das fontes das ideias, métodos ou achados por sua incorporação anônima no conhecimento canônico corrente.[16] Pode-se mostrar que muitos desses casos de dívida intelectual aparentemente não reconhecida são literalmente exceções que provam a regra, ou seja, elas não são absolutamente exceções, uma vez que as referências, ainda que tácitas, são evidentes para os pares que as conhecem.

---

16 Resisto facilmente à tentação de iniciar um discurso sobre esse padrão na transmissão do conhecimento. Breves discussões prolépticas da "obliteração por incorporação" encontram-se em Merton (1968b, p. 25-38; 1979b) e Garfield (1977, p. 396-9).

Quando entendemos que o único direito de propriedade dos cientistas em suas descobertas há muito reside no reconhecimento dos pares e no apreço colegiado derivado, começamos a entender melhor a preocupação dos cientistas em chegar antes e estabelecer sua prioridade.[17] Tal preocupação torna-se então identificável como uma resposta "normal" aos valores institucionalizados. A complexidade de validar a riqueza do próprio trabalho por meio da avaliação de outros concorrentes e a aparente anomalia de publicar o próprio trabalho, mesmo em uma sociedade capitalista, sem ser diretamente recompensado pela publicação contribuiu para o crescimento do conhecimento público e o eclipse das tendências privadas de proteger o conhecimento privado (segredo), ainda muito em evidência no início do século XVII. As tendências atualmente renovadas para o segredo, e não somente no que Henry Etzkowitz (1983) descreveu como "ciência empresarial", introduzirão, se estendidas e prolongadas, uma grande mudança nos trabalhos institucionais e cognitivos da ciência.

Como importei, de modo não totalmente metafórico, categorias, tais como propriedade intelectual, lucro psíquico e capital humano, para esta apresentação do domínio institucional da ciência, talvez seja adequado utilizar, uma vez mais, um chefe da tribo dos economistas para uma última palavra sobre nosso assunto. Ele mesmo um observador inveterado do comportamento humano antes que apenas dos números econômicos, e também um praticante da ciência que mantém limpa a memória daqueles

---

17 Para a afirmação de que a corrida por prioridade deriva da própria cultura da ciência, ver Merton (1973 [1957], p. 286-308). Propõe-se ademais (p. 309-24) que a ênfase extremada sobre a originalidade, significativa na cultura da ciência, pode tornar-se patogênica, produzindo efeitos colaterais ocasionais, tais como "cozinhar" evidência fraudulenta, a acumulação de dados próprios enquanto se faz livre uso dos dados dos outros e a quebra dos costumes da ciência, por deixar de reconhecer o trabalho dos predecessores dos quais se utiliza.

envolvidos na genealogia de uma ideia, Paul Samuelson distingue limpidamente o ouro da fama científica do latão da celebridade popular. Eis como ele conclui, há um quarto de século, seu discurso presidencial para uma audiência de colegas economistas: "não são para nós os holofotes e o aplauso [do mundo fora de nós mesmos]. Mas isso não significa que o jogo não vale a pena ou que, ao final, não ganhamos o jogo. A longo prazo, o economista acadêmico trabalha pela única moeda que merece ter seu próprio aplauso" (Samuelson, 1966).

CAPÍTULO 9

A máquina, o trabalhador e o engenheiro

(1947)

Suspeitar da ampla magnitude de nossa ignorância é o primeiro passo para suplantá-la com o conhecimento. De fato, é muito pequeno o conhecimento sobre os efeitos das mudanças dos métodos de produção sobre os problemas, o comportamento e as perspectivas do trabalhador; ainda há muito a ser conhecido. Um pequeno ensaio sobre esse amplo objeto pode, no máximo, mapear superficialmente os contornos de nossa ignorância. Pode--se apenas aludir à ordem dos resultados de pesquisa atualmente disponíveis, às condições necessárias para a ampliação adequada desses resultados e à organização social da pesquisa adicional necessária para obter esses resultados.

A crença de que o avanço tecnológico é um bem autoevidente é tão difundida e profundamente enraizada que os homens têm falhado amplamente em examinar as *condições da sociedade* sob as quais isso realmente acontece. Se a tecnologia é boa, somente o é por suas implicações humanas, porque um grande número de pessoas, diversificadamente situadas, tem a oportunidade de vê-la desse modo à luz de sua própria experiência. E quando isso ocorre, depende não tanto do caráter intrínseco de um avanço tecnológico, que opera para o incremento da capacidade de produção de bens abundantes, quanto da estrutura da sociedade, que determina quais grupos e indivíduos são favorecidos com esse ganho crescente e quais dentre eles sofrem os deslocamentos sociais e arcam com os custos humanos implicados na nova tecnologia. Em nossa própria sociedade, muitos entendem que os vários efeitos sociais da introdução progressiva da tecnologia de automação estão longe de ser vantajosos. Embora limitados, os dados sobre o desemprego tecnológico, o deslocamento do trabalho, a obsolescência de habilidades, as descontinuidades no emprego, as quedas no número de empregos por unidade de produção, tudo indica que os trabalhadores é que têm o ônus dos fracassos no planejamento da introdução ordenada de avanços nos processos de produção.

Por certo, a pesquisa nessa área não é uma panaceia para os deslocamentos sociais atribuídos aos métodos atuais de adoção de avanços tecnológicos, mas ela pode indicar os fatos pertinentes ao caso — ou seja, ela pode estabelecer as bases para as decisões daqueles que são diretamente afetados pelos efeitos multiformes da mudança tecnológica. A pesquisa social nesse campo foi notavelmente limitada, e será de algum interesse considerar por que isso acontece.

Primeiro, revisaremos a ordem dos resultados provenientes da pesquisa social nesse campo em geral; depois consideraremos alguns fatores que afetam o papel social dos engenheiros — em especial, daqueles imediatamente envolvidos no desenho e na construção dos equipamentos de produção — e as repercussões sociais de seu trabalho criativo; e, finalmente, proporemos alguns dos problemas e das potencialidades mais evidentes para a pesquisa futura sobre as consequências sociais da tecnologia de automação.

1 Consequências sociais das mudanças tecnológicas

A pesquisa detectou algumas repercussões sociais da mudança tecnológica, das quais poucas serão mencionadas aqui. Elas abarcam os efeitos mais diretos sobre a natureza da atividade do trabalho — a anatomia social do emprego — e os efeitos que impactam os padrões institucionais e estruturais da sociedade mais ampla.

A anatomia social do emprego

Tornou-se claro que novos processos e equipamentos produtivos inevitavelmente afetam a *rede de relações sociais* dos trabalhadores envolvidos na produção. Para o homem que trabalha na fábrica, na mina e, sobretudo, no campo, as mudanças nos métodos de produção induzem a mudanças nas rotinas de trabalho que modificam o ambiente social imediato do trabalhador. As modificações no tamanho e na composição da equipe de trabalho, o alcance, o caráter e a frequência de contatos com os outros membros da equipe e com os supervisores, o *status* do trabalhador na organização, a extensão da mobilidade física a que tem acesso — cada um e todos eles podem ser efeitos colaterais da mudança tecnológica. Embora essas mudanças na estrutura local das relações sociais afetem diferentemente o nível de satisfação dos trabalhadores com o emprego, elas com frequência não são antecipadas nem consideradas.

Descobriu-se, também, que as condições sob as quais se adota uma mudança determinam seu impacto sobre os trabalhadores. Ao responder às condições econômicas recessivas com a introdução de tecnologia de automação, o gerenciamento pode ampliar e aprofundar os bolsões locais de desemprego no momento mesmo em que os trabalhadores têm poucas alternativas de trabalho. O gerenciamento pode, portanto, alimentar as *inseguranças do emprego e as ansiedades dos trabalhadores*. É compreensível que tais circunstâncias levem a mão de obra organizada a buscar maior participação na definição dos planos para a adoção de novos equipamentos e processos.

Nesse aspecto, o tempo da mudança tecnológica é de importância crítica, embora não exclusiva. Os trabalhadores, assim como os executivos, buscam alguma medida de controle sobre o dia a dia de suas vidas. As mudanças a eles impostas sem seu conhecimento e consentimento prévios são vistas como uma ameaça ao seu bem-estar, de modo muito similar ao dos homens de negócios sujeitos às vicissitudes do mercado ou àquilo que eles consideram como as decisões imprevisíveis "daqueles burocratas de Washington". Frequentemente, o envolvimento do trabalhador na decisão foi, consciente e irrealisticamente, negado por um gerenciamento que adota a tecnologia de automação em um esforço para manter ou melhorar a situação competitiva da empresa. Observa-se que um ambiente de incerteza, medo e hostilidade pode ser facilmente criado pelo aumento do ritmo de mudanças tecnológicas imprevistas.

A tecnologia de automação, por meio da *obsolescência forçada de habilidades*, produz problemas psicológicos e sociais agudos no trabalhador. A dificuldade não reside exclusivamente na necessidade de aprender novas rotinas de trabalho. A necessidade de descartar habilidades adquiridas e, frequentemente, a concomitante perda de *status* destroem a autoimagem positiva do trabalhador originária do uso confiante dessas habilidades. Embora esse custo humano dos novos métodos de produção possa ser ocasionalmente reduzido para trabalhadores individuais, por meio da realocação planejada de empregos, isso não impede mudanças básicas na estrutura ocupacional da indústria em geral.

Com o avanço tecnológico, a crescente subdivisão das tarefas de trabalho cria inumeráveis novas ocupações para as quais, como observou Roethlisberger, "em muitos casos, não existem designações ocupacionais que tenham qualquer significado social fora de uma indústria, fábrica ou mesmo de um departamento particular" (Roethlisberger & Dickson, 1934, p. 574). A fragmentação das tarefas de trabalho envolve uma *perda da identidade pública do emprego*. Quem, além de uns poucos, pode, por exemplo, distinguir, em uma planta automobilística, entre aquele que fixa as aletas e os outros montadores de radiador? Ou, para tomar um exemplo mais familiar, o que distingue o orgulho no trabalho do confeiteiro de rosquinha daquele que injeta com uma seringa a geleia nas rosquinhas fritas? Para o mundo externo, essas especializações esotéricas são todas uma só e, consequentemente, para o mundo externo, é preciso que haja outras marcas de *status* e atividade profissional significativa. A alienação dos trabalhadores em relação a seu trabalho e a importância da remuneração como o principal símbolo de *status* social são ambas desenvolvidas pela ausência de significado social que se possa atribuir à tarefa [de trabalho].

Inevitavelmente, a crescente especialização da produção conduz à necessidade de mais previsibilidade do comportamento no trabalho e, portanto, a uma *disciplina crescente no local de trabalho*. A coordenação de numerosas tarefas limitadas requer que a margem de variação do comportamento individual seja reduzida ao mínimo. No início do sistema fabril, essa tendência fez-se visível por meio das rebeliões de trabalhadores contra a disciplina da fábrica, então pouco familiar, e tornou-se repentinamente mais notável. Na prática, isso vem a significar um crescente aumento da disciplina que, sob condições específicas, torna-se coercitiva para o trabalhador.

Efeitos institucionais e estruturais

Tanto os subprodutos políticos e sociais quanto os produtos econômicos de uma tecnologia avançada afetam, de modo variado, a estrutura da sociedade em geral. Esse contexto mais amplo sugere que as atitudes dos trabalhadores quanto à nova tecnologia não são determinadas por ela *per se*, mas pelos usos colaterais que ela pode ter e que, às vezes, lhe têm sido dados como um *instrumento de poder social*. A tecnologia tem sido empregada não apenas para a produção de bens, mas também para a administração dos trabalhadores. De fato, ela tem sido repetidamente definida como uma arma para submeter o trabalhador com a possibilidade de demissão, a menos que aceite os termos de emprego propostos.

Nos dias atuais, esse uso tático da tecnologia na "guerra de preços" entre administração e trabalho não precisa ser enunciado como ameaça, mas somente como uma observação sobre as práticas independentes do mercado. Em discurso proferido antes da Conferência Bicentenária de Princeton, por exemplo, afirma-se que, "entre as pressões imperativas que hoje estimulam a administração a fomentar a mecanização e o avanço tecnológico no processo de produção, estão os fantásticos aumentos de salários, o abandono ou a redução da eficácia do pagamento de incentivos salariais, a intransigência de muitos grupos de trabalhadores e o estoque abundante de dinheiro barato. Engenheiros de processos, desenhistas de ferramentas, construtores de ferramentas são e serão demandados como nunca antes. A invenção e a inovação terão um valor sem precedente".

Há cem anos, os empresários e seus representantes de alguma maneira inferiam mais facilmente essas implicações políticas da tecnologia (e do papel atribuído aos engenheiros). Por exemplo, Andrew Ure podia então descrever a máquina de fiar como uma "criação destinada a restaurar a ordem entre as classes produtivas (...). A invenção confirma a grande doutrina já proposta, segundo a qual quando o capital põe a ciência a seu serviço, a mão de obra refratária sempre recebe uma lição de docilidade".

Pode ser instrutivo saber se o uso aberto ou tácito da tecnologia como uma arma no conflito industrial quebrou de fato a

A MÁQUINA, O TRABALHADOR E O ENGENHEIRO

"intransigência" dos trabalhadores ou os instruiu na virtude da "docilidade". Certamente é possível que a eficiência planejada de uma nova máquina ou de um novo processo não seja por vezes alcançada, quando sua função colateral é manter os trabalhadores em seu lugar. É bastante concebível que se descubra que o livre exercício do poder não produz uma estrutura estável de relações sociais na indústria, mais do que em outras esferas do comportamento humano.

Como observaram Elliott Dunlap Smith e Robert S. Lynd, entre outros, os avanços nos métodos de produção podem aumentar a clivagem social entre os trabalhadores e gerentes de operação, o que pode tornar mais aguda a *estratificação social da indústria*. Na medida em que as complexidades da nova tecnologia tornam a educação técnica um pré-requisito para o gerente de operação, a perspectiva de trabalhadores ascenderem nos níveis torna-se progressivamente reduzida. Além disso, na medida em que as oportunidades de acesso à educação superior são socialmente estratificadas, os gerentes são crescentemente recrutados em estratos sociais distantes daqueles dos trabalhadores. E, ainda, considerando que o pessoal tecnicamente treinado insere-se na indústria em um nível relativamente alto, eles têm pouca oportunidade de participar da experiência de trabalho dos trabalhadores em um estágio inicial de suas carreiras, tendendo, assim, a ter um abstrato *conhecimento sobre* a perspectiva dos trabalhadores, antes que uma concreta *familiaridade com* essa perspectiva. Finalmente, com a crescente racionalização dos procedimentos gerenciais, as relações entre os gerentes de operação e os trabalhadores tornam--se crescentemente formalizadas e despersonalizadas.

Esses vários padrões — o progressivo fechamento de oportunidades de promoção substantiva, a polarização das origens sociais dos trabalhadores e dos executivos, o insulamento do pessoal administrativo em relação à perspectiva dos trabalhadores dadas as mudanças nos padrões típicos de suas carreiras e a despersonalização do contato — podem, combinados, contribuir para uma tendência secular de crescimento das tensões entre os homens que administram e os homens que eles administram.

O impacto da tecnologia sobre a organização social não está, por certo, confinado a essas tendências subjacentes à estrutura de classes. A interdependência da estrutura industrial, que é estreitada pelas aplicações da ciência na indústria, contamina as decisões das grandes firmas industriais com o interesse público. Em consequência, o governo passa crescentemente a regular e supervisionar essas decisões, pelo menos nas partes em que elas afetam mais abertamente a comunidade mais ampla. Essa tendência ao "grande governo" (*big government*) força a atenção popular para aquilo que observadores analíticos há muito reconheceram: as esferas do comportamento econômico e político, longe de terem somente relações tangenciais, sobrepõem-se consideravelmente. O trabalho e o gerenciamento não lidam apenas diretamente um com o outro por barganha coletiva e decisão administrativa, mas também, indiretamente, por exercício de pressão sobre o governo. Seguindo os passos da empresa e da administração, o trabalho entra na política.

Os crescentes requisitos de disciplina no trabalho, derivados da integração tecnológica, permitem explicar o papel estratégico da "grande central sindical" em nossa sociedade. A "grande indústria" descobriu que é mais prático ou eficiente lidar com centrais sindicais do que com grandes massas de trabalhadores desorganizados. Pois a indústria aprendeu que, muitas vezes, a disciplina é alcançada de modo mais efetivo com o apoio das próprias escolhas dos sindicatos de trabalhadores do que com o recurso exclusivo do aparato administrativo e de supervisão. Além disso, uma condição da fluidez tecnológica, na qual a interrupção de qualquer setor da produção ameaça paralisar toda a indústria, modifica a constelação das relações de poder. Tudo isso confere poder e responsabilidade crescentes ao trabalho.

Essa revisão rápida de certas consequências das mudanças nas técnicas de produção auxilia a aguçar o dilema moral envolvido na escolha dos problemas de pesquisa social nesse campo. A pesquisa que considera somente o impacto da nova tecnologia sobre a *situação de trabalho imediata* em uma planta industrial leva, primariamente — se não exclusivamente —, a resultados que podem ser prontamente adaptados para tornar a mudança tecnológica mais aceitável para o trabalhador individual, embora ela possa, de fato, ter consequências adversas para ele. Inadvertidamente, o problema científico pode ser construído como a descoberta de métodos de acomodação do trabalhador à mudança, quase sem ligação com o mosaico de consequências que ela implica para ele e seus associados. O capital pode também conclamar a ciência *social* a ensinar o valor da docilidade ao trabalhador. Por outro lado, somente por meio desse estudo próximo dos efeitos imediatos sobre a vida do trabalho pode-se ter a possibilidade de descobrir métodos de introduzir mudanças nos métodos de produção que possam mitigar, de modo apreciável, as consequências desfavoráveis ao trabalhador.

A atenção direcionada somente para os efeitos sobre a *estrutura social mais ampla* também tem seus limites. A pesquisa totalmente orientada para as tendências seculares — por exemplo, o padrão de incremento de produtividade ultrapassando ou mantendo paridade com o crescimento do emprego total — desvia a atenção dos modos e meios para minimizar o impacto atual da mudança tecnológica sobre o trabalhador. Esse tipo de pesquisa, entretanto, localiza o problema sociológico central: discernir as características de nossa organização social que atuam contra o progresso tecnológico, resultando em "maior segurança dos meios de vida e padrões de vida mais satisfatórios".

2 As implicações para o engenheiro

As novas aplicações da ciência na produção feitas pelo engenheiro não afetam, assim, somente os métodos de produção. Elas são inevitavelmente decisões sociais, que afetam as rotinas e a satisfação dos homens que trabalham com a máquina e, em suas repercussões mais amplas, dão forma à própria organização da economia e da sociedade.

O papel central dos engenheiros no "estado maior" de nossos sistemas produtivos somente sublinha a grande importância de suas orientações sociais e políticas: os estratos sociais com os quais se identificam, o tecido de lealdades de grupo, formado por sua posição econômica e suas carreiras ocupacionais, os grupos aos quais se dirigem em busca de orientação, os tipos de efeitos sociais de seu trabalho que eles consideram — em suma, somente explorando toda a variedade de suas alianças, perspectivas e interesses, os engenheiros podem alcançar o autoesclarecimento de seu papel social, que possa levar a uma participação totalmente responsável na sociedade.

Mas dizer que isso coloca problemas sociológicos para "o" engenheiro é fazer uma referência tão inclusiva e vaga que quase nada significa. A família grande e múltipla dos indivíduos chamados engenheiros une-se por extenso parentesco, mas também apresenta muitas diferenças entre subgrupos. Eles são engenheiros militares, civis, mecânicos, químicos, elétricos e metalúrgicos e assim por diante, pelas centenas de títulos que se encontram entre os membros das sociedades nacionais de engenharia. Mas, qualquer que seja sua especialidade, no que concerne ao desenho, construção e operação de equipamentos e processos de produção, eles se confrontam com as implicações sociais e políticas de sua posição na nossa sociedade.

Uma tendência nascente de total reconhecimento dessas implicações é limitada por muitos obstáculos, entre os quais os mais importantes parecem ser (1) a marcante especialização e divisão do trabalho científico, (2) as aplicações de códigos profissionais que governam a perspectiva social dos engenheiros, e (3) a incorporação dos engenheiros nas burocracias industriais.

A ESPECIALIZAÇÃO

A intensa divisão do trabalho tornou-se um esplêndido recurso para escapar das responsabilidades sociais. Ao se subdividirem as profissões, cada grupo de especialistas acha cada vez mais possível "passar a responsabilidade" pelas consequências sociais de seu trabalho, na suposição, ao que parece, que nessa complexa transferência de responsabilidade não haverá ninguém prejudicado no final. Quando é surpreendido com os deslocamentos sociais resultantes, cada especialista, seguro em seu conhecimento de ter realizado sua tarefa com o melhor de sua habilidade, pode imediatamente negar responsabilidade por eles. E, por certo, nenhum grupo de especialistas, o engenheiro não mais do que os outros, provoca isoladamente essas consequências. Ao contrário, em nossa estrutura econômica e social, cada contribuição tecnológica engrena-se a um padrão cumulativo de efeitos, alguns dos quais não foram desejados por ninguém, mas foram produzidos por todos.

A ÉTICA PROFISSIONAL

Devido, em parte, à especialização de funções, os engenheiros, assim como os cientistas, são doutrinados com um sentido ético de responsabilidades limitadas. O cientista, ocupado em sua tarefa distintiva de extrair conhecimento novo do domínio da ignorância, por muito tempo negou sua responsabilidade em relação aos modos como esse conhecimento foi aplicado. (A história cria seus próprios símbolos. Foi preciso uma bomba atômica para afastar muitos cientistas dessa doutrina tenazmente sustentada.)

Assim, em muitos setores, sustentou-se como absurdo que o engenheiro pudesse ser considerado responsável pelos efeitos sociais e psicológicos da tecnologia, já que é perfeitamente claro que eles não advêm de seu âmbito especial de atuação. Afinal de contas, o "trabalho" do engenheiro é — note-se quão efetivamente isso define os limites de um papel e, assim, sua responsabilidade social — aperfeiçoar os processos de produção e "não é de sua alçada" considerar seus efeitos sociais ramificados. O código ocupacional dirige a atenção dos engenheiros para os primeiros elos na cadeia de consequências da inovação tecnológica e desvia sua atenção, tanto como especialista quanto como cidadão, dos elos seguintes na cadeia como, por exemplo, as consequências para os níveis salariais e as oportunidades de emprego. "Mas nós devemos considerar as consequências imparcialmente" — disse John Dewey, colocando o problema em uma forma mais geral. "É deliberada insensatez visar um fim ou efeito singular desejado e permitir que essa visão bloqueie a percepção de todas as outras consequências indesejadas e indesejáveis" (Dewey, 1922, p. 228-9).

O *status* burocrático

O emprego de grande número de engenheiros e tecnólogos nas burocracias industriais conforma suas perspectivas sociais. Inseridos em um aparato burocrático, muitos engenheiros concebem seu lugar como especialistas em um papel subalterno, com esferas fixas de competência e autoridade e com uma orientação severamente delimitada em relação ao sistema social mais amplo. Nesse estatuto, eles são recompensados por verem a si mesmos como auxiliares técnicos. Desse modo, não é sua função considerar as consequências humanas e sociais da adoção de seus

A MÁQUINA, O TRABALHADOR E O ENGENHEIRO

equipamentos e processos eficientes ou decidir quando e como eles devem ser introduzidos. Essas são questões da alçada administrativa e gerencial.

As bases para delegar essas questões aos administradores nas organizações comerciais e industriais raramente foram consideradas tão lúcida e instrutivamente como na seguinte passagem de Roethlisberger:

(...) físicos, químicos, engenheiros mecânicos, civis e químicos têm um modo de pensar útil e um método simples para lidar com sua própria classe de fenômenos. Nessa área, é provável que seus juízos sejam fundamentados. Fora dela, seus juízos são mais questionáveis. Alguns deles reconhecem muito claramente essa limitação. Eles não querem considerar o fator humano; eles querem desenhar a melhor ferramenta, a melhor máquina, para alcançar certos propósitos técnicos. Se a introdução dessa ferramenta ou máquina envolverá o corte de certos empregados, justamente isso não é de sua alçada enquanto engenheiros. (...) Esses homens não têm valor algum para o administrador de qualquer organização industrial. (1941, p. 143)

Max Weber e Thorstein Veblen, entre outros, mostraram o perigo de que essa perspectiva ocupacional, envolvendo a abdicação racionalizada da responsabilidade social em favor do administrador, possa ser transferida pelos engenheiros para além da empresa econômica imediata. Dessa transferência de perspectiva e da incapacidade adquirida para lidar com os problemas humanos dela resultante, desenvolve-se um papel passivo e dependente para os engenheiros e tecnólogos nos domínios da organização política, das instituições econômicas e da política social. A cidadania está ameaçada de ser submergida na identidade ocupacional.

Como os especialistas técnicos atêm-se, assim, as "suas próprias" tarefas limitadas, o impacto geral da tecnologia na estru-

245

tura social torna-se, por negligência, assunto de que ninguém trata.

3 As necessidades da pesquisa social

Os engenheiros podem muito bem continuar recusando qualquer responsabilidade direta pelos efeitos sociais de uma tecnologia avançada, enquanto os efeitos não possam ser antecipados e levados em consideração. Na medida em que os cientistas sociais falharam em tratar desse problema, não há base informada para os tecnólogos mais socialmente orientados agirem com a devida responsabilidade social. Somente quando aqueles que são equipados com as habilidades da pesquisa social tornam disponível um corpo adequado de conhecimento científico, aqueles que trabalham com as habilidades da engenharia podem ampliar suas visões da empresa comercial individual para o sistema social mais amplo.

Assim como durante séculos os problemas da erosão do solo foram em parte negligenciados porque não se sabia que a erosão constituía um problema significativo, assim também negligencia--se a erosão social imputável aos métodos atuais de introdução de rápidas mudanças tecnológicas. Há um mercado severamente limitado para a pesquisa nessa área. Parece seguro supor que menos homens-hora de atividade de pesquisa são devotados à intensa investigação desses problemas centrais para nossa era tecnológica do que, digamos, ao desenho das embalagens de perfumes e outros bens igualmente básicos, ou à concepção de anúncios competitivos para as manufaturas de tabaco do país.

O lançamento de um vasto programa de investigação social proporcional à escala do problema não precisa esperar por novos procedimentos de pesquisa. Os métodos de pesquisa social avançaram continuamente e, sem dúvida, serão ainda mais desenvolvidos ao longo da aplicação disciplinada. O efetivo desenvolvimento desse programa precisa esperar, no entanto, por decisões relativas à organização das equipes de pesquisa, ao financiamento da pesquisa e às direções da investigação.

A organização da equipe de pesquisa

As investigações disparatadas e não coordenadas, feitas por grupos diversamente qualificados, não têm se mostrado adequadas. Os problemas nessa área exigem habilidades complementares e o conhecimento de engenheiros, economistas, psicólogos e sociólogos. Uma vez que esse foco na pesquisa conjunta é reconhecido, esforços sistemáticos para instituir um programa de investigação colaborativa poderiam ser iniciados por representantes de muitas sociedades profissionais. Universos de discurso partilhados provavelmente farão falta no início, mas, como sugere a experiência da TVA, podem se desenvolver padrões de colaboração entre engenheiros e cientistas sociais. Os muros que insulam as muitas disciplinas surgidas da divisão do trabalho científico podem ser superados, se elas forem reconhecidas como os expedientes temporários que são.

O financiamento da pesquisa

No limitado setor da pesquisa social realizada pela indústria, a maior parte tem sido orientada para as necessidades de gerenciamento. Os problemas selecionados como o foco da investigação — alta rotatividade do trabalho e resultado restrito, por exemplo — têm sido amplamente definidos desse modo pela gerência, assim como, tipicamente, o financiamento; os limites e o caráter das mudanças experimentais na situação de trabalho têm sido estabelecidos pelo gerenciamento e os relatórios periódicos são feitos basicamente para ele. Não importa quão boa ou aparentemente evidente seja a razão, é preciso notar que essa *é* a perspectiva típica da pesquisa social na indústria, e que isso limita sua efetiva realização.

Sem dúvida, essas observações não impugnam a validade e a utilidade da pesquisa orientada para as necessidades do gerenciamento. Do fato de que essa pesquisa continue a ser financiada pela gerência apenas podemos concluir que ela tem sido considerada extremamente útil e válida, dentro dos limites da definição de problemas. Mas um grupo inteligente de um estrato da população do comércio e da indústria pode, no devido tempo, encontrar-se tratando de problemas que não são os principais problemas confrontados por outros setores daquela população. Pode acontecer, por exemplo, que a produção de métodos de redução da ansiedade do trabalhador por meio de longas e compreensivas entrevistas, ou pelo comportamento adequado dos supervisores, não esteja entre aquelas pesquisas que os trabalhadores veem como central para seus interesses. Eles podem estar mais preocupados em ter pesquisadores investigando as várias consequências, para eles e para outros, de planos alternativos de direção da adoção de mudanças tecnológicas.

Isso nos faz lembrar que a própria pesquisa social tem lugar em um ambiente social. O cientista social que falha em reconhecer que as suas técnicas de observação participante, entrevista, sociogramas e outras representam uma inovação maior para trabalhadores e supervisores do que, talvez, as mudanças tecnológicas na planta da fábrica por certo seria um crente inseguro de seus próprios achados. A resistência a essa inovação pode ser antecipada, no mínimo, por ser distante da experiência ordinária da maioria das pessoas. Aqueles que se engajam na pesquisa social com trabalhadores e pessoal administrativo não precisam ser lembrados da mistura de suspeita, desconfiança, desconforto e, frequentemente, franca hostilidade com que se depararam inicialmente. A falta de familiaridade com esse tipo de pesquisa, junto com sua aparente intromissão em áreas de tensão e negócios privados, atuam para certa medida de resistência.

Se a pesquisa é subsidiada pela gerência e se os problemas que aborda são relevantes, primariamente, para o gerenciamento, a resistência dos trabalhadores será muito grande. Não surpreende que, em certos setores de trabalhadores organizados, os esforços preliminares da pesquisa social na indústria sejam vistos com suspeita e desconfiança comparável àquela com que foi recebida a introdução dos estudos de gerência científica nos anos 1920. Pois se os trabalhadores tiverem ocasião de identificar o programa de pesquisa com um instrumento acadêmico recentemente criado contra a organização trabalhista ou para substituir cientificamente recompensas materiais por simbólicas, isso criará problemas, ao invés de identificá-los.

A pesquisa social na indústria, portanto, deve ser conduzida sob os auspícios conjuntos da gerência e do trabalho, independentemente de sua fonte de recursos. A cooperação de grande número de trabalhadores não será conseguida a menos que eles saibam que serão beneficiados pela aplicação do método científico em uma área na qual prevaleceram amplamente as práticas gerais.

As direções da pesquisa

A tarefa inicial dessas equipes de pesquisa deveria ser a identificação dos problemas específicos que demandam atenção. O próprio fato de se compremeterem com a pesquisa indicaria que não estão possuídas pela fé opaca, para a qual qualquer avanço tecnológico, seja qual for sua aplicação, necessariamente levará ao bem comum. Seria de esperar que elas tivessem pensamentos perigosos. Elas não deveriam assumir axiomas culturais e institucionais exteriores à pesquisa. O foco de sua atenção deveria ser os arranjos institucionais adequados à incorporação de todas as potencialidades para a produção de uma irregular mas contínua tecnologia avançada, com uma distribuição equitativa das perdas e ganhos contidos nesses avanços.

Durante a última década, houve uma reação entre os pesquisadores sociais contra a tendência anterior de concentrar-se nas consequências econômicas do avanço tecnológico. O centro de atenção da pesquisa voltou-se para os sentimentos dos trabalhadores e as relações sociais no trabalho. Essa nova ênfase, contudo, tem os defeitos de suas qualidades. Não apenas os sentimentos dos trabalhadores são afetados pela mudança tecnológica. Não são afetados apenas seus laços sociais e seus *status* — mas também seus ganhos, suas chances de emprego e seus interesses econômicos. Se a nova pesquisa sobre relações humanas na indústria tiver o máximo de pertinência, ela precisa ser articulada com a pesquisa contínua das implicações econômicas da tecnologia de automação.

A pesquisa tampouco pode estar efetivamente confinada a estudos sobre "o trabalhador". Selecionar o trabalhador como representante de um setor autocontido da população industrial é violentar a estrutura de relações sociais que realmente existe na indústria. Supostamente, não é somente o trabalhador que está sujeito a preocupações, devaneios obsessivos, deficiências e distorções de atitude e antipatias irracionais em relação aos outros trabalhadores e supervisores. É preciso mesmo perceber que o comportamento e as decisões da gerência são apreciavelmente afetadas por padrões psicológicos similares e que eles, assim como um claro senso de interesse econômico, operam inclusive na determinação de decisões acerca da adoção da tecnologia de automação.

Na ausência da pesquisa conjuntamente promovida pelo trabalho e pela gerência e voltada para problemas acordados em comum acerca do papel da tecnologia em nossa sociedade, a alternativa é prosseguir no padrão atual de pesquisa passo a passo, direcionada para aqueles problemas especiais, cujo exame tem interesse para grupos especiais. Sem dúvida, é possível que essa alternativa pareça preferível para alguns. É totalmente possível que muitos grupos interessados não encontrarão suporte para um acordo sobre a promoção e direção da pesquisa social nesse campo. Mas então isso também serviria a seu propósito equívoco. Se a pesquisa realizada por tecnólogos e cientistas sociais sob os auspícios conjuntos da gerência e dos trabalhadores fosse rejeitada nessas bases, isso seria signo de um diagnóstico significativo do estado a que chegaram as relações industriais.

POSFÁCIO

Robert K. Merton, fundador da sociologia da ciência: comentários, *insights*, críticas

Robert K. Merton (1910-2003) é uma figura central da sociologia norte-americana,[1] mais conhecido talvez por seu trabalho pioneiro entre as décadas de 1930 e 1960, quando do nascimento da sociologia da ciência e das normas científicas.[2] Merton dominou o campo da sociologia da ciência até a publicação do livro *A estrutura das revoluções científicas* (*The structure of scientific revolutions*) de Thomas Kuhn, em 1962, e do surgimento do Programa forte de sociologia na década de 1970 no contexto do relativismo sociológico (cf. Shinn & Ragouet, 2008). Antes de discutir a epistemologia da sociologia da ciência de Merton e suas principais alegações e conclusões, é útil elucidar brevemente suas contribuições para o domínio mais amplo da sociologia.

---

1   Outras figuras influentes da sociologia nos Estados Unidos durante esse período incluem Talcott Parsons (ver abaixo), Harold Garfinkel (1917-), especialista em etnometodologia, e Erving Goffman (1922-1982), que desenvolveu uma expressão do interacionismo simbólico.

2   O médico e biólogo polonês Ludwig Fleck (1896-1961) publicou, em 1935, o livro intitulado *Gênese e desenvolvimento de um fato científico* (*Genesis and development of a scientific fact*), no qual propõe uma análise sociológica altamente sofisticada das operações da ciência. As reflexões de Fleck (1979) antecipam fortemente o pensamento de Kuhn da década de 1960. Fleck escreveu sobre um "coletivo" científico que pratica uma forma homogênea de pesquisa. O coletivo é baseado em uma ampla comunidade que veicula um conjunto específico de pressuposições, representações, teorias etc. Essa perspectiva é reminiscente daquela dos paradigmas, posteriormente apresentada por Kuhn.

Atribui-se a Merton a introdução de um grande número de termos e conceitos, que incluem "papel-modelo", "consequências imprevistas", "funções manifestas e latentes", "disfuncionalismo", "efeito Mateus" e "profecia autodestruidora". O vocabulário e o pensamento de Merton pertencem à escola de pensamento funcionalista, embora seu funcionalismo contraste seriamente com o do sociólogo funcionalista contemporâneo nos Estados Unidos, Talcott Parsons (1902-1979). Parsons é reconhecido principalmente como teórico, criador de uma grande teoria que frequentemente carece de informação empírica. Suas análises e descrições sociológicas tomam muitas vezes a forma de uma "matriz de Procusto". Ele insiste que todas as relações sociais são expressões de requisitos funcionais positivos. Durante sua carreira e em muitos de seus escritos, Parsons ilustrou seu pensamento com o que chamou de "variáveis de parâmetro". Isso consiste de um conjunto finito de variáveis que estão supostamente envolvidas em um vasto conjunto de situações sociais, nas quais tomam a forma de diversas trocas. Parsons rotulou-o de sistema AGIL. A letra A significa "adaptação", G representa "realização de metas", I indica "a integração de todos os componentes sociais contidos em um sistema social" e L refere à "manutenção de padrões latentes".[3] A teoria da ação de Parsons aderia claramente ao padrão AGIL de variáveis, enfatizando "propósitos" e "fins". As características de uma sociedade ou domínio social poderiam, sustenta Parsons, ser estabelecidas segundo seu lugar ao longo das diferentes variáveis AGIL.[4] Hoje, o AGIL é consi-

---

3   Em nenhum lugar de sua extensa obra Parsons descreveu completamente o sistema AGIL. A melhor apresentação pode ser encontrada em seu livro *A universidade americana* (*The American university*) (Parsons & Platt, 1973).

4   O trabalho de Parsons influenciou significativamente a sociologia dos sistemas de Niklas Luhmann. Enquanto Parsons rejeita o conceito de *autopoesis*, ele é largamente empregado por Luhmann (cf. 1995), que o vê como o mecanismo primário

derado como um sistema conceitual para o qual não se pode ver nenhuma aplicação nos estudos sociológicos.

Essa apresentação necessariamente breve do enfoque sociológico de Parsons é instrutiva na medida em que difere da epistemologia de Merton. O pensamento de Merton pode ser descrito como "estruturação incipiente". Merton criou a "teoria de médio alcance" em oposição à "grande teoria" de Parsons. Ele busca um equilíbrio entre o trabalho empírico, a conceituação modesta e uma teoria circunscrita. Isso é visível em sua análise da ciência inglesa no século XVII, na qual se baseia em técnicas estatísticas e dados qualitativos. Ele rejeita as relações funcionais mecânicas propostas por Parsons, argumentando que certas funções não têm correspondência social, enquanto outras funções podem levar a resultados opostos, dependendo de considerações contingentes. Assim, Merton é levado ao importante conceito de "disfunções", segundo o qual uma função provoca efeitos contrários aos que foram antecipados. Merton fornece um corretivo à análise funcional de Parsons em três bases:

(1) ele levanta a questão de uma função ser bem ou mal integrada e de seu lugar na sociedade;

(2) examina a noção de funcionalidade na sociedade;

(3) levanta a dúvida de que todas as funções tenham consequências positivas para a sociedade.

Em conformidade com sua predileção pela teoria de médio alcance, Merton tendia a abordar as questões sociais mais que as questões culturais. Ele define "cultura" como um conjunto organizado de valores normativos, que governam o comportamento comum aos membros de certa sociedade ou grupo. Em contraste, as estruturas sociais são o conjunto organizado de relações sociais pelas quais os membros da sociedade ou de grupos

---

que alimenta a adaptação. Esse conceito foi desenvolvido por Maturana e Varela (1995).

são variadamente identificados e nas quais estão implicados. Em referência à anomia, um estado de ausência de normas emerge com uma aguda disjunção entre as normas e os fins culturais dados e a capacidade socialmente estabelecida de indivíduos e grupos para conduzirem-se de acordo com eles. Como se notará abaixo, a discussão de cultura *versus* sociedade está largamente ausente da reflexão de Merton sobre o nascimento, as estruturas e as funções da ciência. Por outro lado, o conceito de "normas" é central para ele, e em nenhum outro lugar mais do que em seu pensamento sobre a ciência.

As investigações de Merton sobre a ciência concentram-se na ciência como organização social. As conexões entre o conteúdo da ciência e os fatores sociais são intencionalmente desconsideradas, já que são todas formas de reflexão epistemológica ou filosófica. Com poucas exceções, Merton também se distancia das análises acerca da ciência e da cultura. Quando ele inclui os fatores culturais em seu pensamento é em conexão com o conhecimento, e as ligações entre o conhecimento em geral e a ciência recebem pouca atenção (cf. o capítulo 7, "A ciência e a estrutura social democrática").

A exploração sociológica mertoniana da ciência como organização social autoriza certos parâmetros e deslegitima outros. Ela constitui uma lógica e um sistema referencial altamente estruturados que não podem ser violados ou questionados. O sistema referencial compreende um espaço para a descrição e o entendimento, disposto ao longo de dois eixos — o de referentes exclusivos e o de referentes inclusivos. O primeiro opera em detrimento do crescimento da ciência, o outro é propício ao desenvolvimento científico. O sistema é, portanto, polarizado. No trabalho de Merton, não há espaço para a interação entre fatores inclusivos e exclusivos, e eles não são definidos ou explorados historicamente. Ele é inteiramente a-histórico e carente de qualquer forma de dinâmica que poderia introduzir uma força ou movimento dialético. O sistema referencial mertoniano para a categorização da ciência como organização social é marcado, desse modo, por uma rigidez estrutural. O sistema referencial usado por Merton para estudar a ciência articula uma profusão de elementos específicos aos principais tópicos de inclusão e de exclusão. Sob a rubrica da inclusão, pode-se encontrar considerações sobre o desvio, a inovação, o debate, a democracia, a hierarquia/estratificação, o reconhecimento social, as recompensas, as vantagens cumulativas, as normas da ciência e tecnologia. Quanto à exclusão, encontram-se considerações acerca de dogmatismo, autoridade dogmática estabelecida, censura, passividade, totalitarismo, evolução da organização social da ciência, cognição, renovação cognitiva, surgimento de novas disciplinas, interação entre organização social e cognitiva. No caso desses elementos excludentes, os itens que abrem a lista lidam com forças que inibem a ciência, enquanto os últimos itens designam caminhos de investigação rejeitados ou ignorados por Merton, que são, portanto, excluídos de sua pesquisa.

Em seu trabalho pioneiro e talvez o mais citado, *Ciência, tecnologia e sociedade na Inglaterra do século XVII* (*Science and technology and society in seventeenth century England*) (1970 [1938]) — ver os capítulos 2 e 3 —, Merton identifica duas causas principais para a institucionalização da ciência. Ele aponta para a aceleração da tecnologia durante esse período, devido ao crescimento do comércio, à protoindustrialização e ao estímulo produzido por uma sucessão de conflitos militares. A guerra requer inovação sempre crescente em armas de fogo que demandam avanços técnicos em armamentos, explosivos e metalurgia. Do mesmo modo, a navegação militar e comercial forneceu estímulo para a modificação da arquitetura naval, das técnicas de montagem e construção de navios. As artes mecânicas beneficiaram-se igualmente das oportunidades sociais e políticas da Inglaterra do século XVII. Merton deu considerável atenção à apresentação do contexto técnico do surgimento da ciência. Aqui ele percebeu claramente como as forças sociais podem provocar ou barrar o desenvolvimento científico. A ciência, ele sustenta, é largamente dependente de tais fatores exógenos. No caso em questão, a tecnologia ofereceu aos cientistas tanto novos equipamentos como instrumentos úteis para a investigação científica. Inversamente, os avanços científicos retroalimentaram a mudança tecnológica em curso na época. Nesses argumentos, Merton ancora solidamente a ciência tanto em considerações materiais como sociais. Ele enfatiza, desse modo, que a ciência é necessariamente inteligível em termos de seu contexto social e não pode ser dele separada.

Os fatores como classe, educação e, acima de tudo, as práticas relacionadas às crenças ligadas ao puritanismo constituem a segunda corrente causal. A Inglaterra era um país predominantemente anglicano. Os reformadores religiosos compunham uma pequena fração da população. Em um estudo da afiliação religiosa dos filósofos naturais do século XVII inglês, Merton descobriu que uma notável maioria era de puritanos (ver capítulo 1). Ele determinou que a composição social, a educação e as práticas relacionadas às crenças dos puritanos diferiam significativamente das dos anglicanos e que essas diferenças correspondiam a certa inclinação funcional associada com a organização social da ciência. Não pode ser acidental a proximidade disso com a *A ética protestante e o "espírito" do capitalismo*, de Weber (2004 [1904]), e o débito em relação a Weber talvez não tenha sido adequadamente indicado por Merton em seu estudo. E, com efeito, foi a explicação mertoniana acerca do surgimento da ciência em conexão com o puritanismo que se tornou depois sua passagem mais citada.

O indivíduo representa o coração do puritanismo. O indivíduo está diretamente conectado com Deus, diversamente do catolicismo e do anglicanismo, os padres não fazem a mediação entre o crente e a divindade. Os indivíduos leem e são responsáveis por ler e interpretar a Bíblia. Os indivíduos são soberanos na interpretação dos textos, que são tomados então com base na racionalidade. Não há lugar aqui para uma autoridade maior ou para o dogma.

Da mais extrema importância, Deus é visto como o criador da natureza e adorar a Deus é sinônimo de natureza. O estudo do mundo físico, portanto, surge com a adoração de Deus. Através dessa concatenação, os puritanos passam a ver-se a si mesmos como responsáveis pela investigação das leis da natureza enquanto uma expressão das obras de Deus.

Merton determinou estatisticamente o nível educacional superior dos puritanos em relação a outros grupos sociais e que suas profissões também eram elevadas, frequentemente ligadas às profissões eruditas. Isso provinha de sua necessidade de estudar os textos sagrados e, assim, requeria o letramento e o conhecimento. Os puritanos frequentavam a escola por longos períodos e estavam mais frequentemente entre os que completavam a educação universitária. O puritanismo estava igualmente ligado à produtividade. Os puritanos eram um grupo social que se percebia como responsável pela produtividade material, a qual estava associada com a reverência a Deus. Alinhado a isso, eles investiam seu tempo em coisas produtivas e os problemas intelectuais situavam-se nos mais altos níveis da hierarquia. Quando tomada em conjunto, essa combinação de considerações pavimentou o caminho para a ciência, oferecendo um ambiente favorável em termos intelectuais, educacionais e profissionais.

Embora a Sociedade Real de Londres (*Royal Society of London*), fundada em 1660, seja presença importante na análise de Merton sobre as origens da ciência na Inglaterra, ele a usa principalmente como um meio de obter informações biográficas sobre os filósofos naturais mais ativos e mais conhecidos da época. Merton mostrou pouco interesse em identificar o trabalho e as práticas da Sociedade Real. Isso pode ser considerado com uma falha grave para um sociólogo preocupado com a ciência como

Anne Marcovich e Terry Shinn

organização social. A extensão do uso limitado de Merton da Sociedade Real como um determinante central da dinâmica social da ciência tornou-se manifesta no livro de Steve Shapin e Simon Schaffer (1989), no qual os sociólogos históricos demonstram que os limites entre ciência e não ciência foram inicialmente estabelecidos nas operações da Sociedade Real. Enquanto a ciência é pública, as condições sob as quais ela é praticada são controladas, privadas e circunscritas. A ciência é limitada a praticantes especialistas que dominam certas práticas. Eles conhecem e praticam as regras do jogo da ciência, que implicam certas rotinas de debate, aceitação do que conta como evidente, formas de argumentação etc. Ao falhar em reconhecer a centralidade do trabalho e das práticas da Sociedade Real, Merton de fato perdeu um componente crucial das origens da ciência inglesa no século XVII. Não menos importante, ele perdeu a oportunidade de combinar a dinâmica social e a cognitiva — um campo de investigação no qual Merton jamais se aventurou.

Em muitos de seus escritos do período, Merton constantemente enfatizou a correlação estatística entre crença religiosa, níveis educacionais e o avanço ou o retardo da ciência. Em estudos de grupos continentais, ele apresentou pesquisas feitas por professores que demonstram que aquelas regiões que são principalmente católicas experimentam taxas mais baixas de educação secundária e de treinamento universitário. Elas são, além disso, fortemente mais inclinadas aos estudos clássicos do que a temas da filosofia natural e da matemática. Merton insiste que também o protestantismo continental, com todos os traços acima indicados, estimulou a implantação da ciência em oposição a sistemas alternativos de conhecimento, tais como assuntos mais literários.

Para Merton, é suficiente entender o surgimento da ciência como uma organização social institucionalizada em termos de fatores sociais. É desnecessário olhar as raízes da ciência no domínio da filosofia ou da epistemologia. Enquanto a reflexão sobre a natureza e seu estudo antecedem o século XVII, a ciência *per se* esperou pela ocorrência de uma série de correntes sociais positivas. Isso é contrário à perspectiva do historiador da ciência Pitirim Sorokin (1889-1968), que orientou Merton em sua tese de doutorado em Harvard, e foi provavelmente uma das razões da controvérsia que houve entre eles. O debate se deu em torno de temas epistemológicos, a relevância da cultura e das relações entre a cultura e a análise sociológica.

Em um de seus livros, Sorokin (1937) propôs uma teoria do desenvolvimento histórico da ciência que atenta para três fatores:

(1) as invariâncias que se expressam tanto no plano cognitivo como no cultural, o conceito de "consistência lógica";

(2) uma forte ênfase na cognição *per se*;

(3) um reconhecimento tácito da centralidade da epistemologia e uma inclinação para uma posição ontológica.

A invariância enfatizada por Sorokin refere-se a três categorias das relações humanas com o mundo "ideacional" (religião), "sensível" (experencial) e "idealista" (abstrato ou matemático). A prevalência de cada uma dessas categorias em um período histórico determina a tonalidade de uma cultura, a emergência de temas de pesquisa particulares e o desenvolvimento de técnicas e métodos específicos para o tratamento de objetos selecionados. A rejeição por parte de Merton dessa invariância, cognição e ontologia marca muito de seu trabalho. Ele circunscreveu seu enfoque ao estudo das origens da ciência, no qual não há menção a questões cognitivas e as considerações acerca da cultura são reduzidas a considerações fragmentadas estritamente sociológicas. Dois ensaios de Merton sobre a sociologia do conhecimento oferecem referências para o entendimento dessa orientação (ver os capítulos 4 e 5). Neles, Merton descreve a ligação entre um grupo social específico tomado como uma classe e a questão da validação ou falsificação da ciência e, mais geralmente, da verdade. Ele rejeita a ideia de que a classe ou a raça afete a validade do pensa-

Anne Marcovich e Terry Shinn

mento. Nesse sentido, ele dispensa a teoria cognitiva do sociólogo do conhecimento Karl Mannheim (1893-1947), que estabeleceu uma forte vinculação entre a verdade e a produção intelectual de certa classe social. Uma classe utópica que, em contraste com as outras classes sociais, é livre de interesses particularistas, o que lhe confere possibilidades únicas. Ela pode determinar e impor o que é a verdade. Merton rejeita essa ideia, negando a utopia de Mannheim e sua verdade, possivelmente porque ela não admite nenhuma possibilidade de contradição e debate. Merton insiste que o bom da ciência está conectado com a liberdade de pensamento e a controvérsia.

O artigo intitulado "A ciência e a ordem social" (ver o capítulo 6) pode ser visto como um panfleto militante contra o totalitarismo e a favor de uma ciência baseada na democracia. Publicado em 1938, ele é amplamente orientado contra o regime nazista. Em seu artigo, Merton mostra que a ciência pode ser empreendida em regimes tais como o nazismo, mas ela só é mantida e floresce quando serve aos propósitos e interesses do regime. Ele também argumenta que a ciência é radicalmente separada do público que é mantido em um estado irracional e desinformado, rejeitando todas as formas de atividade intelectual. É preciso notar que, nesse ensaio, Merton não apresenta evidências de suporte. Encontra-se aqui uma sucessão de afirmações e opiniões.

O ensaio intitulado "A máquina, o trabalhador e o engenheiro" (ver o capítulo 9) também tem muitos elementos de um panfleto. Merton descreve as relações entre trabalhadores, máquinas e engenheiros e aborda mais especificamente a obsolescência e o deslocamento do trabalhador como consequências da mudança tecnológica. Conforme a tecnologia avança, menos trabalhadores são requeridos em muitos setores econômicos. A mudança tecnológica resulta em mudança da rotina do trabalho e modifica o ambiente social imediato do trabalhador e sua própria posição na sociedade. A introdução de máquinas que poupam trabalho

ROBERT K. MERTON, FUNDADOR DA SOCIOLOGIA DA CIÊNCIA

frequentemente leva ao desemprego e as novas tecnologias gerenciais aumentam a insegurança do trabalhador. Os engenheiros são muitas vezes responsáveis pela mudança tecnológica e pela necessidade de adaptação que resulta em deslocamento. A esse respeito, os engenheiros são social e politicamente responsáveis pela instabilidade e o descontentamento social. Enquanto eles aceitam responsabilidades pelas transformações materiais, tendem a rejeitar a responsabilidade social. Eles medem a *performance* em termos de efetividade e tendem a transferir a responsabilidade para os gerentes. Merton insistiu que os engenheiros precisam afastar-se do compromisso com a empresa e orientarem-se a favor do sistema social mais amplo. O tema desse ensaio é uma demanda por pesquisa social na qual as ciências sociais e a sociologia desempenham um papel fundamental na decisão da forma futura da tecnologia e das políticas gerenciais da empresa. Ele insiste na necessidade de pesquisa social e clama pelo estabelecimento dos especialistas. No passado, a política foi tragicamente o monopólio dos gerentes. Os cientistas sociais especializados estão mais bem preparados para iluminar os aspectos gerenciais e para operar como uma ponte entre os trabalhadores e os gerentes. Vê-se aqui que Merton faz um apelo para o crescimento da profissionalização da ciência social e por sua penetração em um setor novo e crucial. Note-se, entretanto, que ele não oferece *insights* sobre a forma de cognição a ser desenvolvida ou o método requerido para conduzir a pesquisa. Ele está tipicamente preocupado com as formas da organização social da ciência e da tecnologia e não com a sua substância.

Em 1942, Merton publicou seu segundo texto desbravador, "A ciência e a estrutura social democrática" (ver o capítulo 7), no qual propôs que a ciência incorpora quatro perspectivas/atitudes fundacionais. "Cosmopolitismo", "universalismo", "desinteresse" e "ceticismo organizado" englobam os elementos. Como será indicado abaixo, o *status* dessas normas na ciência não é claro; o que é preocupante, pois esse *status* é de suma importância para o entendimento da ciência.

• *Cosmopolitismo*: na ciência, as descobertas e o aprendizado não são propriedades privadas do indivíduo que os desenvolve. Eles são, ao invés disso, bens comuns de toda a comunidade e todos estão livres para usar os resultados ilimitadamente. O conceito e o *status* legal de "propriedade intelectual" estão ausentes da ciência.

• *Universalismo*: as alegações de validade do conhecimento são baseadas em critérios intelectuais críticos. Elementos tais como classe social, religião, raça e nacionalidade não contam na determinação da validade dos resultados científicos.

• *Desinteresse*: a ciência é impessoal.

• *Ceticismo organizado*: as alegações de conhecimento são cuidadosamente escrutinadas na ciência. Nada é garantido. A autoridade estabelecida não é suficiente para sustentar uma alegação. A atenção crítica é onipresente.

O mecanismo operacional dessas normas, tal como pretendido por Merton, não é claro. Três interpretações principais são possíveis:

(1) As normas descrevem a comunidade científica, distinguindo-a de outros grupos e profissões. Nesse cenário, elas não governam as atividades, antes indicam a configuração da comunidade.

(2) As normas constituem uma espécie de tipo ideal que ilumina as ações de cientistas individuais. Elas fornecem um ponto de referência. Aqui elas funcionam tanto como discurso quanto como um marcador, mas elas não são compulsórias.

(3) As normas representam uma norma severamente imposta que os cientistas respeitam. A obediência é assegurada por sanções. Esse terceiro cenário implicaria que o cientista individual incorpora as normas e que elas guiam os requisitos da prática de pesquisa.

Em seu livro, Ian Mitroff (1974) explora o funcionamento das normas mertonianas à luz de um estudo empírico baseado em entrevistas com os engenheiros que participaram das missões Apolo durante a década de 1960. Mitroff descobriu que os engenheiros algumas vezes subscrevem e seguem as normas no curso de seu trabalho enquanto outras vezes eles as ignoram. Em certos casos, prevalecem o que se poderia descrever como contranormas. Mitroff concluiu que as normas de Merton são funcionalmente importantes na ciência, mas não como absolutos, já que o contrário delas está também fortemente presente. Para compreender o funcionamento da ciência, declara Mitroff, é necessário conceber as normas em termos de um espectro polarizado entre a norma e a contranorma. O funcionamento da ciência na prática move-se ao longo desse contínuo, conforme os cientistas gravitam de um extremo polarizado ao outro. Mitroff aceita, portanto, as normas de Merton, mas em uma forma altamente diluída, e ele as molda a uma luz muito distante de qualquer das intenções que o próprio Merton deve ter tido em mente quando escreveu seu famoso artigo.

Em dois artigos acerca do que Merton designou de "efeito Mateus", o primeiro publicado em 1962 e o segundo surgido anos depois (ver o capítulo 8), o autor focaliza os processos psicossociológicos que afetam a alocação de recompensas aos cientistas por suas contribuições e o fluxo de ideias através do sistema de comunicação científico. A recompensa de um cientista por um trabalho original benfeito toma a forma de reconhecimento por parte de seus colegas pesquisadores. Os cientistas beneficiados por altas taxas de citação de seu trabalho tendem a continuar a ser altamente citados no futuro, em comparação com os níveis de citação das pessoas que não foram anteriormente muito citadas. Dito de outra forma, isso significa que os pesquisadores altamente reconhecidos tendem a manter um nível elevado de reconhecimento pelos pares, independentemente de suas atividades futuras. O reconhecimento que continuam a receber provém das realizações anteriores intensamente citadas. Por exemplo, se uma pessoa seriamente reconhecida assina conjuntamente um artigo com colegas menos conhecidos, é o nome do primeiro cientista que é associado automaticamente com a nova publicação, mais do que os nomes de seus colaboradores. Em suma, ali opera um sistema de "reconhecimento e recompensa cumulativos", para adotar a terminologia de Merton. Baseado em uma passagem da Bíblia, Merton refere-se a isso como o "efeito Mateus": "para todo aquele que tem, mais será dado e ele terá abundância; mas daquele que não tem, será tirado inclusive o que tem". Em outras palavras, o acréscimo de maiores incrementos de reconhecimento aos cientistas que já conquistaram grandes reputações e a diminuição do reconhecimento para os cientistas que não fizeram um nome. Merton chega a sugerir que reconhecimento e recompensa juntam-se a outros fatores como o *ranking* do departamento e da universidade na hierarquia institucional, o prestígio do periódico em que é feita a publicação etc. Ele também aponta para o fato de que, através de um mecanismo de legitimação por associação, a simples assinatura de uma pessoa bem conhecida em um artigo é capaz de fazer da asserção científica nele contida uma ideia importante e amplamente reconhecida. Quanto a isso, a vantagem cumulativa afeta o próprio conteúdo da ciência. Entretanto, essa conjunção entre considerações intelectuais e sociais constitui o único caso de tal interação, ou, na melhor situação, um caso de um simples punhado, proposto por Merton. Pode-se, portanto, manter o lamento acima expresso de que Merton realmente negligencia ou recusa-se a interrogar tópicos ligados à dinâmica cognitivo-social.

O reforço desses "privilegiados" pelo próprio sistema científico que os promoveu mantém sua posição e similarmente determina a inclusão e exclusão de membros da comunidade científica no estrato de poder e reconhecimento, com base em sua associação e aderência às normas. Aquele que está no estrato mais alto (elite) graças a múltiplos fatores dos quais se beneficia

ROBERT K. MERTON, FUNDADOR DA SOCIOLOGIA DA CIÊNCIA

nada pode fazer senão perpetuá-los, fortalecendo a fronteira que os protege; aquele que foi excluído desses estratos privilegiados mantém-se fora do sistema de recompensas, preso a um estrato mais baixo do qual não há esperança de escapar.

Nesse artigo, Merton também discute o funcionamento simbólico da propriedade intelectual no processo de pesquisa. Na ciência, a riqueza constitui o estoque de conhecimento, enquanto o lucro toma a forma de reconhecimento desse aprendizado pelos pares. É somente tornando público os resultados de pesquisa para outros cientistas que um indivíduo pode obter os direitos de propriedade de seus achados. Dito de outro modo, isso significa que é exclusivamente tornando-o público que um indivíduo gera proveitos para seu trabalho privado. No nível simbólico, o lucro é obtido dessa propriedade pública somente quando outros cientistas reconhecem sua utilidade na forma de citações, em suas próprias publicações. Ao fazer isso, eles compram a propriedade oferecida pelo pesquisador inovador. Nessa análise, Merton baseia seu pensamento nos princípios da troca capitalista, mas, em certos aspectos, ele coloca sua lógica de ponta-cabeça. Essa passagem do artigo é interessante, porque, desta vez, Merton introduz os elementos simbólicos em suas considerações sobre o sistema científico. É uma pena que ele não tenha levado um pouco adiante essa linha de pensamento altamente produtiva. De fato, foi Pierre Bourdieu quem articulou mais completamente os conceitos de diferentes formas de capital na ciência, e particularmente o capital simbólico, em suas renomadas publicações de 1975 e 2001.

Ao ler as páginas precedentes, o leitor atento pode bem ter se questionado acerca das suposições analíticas não declaradas de Merton. Três passagens são notáveis aqui:

(1) em seu estudo das origens da ciência inglesa no século XVII, Merton enfatiza o significado dos indivíduos e das crenças individuais no interior do puritanismo para o surgimento da ciência;

(2) a análise da estrutura normativa da ciência, mais uma vez, parece privilegiar a ligação entre as normas e a ideologia individual ou mesmo a prática no nível individual;

(3) finalmente, o próprio conceito de vantagem cumulativa situa-se em um enquadramento da ação individual.

A sociologia da ciência de Merton é poderosamente marcada por uma visão da ordem social baseada no indivíduo. Mesmo quando considera explicitamente questões que são agudamente coletivas, Merton frequentemente tende a abordá-las do ponto de vista da estratégia, benefícios e possíveis dificuldades dos indivíduos. Pouco pode ser encontrado nos seus escritos que privilegie uma perspectiva mais ampla, coletiva. Embora o sociólogo proponha o estudo da organização da comunidade científica, a comunidade *per se* recebe somente atenção marginal. Ao contrário, Merton inclina-se a empregar a comunidade como um cenário, um ambiente para a elucidação de tendências e fatores associados ao comportamento individual, que somente se conecta de modo muito fraco à comunidade. De fato, os comentários sociológicos de Merton no nível analítico da comunidade tendem a ser relativamente imperativos e mesmo superficiais, dificilmente levando em conta a evolução histórica da comunidade, o fato de que ela é segmentada em disciplinas cujo número e fronteiras estão constantemente mudando (cf. Morange, 2003; Nye, 1999; Hoddeson, 1992), e que a interação entre a ciência, as instituições e os interesses sociais mais amplos está sujeita a importantes transformações (cf. Etzkowitz & Leydesdorff, 1997).

O sociólogo francês Michel Dubois (1999) introduziu a ideia de dois círculos de mertonianos: os trabalhos de Warren Hagstrom e dos irmãos Jonathan e Stephen Cole são emblemáticos da pesquisa de inspiração mertoniana do primeiro círculo. Hagstrom (1965) é particularmente notável e, de fato, mereceria mais atenção do que aquela que lhe é dada aqui, por seu uso interessante, altamente nuançado, de conceitos introduzidos por Marcel Mauss

(1950), o "dom" e o "contradom". Seu propósito é vincular o processo de produção científica à troca de dons e contradons, no interior dos subconjuntos das comunidades científicas.

De sua parte, Cole e Cole (1973) pertencem a uma concepção funcionalista das origens da desigualdade na ciência. Seu objetivo era mostrar uma relação entre o que eles chamam de "necessidades sociais" no interior da ciência, ou seja, reagir ao conhecimento e promovê-lo, e as diferenças entre os níveis de reconhecimento que recebem. Cole e Cole oferecem resposta à seguinte questão: a distribuição desigual dos indivíduos no interior da estrutura estratificada da ciência pode ser explicada pelas desigualdades na organização social e nas hierarquias das estruturas e atividades científicas? Baseados em uma amostra de físicos de 58 departamentos de diferentes universidades, eles examinaram os cientistas em relação à idade, padrão do departamento universitário, produtividade, prêmios e uma medida da "qualidade social" das publicações, baseada no *Science citation index* (Índice de citação científica). Tem-se aqui um exemplo de medida da posição e classificação de indivíduos em um sistema social normativo que se define a si próprio e, ao mesmo tempo, define o que é medido. Isso constitui uma extensão da orientação mertoniana na qual muros impenetráveis separam o conteúdo cognitivo do contexto altamente normativo no interior do qual ele é produzido. A estratificação de Cole e Cole é um sistema de reforço do contexto que fixa a posição dos indivíduos (cf. Cole & Cole, 1973).

No segundo círculo de discípulos mertonianos, merece atenção particular o caso de Joseph Ben-David (1920-1986). Assim como Merton, Ben-David elabora o conceito de papel na ciência. Da maior importância é ele ter conseguido conectar a noção de papel à cognição. Notavelmente, ele gera um conceito inovador, nomeado "hibridização de papéis", pelo qual designa dois tipos de papéis: (1) um papel intelectual disciplinar e (2) um papel profissional institucional. Nesse contexto, uma pesquisa individualmente conduzida em um domínio intelectualmente prestigioso que, no entanto, não oferece oportunidade para avanços profissionais abandona a disciplina, movendo-se para um campo institucionalmente promissor, mas cognitivamente inerte. Ela ganha prestígio profissional às custas da estagnação intelectual (Ben-David, 1971). Por exemplo, Wundt (1832-1920), que inicialmente conduziu sua pesquisa em fisiologia, área na qual havia pouca possibilidade de avanço profissional e considerável prestígio intelectual, optou por transferir-se para a disciplina de filosofia, na qual existiam muitas possibilidades profissionais institucionais, embora carentes de prestígio cognitivo. Wundt logo ficou insatisfeito com sua situação de isolamento cognitivo. Ele resolveu o paradoxo através da hibridização de papéis, primeiro entrando em um ramo da filosofia, a psicologia, e então criando a nova disciplina da psicologia experimental, que ligava a filosofia aos métodos experimentais e à precisão da fisiologia (cf. Ben-David, 1960).

O enfoque de Ben-David diverge consideravelmente daquele de Merton cuja perspectiva centra-se em uma interpretação estática dos papéis quanto a *status*, produção científica e o contexto de inserção e assimilação dos indivíduos em sua comunidade científica. Essa noção de sistema referencial que é central na análise de Merton existe em diferentes escolas de sociologia. Por exemplo, no enfoque etnometodológico, as interações sociais são estudadas como um sistema referencial fortemente organizado. No caso dos programas construtivistas, o conteúdo científico é considerado como uma consequência de seu contexto, incluindo os objetos (cf. Latour, 1979; Bloor, 1976).

O enfoque de Merton situa-se em uma corrente sociológica mais ampla, associada à profissionalização e, em particular, aos estudos sobre a profissionalização da ciência. Recentemente, essa orientação deu lugar a outros sistemas de representação, categorização e explanação, que podem ser encontrados, por exemplo, na escola da nova produção de conhecimento, que é emblemática do pensamento pós-moderno que aborda a ciência e a tecnologia (cf. Gibbons, 1994).

Para concluir este breve ensaio crítico, resta um ponto-chave final sobre a sociologia da ciência mertoniana. Em um perceptivo ensaio publicado em *Isis*, Thomas Gieryn (1988) argumentou que o que confere coerência às múltiplas contribuições de Merton é o que ele chama de "diferenciação institucional". Enquanto os primeiros escritos de Merton lidam principalmente com aspectos externos da ciência, suas últimas contribuições focalizam elementos mais internos da estratificação da comunidade. Nos textos que tratam do puritanismo e do nascimento da ciência, Merton diferencia entre os componentes sagrados da religião e a parte do pensamento e das práticas religiosas que alimentaram a ciência — portanto, ainda um tipo de diferenciação institucional. Em suas contribuições mais recentes, Merton e seus discípulos enfatizaram sem cessar as diferenças entre a ciência e o que está fora dela. Aqui a ideia é que, ao longo da história, as instituições desenvolvem um grau crescente de diferenciação pelo qual se separam uma da outra e em nenhum lugar mais do que na ciência em relação às outras esferas (cf. Gieryn, 1988).

Esse tema da propensão diferenciacionista da sociologia da ciência mertoniana foi posteriormente desenvolvido por Terry Shinn e Pascal Ragouet (2008), que descrevem o corpo principal da sociologia da ciência pré-kuhniana e construtivista como "diferenciacionista". A confiabilidade desse conceito depende de que, nas primeiras décadas da sociologia da ciência, a maior parte dos textos escritos enfatizam as distinções entre ciência e não ciência, de modo explícito ou implícito. Defende-se que a ciência perderia sua efetividade se convergisse para a não ciência. A autonomia da ciência é, portanto, central. A intrusão da não ciência na ciência mostrar-se-ia prejudicial e mesmo talvez totalmente destrutiva. Por outro lado, Shinn e Ragouet referem--se à sociologia da ciência construtivista e relativista como "antidiferenciacionista". Aqui a ideia de qualquer distinção entre a ciência e a sociedade é totalmente rejeitada. A ciência não possui características diferenciadoras próprias. Ciência e sociedade são, ao invés disso, sinônimos. São as interações, a política e o jogo social que constituem a ciência, que nada mais é que uma produção cultural e social. Aqui está então a verdadeira antítese do diferenciacionismo mertoniano. É igualmente possível olhar para a ciência como funcionando em um sistema que transcende as perspectivas acima mencionadas. A ciência e a tecnologia podem ser consideradas como consistindo de muitos regimes de produção e difusão de conhecimento. Pode-se especificar um regime disciplinar, um regime utilitário, um regime transitório e um regime de pesquisa-tecnologia. Cada regime possui uma medida de autonomia, ao mesmo tempo que está conectado aos outros regimes. Quebra-se o círculo vicioso da ciência como totalmente autônoma ou totalmente dependente da sociedade. Nesses sistemas transversais, cada um dos regimes é provavelmente ligado a diferentes facetas de domínios extracientíficos — indústria, forças armadas, sistemas de padronização e regulações etc. Existem interações entre os regimes de ciência e tecnologia, por um lado, e a sociedade mais ampla, por outro. Pode ser frutífero examinar e interpretar a sociologia da ciência de Merton à luz desse sistema transversal de produção e difusão de conhecimento científico e tecnológico mais recente e alternativo.

Anne Marcovich
Terry Shinn

Referências bibliográficas

ADRIAN, E. D. *Factors determining human behaviour*. Cambridge: Harvard Tercentenary Publications, 1937.

ADVANCEMENT of science and society: proposed world association. *Nature*, 141, 1938.

AGAINST the bourgeois ideology of cosmopolitanism. *Current Digest of the Soviet Press*, 1, 1, 1/Feb./1949.

AGNEW, D. C. A. *Protestant exiles from France*. Edinburgh: [private circulation], 1866.

ALLISON, P. D. & STEWART, J. A. Productivity differences among scientists: evidence for accumulative advantage. *American Sociological Review*, 39, p. 596-606, 1974.

_____ & _____. Reply to Faia. *American Sociological Review*, 40, p. 829-31, 1975.

ALLISON, P. D.; LONG, J. S. & KRAUZE, T. Cumulative advantage and inequality in science. *American Sociological Review*, 47, p. 615-25, 1982.

ANDERSON, R. *The genuine use and effects of the gunne*. London: J. Darby, 1674.

_____. *To hit a mark*. London: R. Morden, 1690.

BAEUMLER, A. *Männerbund und Wissenschaft*. Berlin: Junker & Dünnhaupt, 1934.

BAIN, R. Scientist as citizen. *Social Forces*, 11, p. 412-15, 1933.

BARBER, B. *Science and the social order*. Glencoe: The Free Press, 1952.

_____. *Social stratification: a comparative analysis of structure and process*. New York: Harcourt, 1957.

BARCLAY, R. *An apology for the true Christian divinity*. Philadelphia: Kimber, Conrad & Co., 1805 [1675].

BARNES, H. E.; BECKER, H. & BECKER, F. B. (Ed.). *Contemporary social theory*. New York: Appleton, 1940.

BARROW, I. *Opuscula*. London, folio, 1697.

BAVINK, B. *Ergebnisse und Probleme der Naturwissenschaften*. Leipzig: Hirzel, 1930.

BAXTER, R. *Christian directory*. London: R. Edwards, 1825 [1664]. 5 v.

BAYET, A. *La morale de la science*. Paris: PUF, 1931.

BECK, L. *Die Geschichte des Eisens in technischer und kulturgeschichtlicher Beziehung*. Braunschweig: F. Vieweg, 1884-1903. 5 v.

BECK, T. *Beiträge zur Geschichte des Maschinenbaues*. Berlin: Springer, 1900.

BECKER, H. & DAHLKE, H. O. Max Scheler's sociology of knowledge. *Philosophy and Phenomenological Research*, 2, p. 310-22, March 1942.

BEN-DAVID, J. Roles and innovations in medicine. *American Journal of Sociology*, 65, p. 557-68, 1960.

_____. *The scientist' role in society: a comparative study*. Englewoods Cliff, NJ: Prentice-Hall, 1971.

BENOIT-SMULLYAN, E. Granet's *La pensée chinoise*. *American Sociological Review*, 1, p. 487-92, 1936.

BERELSON, B. *Content analysis*. Glencoe: The Free Press, 1951.

BERNAL, J. D. *The social function of science*. New York: Macmillan, 1939.

BINNING, T. *A light to the art of gunnery*. London: J. Darby, 1689.

BIRCH, T. *The history of the Royal Society of London*. London: A. Millar, 1756. 4v.

BLONDEL, Mons. *L'art de jetter les bombes*. La Haye: A. Leers, 1685.

BLOOR, D. *Knowledge and social imagery*. London: Routledge & Kegan Paul, 1976.

BOREL, E. *Religion und Beruf*. Basel: Wittmer & Cie., 1930.

_____. Die Bevölkerung des Kantons Basel-Stadt. *Mitteilungen des Statistischen Amtes des Kantons Basel-Stadt*, 1932.

BORKENAU, F. *Der Übergang vom feudalen zum bürgerlichen Weltbild*. Paris: Alcan, 1934.

BOURCHENIN, P. D. *Étude sur les académies protestantes en France au XVIe et XVIIe siècle*. Paris: Grassart, 1882.

BOURDIEU. P. The specificity of the scientific field and the social conditions of the progress of reason. *Social Science Information*, 14, 6, p. 19-47, 1975.

_____. *Science de la science et réflexivité*. Paris: Raisons d'Agir, 2001.

BOURNE, W. *The arte of shooting in great ordnance*. London: [s.n.], 1643.

BOUTROUX, E. *Pascal*. Translation E. M. Creak. Manchester: Sherratt & Hugues, 1902.

BOYLE, R. *Some considerations touching the usefulness of experimental natural philosophy*. Oxford: R. Davis, 1664.

BRADY, R. A. *The spirit and structure of German fascism*. New York: Viking, 1937.

BUCKLE, H. T. *History of civilization in England*. New York: [s.n.], 1925.

BUKHARIN, N. *Historical materialism*. New York: International Publishers, 1925.

____ (Ed.). *Science at the crossroads*. London: Kniga, 1932.

BURTT, E. A. *The metaphysical foundations of modern physical science*. London: Routledge & Kegan Paul, 1925.

____. The contemporary significance of Newton's metaphysics. In: GREENSTREET, W. J. (Ed.). *Isaac Newton 1642-1727, a memorial volume*. London: Bell & Sons, 1927. p. 137-40.

BUSH, V. Trends in engineering research. *Sigma Xi Quarterly*, 22, 2, p. 45-51, 1934.

CANDOLLE, A. DE. *Histoire des sciences et des savants*. Geneva-Basel: H. Georg, 1885.

CARROLL, J. W. Merton's thesis on English science. *American Journal of Economics and Sociology*, 13, p. 427-32, 1954.

CHEVALIER, J. *Pascal*. New York: Longmans, Green & Co., 1930.

CHILD, A. The problem of imputation in the sociology of knowledge. *Ethics*, 51, p. 200-14, 1941.

CLARK, G. N. *The seventeenth century*. Oxford: Oxford University Press, 1929.

____. Social and economic aspects of science in the age of Newton. *Economic History*, 3, p. 362-79, 1937.

CLARK, R. W. *The life and work of J. B. S. Haldane*. New York: Coward McCann, 1969.

CLOWES, W. L. et al. *The Royal Navi*. London: S. Low, Marston, 1898. 7 v.

COHEN, I. B. & BARBER, B. *Science and war* (ms.). [s.l.: s.n., s.d.].

COLE, J. R. *Fair science: women in the scientific community*. New York: The Free Press, 1979.

COLE, S. Professional standing and the reception of scientific discoveries. *American Journal of Sociology*, 76, p. 286-306, 1970.

____. Age and scientific performance. *American Journal of Sociology*, 84, p. 958-77, 1979.

COLE, J. R. & COLE, S. *Social stratification in science*. Chicago: University of Chicago Press, 1973.

COMENIUS, J. A. *Opera didactica omnia*. Amsterdam: D. Laurentii de Geer, 1657. 4 v.

____. *The great didactic*. Translation M. W. Keatinge. London: A. & C. Black, 1896.

COMTE, A. *Cours de philosophie positive*. Paris: J. B. Baillière et Fils, 1864. 6 v.

CONANT, J. B. The advancement of learning during the Puritan commonwealth. *Proceedings of the Massachusetts Historical Society*, 66, p. 3-31, 1942.

_____. *On understanding science*. New Haven: Yale University Press, 1947.

COOPER, H. M. & GOOD, T. L. Pygmalion grows up: studies in the expectation communication process. New York/London: Longman, 1983.

COOPER, J. M. Catholics and scientific research. *Commonwealth*, 42, p. 147-9, 1945.

COTES, R. *De descensu gravium, de motu pendulorum in cycloide et de motu projectilium*. Cambridge: [s.n.], 1720.

_____. De motu projectilium. In: SMITH, R. (Ed.). *Opera miscellanea*. Cambridge: [s.n.], 1722. p. 87-91.

CRAGG, G. R. *From puritanism to the age of reason*. Cambridge: Cambridge University Press, 1950.

CRON, L. *Glaubenbekenntnis und höheres Studium*. Heidelberg: A. Wolff, 1900.

CROWTHER, J. G. *The social relations of science*. New York: Macmillan, 1941.

DAHLKE, H. O. The sociology of knowledge. In: BARNES, H. E.; BECKER, H. & BECKER, F. B. (Ed.). *Contemporary social theory*. New York: Appleton, 1940. p. 64-89.

DANNEFER, D. Aging as intracohort differentiation: accentuation, the Matthew effect and the life discourse. *Sociological Forum*, 2, p. 211-36, 1987.

DANTEC, F. Le. Le bluff de la science allemande. In: PETIT, G. & LEUDET, M. (Ed.). *Les allemands et la science*. Paris: Alcan, 1916. p. 243-50.

DARMSTAEDTER, L. *Handbuch zur Geschichte der Naturwissenschaften und der Technik*. Berlin: Springer, 1908.

DELEECK, H. *Het Matteüseffect: de ongelijke verdeling van de sociale overheidsuitgaven in België*. Antwerp: Kluwer, 1983.

DEPAULO, B. M. et al. (Ed.). *New directions in helping*. New York: Academic Press, 1983. 2 v.

DEWEY, J. *Human nature and conduct: an introduction to social psychology*. New York: Henry Holt and Company, 1922.

DILTHEY, W. Pädogogik. Geschichte und Grundlinien des Systems. In: _____. *Gesammelte Schriften*. Leipzig/Berlin: [s.n.], 1934. t. 9.

DRURY, M. O'C. Conversations with Wittgenstein. In: RUSH, R. (Ed.). *Ludwig Wittgenstein personal recollection*. Oxford: Blackwell, 1981. p. 112-98.

DUBOIS, M. *Introduction à la sociologie des sciences*. Paris: PUF, 1999.

REFERÊNCIAS BIBLIOGRÁFICAS

DUHEM, P. *La science allemande*. Paris: Hermann, 1915.

DURKHEIM, É. *The elementary forms of the religious life*. Translation J. W. Swain. New York: Macmillan, 1915.

DURKHEIM, É. & MAUSS, M. De quelques formes primitives de classification. *L'Anné Sociologique*, 6, p. 1-72, 1901-1902.

EDLESTON, J. *Correspondence of sir Isaac Newton and professor Cotes*. London: Routledge, 1850.

ELASHOFF, J. D. & SNOW, R. E. *Pygmalion reconsidered*. Worthington: Jones, 1971.

ELDRED, W. *The gunner's glasse*. London: R. Boydel, 1646.

ELLIS, H. *A study of British genius*. Boston: Hougthon Mifflin, 1926.

ENGEL, E. Beiträge zur Geschichte und Statistik des Unterrichts. *Zeitschrift des Königlich Preussischen Statistischen Bureau*, 9, 1869.

ENGELS, F. *Feuerbach*. Chicago: Kerr, 1903.

_____. *Socialism: utopian and scientific*. Chicago: Kerr, 1910.

ETZKOWITZ, H. Entrepeneurial scientists and entrepenurial universities in American academic science. *Minerva*, 21, p. 198-233, 1983.

ETZKOWITZ, H. & LEYDESDORFF, L. (Ed.). *Universities and the global knowledge economy: a triple helix of university-industry-government relations*. London: Cassell, 1997.

FACAOARU, J. *Soziale Auslese*. Klausenberg: Huber, 1933.

FAIA, M. A. Productivity among scientists: a replication and an elaboration. *American Sociological Review*, 40, p. 825-9, 1975.

FANFANI, A. *Catholicism, protestantism and capitalism*. New York: Sheed/Ward, 1935.

FELDHAUS, F. M. *Die Technik*. Leipzig/Berlin: Engelmann, 1914.

FELMLEE, H. & FELMLEE, D. Structural determinants of stratification in science. *American Sociological Review*, 49, p. 685-97, 1984.

FEUER, L. S. The economic factor in history. *Science and Society*, 4, 2, p. 168-92, 1940.

FLECK, L. *Genesis and development of a scientific fact*. Chicago: University of Chicago Press, 1979.

FONTAINE, W. T. 'Social determination' in the writings of negro scholars. *American Journal of Sociology*, 49, p. 302-15, 1944.

Ensaios de sociologia da ciência

FORSYTH, A. S. Newton's problem of the solid of least resistance. In: GREENSTREET, W. J. (Ed.). *Isaac Newton, 1642-1727*. London: G. Bell, 1927. p. 75-86.

FRANCKE, K. Cotton Mather and August Herman Francke. *Harvard Studies and Notes*, 5, p. 63, 1896.

FRANK, W. *Zukunft und Nation*. Hamburg: Hanseatische Verlagsanstalt, 1935.

FRANTZ, A. Bedeutung der Religionunterschiede für das physische Leben der Bevölkerungen. *Jahrbücher für Nationalökonomie und Statistik*, 11, 1868.

FREUD, S. *New introductory lectures*. New York: Norton, 1933.

FROMM, E. Die gesellschaftliche Bedingtheit der psychoanalytischen Therapie. *Zeitschrift fuer Sozialforschung*, 4, p. 365-97, 1935.

GALILEI, G. *Dialogues concerning two new sciences*. Translation H. Crew & A. de Salvio. New York: Macmillan, 1914 [1638].

GARDNER, M. *In the name of science*. New York: Putnam, 1953.

GARFIELD, E. *Essays of an information scientist*. Philadelphia: ISI Press, 1977.

_____. *Citation indexing: its theory and application in science, technology, and humanities*. New York: Wiley, 1979.

_____. *The awards of science and other essays*. Philadelphia: ISI Press, 1985.

GASTON, J. *The reward system in British and American science*. New York: Wiley, 1978.

GEILKER, C. D. Matthew, Mark, or Luke effect. *Science*, 159, p. 1185, 1968.

GEMSS, W. G. *Statistik der Gymnasialabiturienten im deutschen Reich*. Berlin: Weidmann, 1895.

GEORGE, C. H. A social interpretation of English puritanism. *The Journal of Modern History*, 25, p. 327-42, 1953.

GIBBONS, M. et al. *The new production of knowledge*. London: Sage, 1994.

GIERYN, T. F. Distancing science from religion in seventeenth century England. *Isis*, 79, 4, p. 582-93, Dec. 1988.

GILBERT, G. N. Competition, differentiation and careers in science. *Social Science Information*, 16, p. 103-23, 1977.

GILBERT, LORD BISHOP OF SARUM. *A sermon preached at the funeral of the Honorable Robert Boyle*. London: St. Paul's Church-Yard, 1692.

GILLISPIE, C. C. *Genesis and geology: a study in the relations of scientific thought, natural theology and social opinion in Great Britain, 1790-1850*. Cambridge: Harvard University Press, 1951.

REFERÊNCIAS BIBLIOGRÁFICAS

____. (Ed.). *Dictionary of scientific biography*. New York: Scribner, 1970-1980. 16 v.

GINSBERG, M. *Sociology*. London: T. Butterworth, 1934.

GITTLER, J. B. Possibilities of a sociology of science. *Social Forces*, 18, p. 350-9, 1940.

GOERING, H. *Germany reborn*. London: Methews & Marrot, 1934.

GOLDSTONE, J. A. A deductive explanation of the Matthew effect in science. *Social Studies of Science*, 9, p. 385-92, 1979.

GOSSE, E. Robert Browning. *Dictionary of national biography. Supplement*. London: Smith and Elder, 1901. v.1, p. 306-19.

GRANET, M. *La pensée chinoise*. Paris: Renaissance du Livre, 1934.

GRÉ, G. D. *Science as a social institution*. New York: Doubleday, 1955.

GREENSTREET, W. J. (Ed.). *Isaac Newton 1642-1727, a memorial volume*. London: Bell & Sons, 1927.

GREGG, A. *For future doctors*. Chicago: Chicago University Press, 1957.

GREW, N. *Cosmologia sacra*. London: Rogers, Smith and Walford, 1701.

GRONAU, J. F. W. *Historische Entwicklung der Lehre vom Luftwiderstande*. Danzig: [s.n.], 1868.

GRÜNWALD, E. *Das Problem der Soziologie des Wissens*. Wien/Leipzig: Wilhelm Braumüller, 1934.

GÜNTHER, S. Die mathematischen Studien und Naturwissenschaften an der numbergischen Universität Altdorf. *Mitteilungen des Vereins für Geschichte der Stadt Nürnberg*, 3, 1881.

HAGSTROM, W. O. *The scientific community*. New York: Basic Books, 1965.

HALÉVY, E. *La formation du radicalisme philosophique*. Paris: Alcan, 1901. 3v.

HALLER, W. *The rise of puritanism*. New York: Columbia University Press, 1939.

HALLEY, E. A discourse concerning gravity, and its properties, wherein the descent of heavy bodies, and the motion of projects is breafly, but fully handled: together with the solution of a problem of great use in gunnery. *Philosophical Transactions*, 16, p. 3-21, 1686.

____. A proposition of general use in the art of gunnery. *Philosophical Transactions*, 19, p. 68-72, 1695.

HALLIWELL-PHILLIPS, J. O. (Ed.). *A collection of letters illustrative of the progress of science in England*. London: R. and J. E. Taylor, 1841.

279

Ensaios de sociologia da ciência

HAMILTON, W. Patents and free enterprise. *Temporary National Economic Comitee Monograph*, 31, 1941.

HANS, N. *New trends in education in the eighteenth century*. London: Routledge & Kegan Paul, 1951.

HARDIN, G. The tragedy of the commons. *Science*, 162, p. 1243-7, 1968.

HARGENS, L.; MULLINS, N. C. & HECHT, P. K. Research areas and stratification processes in science. *Social Studies of Science*, 10, p. 55-74, 1980.

HARKNESS, G. *John Calvin: the man and his ethics*. New York: H. Holt & Co., 1931.

HARTSHORNE, E. Y. *The german universities and national socialism*. Cambridge: Harvard University Press, 1937.

HAUKSBEE, F. *Physico-mechanical experiments on various subjects*. London: R. Brugis, 1709.

HAYWARD, F. H. *The unknown Cromwell*. London: G. Allen & Unwin, 1934.

HEATH, A. E. Newton's influence on method in the physical sciences. In: GREENSTREET, W. J. (Ed.). *Isaac Newton: a memorial volume*. London: Bells & Sons, 1927.

HENDERSON, P. A. W. *The life and times of John Wilkins*. London: W. Blackwood & Sons, 1910.

HESSEN, B. The social and economic roots of Newton's "Principia". In: BUKHARIN, N. (Ed.). *Science at the crossroads*. London: Kniga, 1932. p. 147-212.

HEUBAUM, A. Christoph Semlers Realschule und seine Beziehung zu A. H. Francke. *Neue Jahrbücher für Philologie und Pädagogik*, 2, p. 65-77, 1893.

_____. *Geschichte des deutschen Bildungswesens seit der Mitte des siebzehnten Jahrhunderts*. Berlin: Weidmann, 1905. v. 1.

HINDLE, B. Quaker background and science in colonial Philapelphia. *Isis*, 46, p. 243-50, 1955.

_____. *The pursuit of science in revolutionary America, 1735-1789*. Chapel Hill: University of North Carolina Press, 1956.

HODDESON, L. (Ed.). *Out of the crystal maze: chapters from the history of solid-state physics*. New York/Oxford: Oxford University Press, 1992.

HOOYKAAS, R. *Robert Boyle: een studie over Natuurwetenschap en Christendom*. Loosduinen: Kleijwegt, 1943.

_____. Thomas Digges' puritanism. *Archives Internationales d'Histoire des Sciences*, 8, 1955.

280

HUNT, J. G. & BLAIR, J. D. Content, process and the Matthew effect among management academics. *Journal of Management*, 13, p. 191-210, 1987.

HUXLEY, J. *Science and social needs*. New York: Harper/Bros., 1935.

HUYGHENS, C. *Discours de la cause de la pesanteur*. Leiden: [s.n.], 1690.

INGALLS, J. *Interior ballistics*. New York: J. Wiley & Sons, 1912.

JAENSCH, E. R. *Zur Neugestaltung des deutschen Studententums und der Hochshule*. Leipzig: Bart, 1937.

JÄHNS, M. *Geschichte der Kriegswissenschaften*. München: Oldenbourg, 1890. 4v.

_____. *Ueber Krieg, Frieden und Kultur*. Berlin: Allgemeiner verein für Deutsche literatur, 1893.

KELLERMANN, H. *Der Krieg der Geister*. Weimar: A. Duncker, 1915.

KELSEN, H. *Society and nature*. Chicago: University of Chicago Press, 1943.

KHERKHOF, K. *Der Krieg gegen die Deutsche Wissenschaft*. Halle: A. Duncker, 1933.

KNAPP, R. H. & GOODRICH, H. B. *Origins of American scientists*. Chicago: University of Chicago Press, 1952.

KNIGHT, F. H. Economic psychology and the value problem. *Quarterly Journal of Economics*, 39, p. 372-409, 1925.

KNOX, R. *A commentary on the Gospels*. New York: Sheed & Ward, 1952.

KOCHER, P. H. *Science and religion in Elizabethan England*. San Marino: The Huntington Library, 1953.

KOESTLER, A. The intelligentsia. *Horizon*, 9, p. 162-75, 1944.

KRIECK, E. *Nationalpolitische Erziehung*. Leipzig: Armanen Verlag, 1935.

KUHN, T. *The structure of scientific revolutions*. Chicago: University of Chicago Press, 1962.

LANKESTER, E. (Ed.). *Correspondence of John Ray*. London: Ray Society, 1848.

LATOUR, B. *Laboratory life: the social construction of scientific facts*. Beverly Hills: Sage, 1979.

LAZARSFELD, P. & MERTON, R. Studies in radio and film propaganda. *Transactions of the New York Academy of Science*, serie 2, 6, 1943.

LENIN, V. I. The three sources and three component parts of marxism. In: MARX, K. *Selected works*. Moscow: Cooperative Publishing Society, 1935. v.1.

LEVY, H. *The universe of science*. New York: Century Co., 1933.

Lewontin, R. C. & Hubby, J. L. Citation classic. *Current Contents/Life Sciences*, 43, p. 16, 1985.

Lilley, S. Social aspects of the history of science. *Archives Internationales d'Histoire des Sciences*, 28, p. 376-443, 1949.

Lissak, O. M. *Ordnance and gunnery*. New York: John Wiley & Sons, 1915.

Lotka, A. J. The frequency distribution of scientific produtivity. *Journal of the Washington Academy of Sciences*, 16, p. 317-23, 1926.

Luhmann, N. *Social systems*. Stanford: Stanford University Press, 1995.

Lukács, G. *Geschichte und Klassenbewusstsein*. Berlin: Malik, 1923.

Lundberg, G. A.; Bain, R. & Anderson, N. (Ed.). *Trends in American sociology*. New York: Harper, 1929.

MacIver, R. M. *Society: its structure and changes*. New York: Long Smith, 1931.

MacPike, E. F. (Ed.). *Correspondence and papers of Edmund Halley*. Oxford: Clarendon Press, 1932.

Malinowski, B. *Magic, science and religion*. Glencoe: The Free Press, 1948.

Mallet, C. E. *A history of the University of Oxford*. London: Methuen & Co., 1924.

Mandelbaum, M. *The problem of historical knowledge*. New York: Liveright, 1938.

Mannheim, K. Die Bedeutung der Konkurrenz im Gebiete des Geistigen. *Verhandlungen des 6. deutschen Soziologentages*. Tübingen: Mohr Siebeck, 1929. p. 35-83.

_____. Wissenssoziologie. In: Vierkandt, A. (Ed.). *Handwörterbuch der Soziologie*. Stuttgart: F. Enke, 1931. p. 659-80.

_____. *Ideology and utopia: an introduction to the sociology of knowledge*. Translation L. Wirth e E. Shills. New York/London: Harcourt/Kegan Paul, 1936.

_____. Sociology of knowledge. In: _____. *Ideology and utopia: an introduction to the sociology of knowledge*. Translation L. Wirth e E. Shills. New York/London: Harcourt/Kegan Paul, 1936a. Part 5, p. 237-80.

Marquis of Worcester. *A century of the names and scantlings of such inventions, as at present I can call to mind to have tried and perfected...* London: J. Grismond, 1663.

Marx, K. *Der Achtzehnte Brumaire des Louis Bonaparte*. Hamburg: [s.n.], 1885.

_____. *A contribution to the critique of political economy*. Chicago: C. H. Kerr, 1904.

_____. *Selected works*. Moscow: Cooperative Publishing Society, 1935. 2 v.

_____. *Capital*. Chicago: Kerr, 1906. v. 1.

MARX, K. & ENGELS, F. The communist manifesto. In: MARX, K. *Selected works*. Moscow: Cooperative Publishing Society, 1935. v. 1.

_____. & _____. *The German ideology*. New York: International Publishers, 1939.

MARX, L. Review of Perry Miller "The New England mind: from colony to province". *Isis*, 47, p. 80-1, 1956.

MASON, F. S. The scientific revolution and the protestant reformation, I. Calvin and Servetus in relation to the new astronomy and the theory of the circulation of the blood. II. Lutheranism in relation to iatrochemistry and German nature philosophy". *Annals of Science*, 9, p. 64-87, p. 154-75, 1953.

MASSON, D. *The life of John Milton*. London: [s.n.], 1875.

MAUSS, M. Essai sur le don. Forme et raison de l'échange dans les sociétés archaïques. In: _____. *Sociologie et anthropologie*. Paris: PUF, 1950.

MATURANA, H. R. & VARELA, F. J. *The tree of knowledge*: The biological roots of human understanding. Boston: Shambhala, 1995.

McLACHLAN, H. *English education under the test acts: being the history of the nonconformist academics, 1662-1820*. Manchester: Manchester University Press, 1931.

McNEILL, J. T. *The history and character of calvinism*. New York: Oxford University Press, 1954.

MERRIAM, C. E. *Political power*. New York: Whittlesey House, 1934.

MERTON, R. K. Science and military technique. *The Scientific Monthly*, 41, 6, p. 542-5, 1935a.

_____. Fluctuations in the rate of industrial invention. *Quarterly Journal of Economics*, 49, 3, p. 454-74, 1935b.

_____. Civilization and culture. *Sociology and Social Research*, 21, p. 103-13, 1936a.

_____. The unanticipated consequences of purposive social action. *American Sociological Review*, 1, 6, p. 894-904, 1936b.

_____. Science, technology and society in seventeenth century England. *Osiris*, 4, p. 360-632, 1938. (History of Science Monographs)

_____. Role of the intellectual in public policy. *American Sociological Society*, Dec. 4, 1943.

_____. *Social theory and social structure*. 2 ed. Glencoe: The Free Press, 1957.

Ensaios de sociologia da ciência

_____. Karl Mannheim and the sociology of knowledge. In: _____. *Social theory and social structure*. Glencoe: The Free Press, 1957a. p. 489-508.

_____. *On the shoulders of giants: a shandean postcript*. New York: The Free Press, 1965.

_____. The Matthew effect in science. The reward and communication systems of science are considered. *Science*, 159, p. 56-63, 1968a.

_____. *Social theory and social structure*. 3 ed. New York: The Free Press, 1968b.

_____. *Science, technology and society in seventeenth century England*. New York: Harper, 1970 [1938].

_____. Appendix A. In: _____. *Science, technology and society in seventeenth century England*. New York: Harper & Row, 1970 [1938]. p. 239-61.

_____. *The sociology of science. Theoretical and empirical investigations*. Chicago/London: University of Chicago Press, 1973.

_____. "Recognition" and "Excellence": instructive ambiguities. In: _____. *The sociology of science. Theoretical and empirical investigations*. Chicago/London: University of Chicago Press, 1973a. p. 419-38.

_____. Priorities in scientific discoveries. In: _____. *The sociology of science. Theoretical and empirical investigations*. Chicago/London: University of Chicago Press, 1973 [1957]. p. 286-324.

_____. *Sociological ambivalence*. New York: The Free Press, 1976.

_____. *The sociology of science: an episodic memoir*. Carbondale: Southern Illinois University Press, 1979a.

_____. The evolving grammar of citation analysis. In: GARFIELD, E. (Ed.). *Citation indexing: its theory and application in science, technology, and humanities*. New York: Wiley, 1979b.

_____. *Social research and the practicing professions*. Cambridge: Abt Books, 1982.

_____. George Sarton: episodic recollections by an unruly apprentice. *Isis*, 76, p. 470-86, 1985.

MERTON, R. K. & BARBER, E. Sociological ambivalence. In: MERTON, R. K. *Sociological ambivalence*. New York: The Free Press, 1976. p. 3-31.

MERTON, V.; MERTON, R. K. & BARBER, E. Client ambivalence in professional relationships. In: DePAULO, B. M. et al. (Ed.). *New directions in helping*. New York: Academic Press, 1983. v. 2, p. 13-44.

METTERMEIR, R. & KNORR, K. D. Scientific productivity and accumulative advantage: a thesis reassessed in the light of international data. *R & D Management*, 9, p. 235-9, 1979.

MICHAELIS, J. D. *Raisonnement über die protestantischen Universitäten in Deutschland*. Frankfurt: [s.n.], 1768. v. 1.

MICHELS, R. Intellectuals. In: SELIGMAN, E. (Ed.). *Encyclopedia of the social sciences*. New York: Macmillan, 1932. v. 8, p. 118-26.

MILLER, P. *The New England mind: from colony to province*. Cambridge: Harvard University Press, 1954.

MILLS, C. W. Language, logic and culture. *American Sociological Review*, 4, p. 670-80, 1939.

____. The professional ideology of social pathologists. *American Journal of Sociology*, 49, p. 165-90, 1943.

____. The social role of the intellectual. *Politics*, 1, Apr. 1944.

MITROFF, I. *The subjective side of science: a philosophical inquiry into the psychology of Apollo moon scientists*. Amsterdam: Elsevier, 1974.

MORANGE, M. *Histoire de la biologie moléculaire*. Paris: La Découverte, 2003.

MORISON, S. E. Astronomy at colonial Harvard. *New England Quartely*, 7, p. 3-24, 1934.

MORLAND, S. Autobiography of Sir Samuel Morland. In: HALLIWELL-PHILLIPS, J. O. (Ed.). *A collection of letters illustrative of the progress of science in England*. London: R. and J. E. Taylor, 1841.

MUELLER-FREIENFELS, R. *Psychologie der Wissenschaft*. Leipzig: J. A. Barth, 1936.

MULLINGER, J. B. *Cambridge characteristics in the seventeenth century*. London: Macmillan, 1867.

MUMFORD, L. *Technics and civilization*. New York: Harcourt Brace, 1934.

MYRDAL, G. *An American dilemma*. New York: Harper, 1944. 2v.

NATIONAL Science Foundation. *Federal support to universities, colleges and selected nonprofit institutions, fiscal year 1981*. Washington: U.S. Government Printing Office, 1983.

____. *Grants and awards for fiscal year 1983*. Washington: U.S. Government Printing Office, 1984.

NEEDHAM, J. *Time: the refreshing river*. New York: Macmillan, 1943.

NEWTON, I. *Mathematical principles of natural philosophy*. Translation A. Motte. London: B. Motte, 1729. 2v. (*Principia*)

NICHOLAS, M. Les académies protestantes de Montauban et de Nimes. *Bulletin de la Société de L'Histoire du Protestantisme Français*, 4, p. 35-48, 1858.

NYE, M. J. *Before big science: the pursuit of modern chemistry and physics, 1800-1940*. Cambridge: Harvard University Press, 1999.

NORTH, J. D. Arthur Cayley. In: GILLISPIE, C. C. (Ed.). *Dictionary of scientific biography*. New York: Scribner, 1970-1980. v. 3.

OCKENDEN, R. E. Answer to "Query n. 53. Standing on the shoulders of giants". *Isis*, 25, 2, p. 451-2, 1936.

ODIN, A. *Genèse des grands hommes*. Paris: H. Welter, 1895. 2 v.

OFFENBACHER, M. *Konfession und soziale Schichtung*. Tübingen: Mohr, 1900.

OPPENHEIM, M. *A history of the administration of Royal Navy and of merchant shipping*. London: J. Lane, 1896.

PAGEL, W. Religions motives in the medical biology of the seventeenth century. Six parts. *Bulletin of the Institute of the History of Medicine*, 3, 1935.

PARKER, I. *Dissenting academies in England*. Cambridge: University Press, 1914.

PARSONS, T. *The structure of social action*. New York: The Free Press, 1937.

_____. The professions and social structure. *Social Forces*, 17, 4, p. 457-67, 1939.

_____. The role of ideas in social action. In: _____. *Essays in sociological theory: pure and applied*. Glencoe: The Free Press, 1949.

_____. *The social system*. Glencoe: The Free Press, 1951.

PARSONS, T. & PLATT, G. M. *The American university*. Cambridge: Harvard University Press, 1973.

PASCAL, B. *Pensées*. Translation O. W. Wright. Boston: [s.n.], 1884.

PASTORE, N. The nature-nurture controversy: a sociological approach. *School and Society*, 57, p. 373-7, 1943.

PAULSEN, F. *German education: past and present*. Translation T. Lorenz. London: Scribner, 1908.

PELSENEER, J. L'origine protestante de la science moderne. *Lychnos*, p. 246-8, 1946-1947.

PERRIN, P. G. Possible sources of technology at early Harvard. *New England Quarterly*, 7, 1934.

REFERÊNCIAS BIBLIOGRÁFICAS

PETERSILIE, A. Zur Statistik der höheren Lehranstalten in Preussen. *Zeitschrift des königlich Preussischen Statistischen Boureau*, 17, 1877.

PETIT, G. & LEUDET, M. (Ed.). *Les allemands et la science*. Paris: Alcan, 1916.

PINSON, K. S. *Pietism as a factor in the rise of German nationalism*. New York: Columbia University Press, 1934.

PRICE, D. J. de S. The productivity of research scientists. In: *1975 year book of science and the future*. Chicago: Encyclopedia Britannica, 1975. p. 409-21.

____. A general theory of bibliometric and other cumulative advantage processes. *Journal of the American Society for Information Science*, 27, p. 292-306, 1976.

____. *Little science, big science... and beyond*. New York: Columbia University Press, 1986 [1963].

RAISTRICK, A. *Quakers in science and industry, being an account of the Quaker contributions to science and industry during the 17th and 18th centuries*. London: The Bannisdale Press, 1950.

RAY, J. *Memorials of John Ray*. London: Ray Society, 1846.

____. *The wisdom of God*. London: W. Innys and R. Manby, 1691.

RESKIN, B. Age and scientific productivity: a critical review. In: MCPHERSON, M. S. (Ed.). *The demand for new faculty in science and engineering*. Washington: National Academy of Sciences, 1979.

RESOLUTIONS of public interest. *Science*, 87, p. 99-100, 1938.

RICHARDSON, C. F. *English preachers and preaching*. New York: Macmillan, 1928.

RIGAUD, S. J. (Ed.). *Correspondence of scientific men of the seventeenth century*. Oxford: University Press, 1841.

ROBIN, J. *L'oeuvre scientifique, sa protection juridique*. Paris: Impr. du Montparnasse et de Persan-Beaumont, 1928.

ROETHLISBERGER, F. J. *Management and morale*. Cambridge: Harvard University Press, 1941.

ROETHLISBERGER, F. J. & DICKSON, W. J. *Management and the worker*. Boston: Harvard School of Business Administration, 1934.

ROSEN, G. Left-wing puritanism and science. *Bulletin of the Institute of the History of Medicine*, 15, p. 375-80, 1944.

ROSENBERG, A. *Wesen. Grundsatze und Ziele der Nationalsozialistischen Deutschen Arbeiterpartei*. München: E. Boepple, 1933.

Rosenthal, R. & Jacobson, L. *Pygmalion in the classroom: teacher expectation and pupil's intellectual development*. New York: Holt, Rinehart & Wiston, 1968.

Rost, H. *Die wirtschaftliche und Kulturelle Lage der deutschen Katholiken*. Köln: J. P. Bachen, 1911.

Rush, R. (Ed.). *Ludwig Wittgenstein personal recollection*. Oxford: Blackwell, 1981.

Russell, B. *Philosophy*. New York: Norton, 1927.

Rust, B. *Das nationalsozialistische Deutschland und die Wissenschaft*. Hamburg: Hanseatische Verlagsanstalt, 1936.

Samuelson, P. Economics and the history of ideas. In: Stiglitz, J. E. (Ed.). *The collected scientific papers of Paul A. Samuelson*. Cambridge: MIT Press, 1966. v. 2, p. 1499-516.

Sandow, A. Social factors in the origin of darwinism. *Quarterly Review of Biology*, 13, 3, p. 315-26, 1938.

Sarton, G. *The history of science and the new humanism*. New York: Brown University, 1931.

_____. Query n. 53. Standing on the shoulders of giants. *Isis*, 24, 1, p. 107-9, 1935.

_____. *The study of the history of mathematics*. Cambridge: Harvard University Press, 1936.

Scheler, M. *Genius des Krieges*. Leipzig: Verlag der Weissenbuecher, 1915.

_____. *Versuche zu einer Soziologie des Wissens*. München/Leipzig: Duncker/Humblot, 1924.

_____. Probleme einer Soziologie des Wissens. In: _____. *Die Wissensformen und die Gesellschaft*. Leipzig: Der Neue Geist Verlag, 1926. p. 1-229.

_____. *Schriften aus dem Nachlass*. Berlin: Der Neue Geist Verlag, 1933. v. 1.

Schelting, A. von. *Max Webers Wissenschaftslehre. Das logische Problem der historischen Kulturerkenntnis. Die Grenzen der Sociologie des Wissens*. Tübingen: Mohr, 1934.

_____. Review of Karl Mannheim "Ideologie und Utopie". *American Sociological Review*, 1, 4, Aug. 1936. p. 664-74.

Schillp, P. A. The formal problems of Scheler's sociology of knowledge. *The Philosophical Review*, 36, p. 101-20, March 1927.

Schmitthenner, P. *Krieg und Kriegführung*. Potsdam: Akademische Verlagsgesellschaft, 1930.

REFERÊNCIAS BIBLIOGRÁFICAS

SCHREIBER, H. *Geschichte der Albert-Ludwigs-Universität zu Freiburg*. Freiburg: F. X. Wangler, 1857-1868. 3 v.

SCIENTIFIC workers and war. *Nature*, 137, 3472, p. 829-30, 1936.

SHAPIN, S. & SCHAFFER, S. *Leviathan and the air-pump: Hobbes, Boyle, and the experimental life*. Princeton: Princeton University Press, 1989.

SHINN, T. & RAGOUET, P. *Controvérsias sobre a ciência*. Por uma sociologia transversalista da atividade científica. São Paulo: Associação Filosófica Scientiae Studia/Editora 34, 2008.

SHIPTON, C. K. A plea for puritanism. *The American Review*, 40, 3, p. 463-4, 1935.

SHRYOCK, R. H. *The development of modern medicine*. Philadelphia: University of Pennsylvania Press, 1936.

_____. Freedom and interference in medicine. *Annals of the American Academy of Political and Social Science*, 200, p. 32-59, 1938.

SIGERIST, H. E. *Man and medicine*. New York: Norton, 1932.

_____. Science and democracy. *Science and Society*, 2, 3, p. 291-9, 1938.

SODDY, F. (Ed.). *The frustration of science*. New York: Norton, 1935.

SOMBART, W. *Krieg und Kapitalismus*. München: Duncker & Humblot, 1913.

SONNICHSEN, C. L. *The life and works of Thomas Sprat*. 1931. PhD dissertation. Harvard University.

SOROKIN, P. A. *Social and cultural dynamics*. New York: American Book, 1937. 4 v.

_____. *Sociocultural causality, space, time*. Durham: Duke University Press, 1943.

SOROKIN, P. A. & MERTON, R. K. The course of Arabian intellectual development: a study in method. *Isis*, 22, p. 516-24, 1935.

SPEIER, H. The social determination of ideas. *Social Research*, 5, 1, p. 182-205, 1938.

SPRAT, T. *The history of the Royal Society of London*. London: J. Martyn, 1667.

STARK, J. Phillip Lenard als deutscher Naturforscher. *Nationalsozialistische Monatshefte*, 71, p. 106-11, 1936.

_____. The pragmatic and the dogmatic spirit in physics. *Nature*, 141, p. 770-2, 1938.

STATISTISCHES Jahrbuch der Stadt Berlin. Berlin: L. Simion, 1897.

STERN, B. J. *Social factors in medical progress*. New York: Columbia University Press, 1927.

Ensaios de sociologia da ciência

_____. Resistances to the adoption of technological innovations. In: NATIONAL Resources Committee. *Technological trends and national policy*. Washington: U.S. Government Printing Office, 1937. p. 39-66.

_____. Restraints upon the utilization of inventions. *Annals of the American Academy of Political and Social Science*, 200, p. 1-19, 1938.

_____. *Society and medical progress*. Princeton: Princeton University Press, 1941.

STERN, N. Age and achievement in mathematics: a case-study in the sociology of science. *Social Studies of Science*, 8, p. 127-40, 1978.

STIMSON, D. Puritanism and the new philosophy in seventeenth century England. *Bulletin of the Institute of the History of Medicine*, 3, p. 321-34, 1935.

STORER, N. W. *The social system of science*. New York: Holt, Rinehart & Winston, 1966.

STRACHEY, J. *The coming struggle for power*. New York: Modern Library, 1935.

SUMNER, W. G. *Folkways*. Boston: Ginn, 1906.

THOMPSON, S. P. *The life of William Thomson, Baron Kelvin of Largs*. London: Macmillan, 1910. 2 v.

THORNER, I. Ascetic protestantism and the development of science and technology. *American Journal of Sociology*, 58, p. 25-33, 1952.

TIUMENIEV, A. I. Marxism and bourgeois historical science. In: BUKHARIN, N. et al. *Marxism and modern thought*. New York: Harcourt, Brace, 1935.

TOCQUEVILLE, A. de. *Democracy in America*. New York: Knopf, 1945 [1835]. 2 v.

TOLLES, F. B. *Meeting house and counting house*. Chapel Hill: University of North Carolina Press, 1948.

TÖNNIES, F. Die Entwicklung der Technik: sociologische Skizze. In: *Festgaben für Adolph Wagner*. Leipzig: Winter, 1905. p. 127-48.

TROELTSCH, E. *Die Bedeutung des Protestantismus für die Entstchung der moder Welt*. München: Oldenbourg, 1911.

_____. *The social teachings of the Christian churches*. London/New York: Allen & Unwin/Macmillan, 1931. 2 v.

TURNER, S. P. & CHUBIN, D. E. Chance and eminence in science: Eclesiastes II. *Sociology of Scientific Information*, 3, p. 437-49, 1979.

USHER, A. P. *A history of mechanical inventions*. Cambridge: Harvard University Press, 1954.

VEBLEN, T. *The higher learning in America*. New York: Huebsch, 1918.

REFERÊNCIAS BIBLIOGRÁFICAS

WALBERG, H. J. & TSAI, S. L. Matthew effects in education. *American Educational Research Journal*, 20, p. 359-73, 1983.

WALLIS, J. A discourse concerning the measure of the airs resistance to bodies moved in it. *Philosophical Transactions*, 16, p. 269-80, 1686.

WALLIS, J. & WREN, C. A summary account of the general laws of motion by Dr. John Wallis and Dr. Christopher Wren. *Philosophical Transactions*, 3, p. 864-8, 1668.

WEBER, A. Prinzipielles zur Kultursoziologie: Gesellschaftsprozess, Zivilisationsprozess und Kulturbewegung. *Archiv für Sozialwissenschaft und Sozialpolitik*, 47, p. 1-49, 1920.

WEBER, H. *Die Theologie Calvins*. Berlin: Elsner, 1930.

WEBER, M. *Gesammelte Aufsätze zur Religionssoziologie*. Tübingen: Mohr, 1920-1921. 3 v.

_____. *Wissenschaft als Beruf*. München: Duncker & Humblot, 1921.

_____. *Wirtschaft und Gesellschaft*. Tübingen: Mohr, 1922a.

_____. *Gesammelte Aufsätze zur Wissenschaftslehre*. Tübingen: Mohr, 1922b.

_____. *Gesammelte Aufsätze zur Sozial- und Wirtschatsgeschichte*. München: Mohr, 1924.

_____. *The protestant ethics and the spirit of capitalism*. New York: Scribner, 1930.

_____. *A ética protestante e o "espírito" do capitalismo*. Tradução A. F. Pierucci. São Paulo: Companhia das Letras, 2004 [1904].

WHEWELL, W. *History of inductive sciences*. New York: Appleton, 1858. 2 v.

WHITEHEAD, A. N. *Science and the modern world*. New York: Macmillan, 1931.

WILKINS, J. *Mathematical magick*. London: [s.n.], 1648. 2 v.

_____. *Principles and duties of natural religion*. 6 ed. London: R. Chiswell, 1710.

WILLEY, B. *The eighteenth century background*. New York: Columbia University Press, 1941.

WILSON, J. (Ed.). *Mathematical tracts of the late Benjamin Robins*. London: J. Nourse, 1761. 2 v.

WILSON, L. *The academic man*. London/New York: Oxford University Press, 1941.

WIRTH, L. Preface. In: MANNHEIM, K. *Ideology and utopia: an introduction to the sociology of knowledge*. Translation L. Wirth e E. Shills. New York/London: Harcourt/Kegan Paul, 1936. p. xxviii-xxxi.

WISSENSCHAFT und Vierjahresplan, Reden anlässlich der Kundgebung des NSD--Dozentenbundes, 18/Jan./1937.

WOLF, A. *A history of science, technology and philosophy in the 16th and 17th centuries*. London: Allen and Uwin, 1935.

WOLF, J. Die dutschen Katholiken in Staat und Wirtschaft. *Zeitschrift für Sozial Wissenschaft*, 4, 1913.

WOLFF, K. H. The sociology of knowledge: emphasis on an empirical attitude. *Philosophy of Science*, 10, p. 104-23, 1943.

WREN, C. (Ed.). *Parentalia or memoirs of the family of the Wrens*. London: Osborn/Dodsley, 1750.

YOUNG, R. F. *Comenius in England*. Oxford: Oxford University Press, 1932.

ZNANIECKI, F. W. *The social role of the man of knowledge*. New York: Columbia University Press, 1940.

ZIEGLER, T. *Geschichte der Pädagogik*. München: C. H. Beck, 1895. 2 v.

ZUCKERMAN, H. *Nobel laureates: sociological studies of scientific collaboration*. New York, 1965. PhD dissertation [Sociology]. Columbia University.

_____. Stratification in American science. *Sociological Inquiry*, 40, p. 235-57, 1970.

_____. Interviewing an ultra-elite. *Public Opinion Quarterly*, 36, p. 159-75, 1972.

_____. *Scientific elite: Nobel laureates in the United States*. New York: The Free Press, 1977.

_____. Accumulation of advantage and disadvantage: the theory and its intellectual biography. In: MONGARDINI, C. & TABBINI, S. (Ed.). *L'opera di Robert Merton e la sociologia contemporanea*. Genova: ECIG, 1989.

ZUCKERMAN, H. & MERTON, R. K. Patters of evaluation in science: institutionalization, structure and functions of the referee system. *Minerva*, 9, p. 66-100, 1971.

_____. & _____. Age, aging and age structure in science. In: MERTON, R. K. *The sociology of science*. Chicago/London: University of Chicago Press, 1973. p. 497-559.

ÍNDICE DE TERMOS

Acumulação
de vantagem, 190, 206-7, 211-2, 216, 218-23
de desvantagem, 206-7, 212, 216, 218, 220
Administradores, 245
Alemanha nazista, 9, 160, 163-4, 176
Anti-intelectualismo, 162, 167, 178, 181
Artilharia
de bronze, 64
de ferro, 64
canhão, 63-5, 73-5
bala de canhão, 76, 79
carreta, 64, 67
espingarda, 64
"máquinas" (ou "infernais"), 64, 170
Atitude intelectual, 27
Automação (mudança tecnológica), 10, 234-6, 250
Autonomia
funcional, 62
institucional, 166
Autoridade, 22, 24, 27, 47, 98, 100, 153, 164, 166, 169-70, 174, 177, 190, 196-7, 214, 244, 257, 259
Balística
interior
pólvora, 64, 66-9, 72-5, 78-9
exterior

projéteis, 65-7, 69-73, 75-9, 86
trajetória, 65-6, 70, 72-3, 76-7
Base existencial
bases sociais, 116-7, 119, 124, 138, 150
bases culturais, 116, 193
fatores reais, 98, 121
Ceticismo organizado, 166, 174, 185, 197, 263-4
Ciência
condições do avanço, 159, 164, 168-74, 193, 200, 206, 226
física e natural, 15, 23-4, 28, 32, 34, 38-9, 44, 51, 62, 129, 152, 161-2, 189, 209, 217
hostilidade à, 54, 160, 171
papel social, 160, 234, 242
pura, 72, 83, 87-90, 148, 164, 168, 172
relacionada a necessidades socioeconômicas, 88
alemã, 188
francesa, 165, 188
norte-americana, 56, 154, 219-23
russa, 187
social, 104-5, 130, 263
utilidade social, 173-4
Cientistas
responsabilidade social, 171, 245-6
Círculos de mertonianos, 268

Ensaios de sociologia da ciência

Classes sociais
  consciência de classe, 101
  falsa consciência, 142
Colégio invisível, 17, 31, 61, 208
Comunismo (na ciência), 185, 190,
  193, 225
Conhecimento
  base existencial, 118, 121, 123,
    140
  base racional, 22, 27, 38, 59, 98,
    114, 140, 149
  científico, 9-10, 38, 73, 98, 177,
    187, 191-2, 206, 226-7, 246
  efeitos sociais, 170, 173, 177,
    234, 242, 244, 246
  objetivo, 116
  sistemas de, 26, 34, 113-15, 125,
    140, 144, 160
Consequências imprevistas, 24
Contexto
  social, 55, 91, 110, 112, 155, 164,
    217, 258
  de desconfiança, 111
Contingência(s), 181
Controle institucional
  pelos pares, 196
Cooperação/competição, 165, 191,
  249
Crenças, 9, 26-8, 35, 54, 58, 95, 99,
  103, 106, 109, 111-6, 126, 128,
  130, 135-6, 143, 145, 147, 159
Cultura
  condições culturais, 159
Democracia, 99, 184, 189-90, 257,
  262
Desconfiança
  entre grupos sociais, 111
  da ciência, 113, 167

Desigualdade na ciência
  de acesso, 9, 217
  de produtividade, 208, 210, 217
  de reconhecimento, 217
Desinteresse/Impessoalidade, 103,
  166, 172, 194-5, 264
Desvio, 70, 83, 103, 128, 145, 149,
  175, 188, 257
Diferenciação institucional, 271
Disfunção, 255
Dogmatismo, 54, 257
Efeito Mateus, 9, 12, 199, 201, 203-
  5, 207, 211, 221, 223
Emanacionismo, 125
Empirismo, 21-3, 25, 28, 32, 47, 49,
  125, 149
Engenheiros
  responsabilidade social dos, 10
Educação
  secundária, 40, 260
  universitária, 259
  humanista/literária, 34
  técnica/científica, 30, 32, 38,
    52-3, 239
Especialização
  profissional, 243
Estratificação social
  da ciência, 200, 208, 218
    dos cientistas, 218
      precocidade, 208, 212-5,
        219
    das instituições científicas,
      218-9
    da indústria, 239
Estrutura
  cultural, 183
  institucional da ciência, 122,
    159, 184

ÍNDICE DE TERMOS

social, 11, 104, 107, 133, 136,
 144, 147, 150, 155, 157, 164,
 167, 171-2, 181, 185, 200,
 233, 235, 238, 241, 250, 255-
 6, 263
Éthos
 científico, 9, 160, 164-6, 173,
  177, 182-6, 188, 190, 192-3,
  197
 pietista, 37-41
 puritano, 15, 20, 22-3
Ética
 profissional
  dos cientistas, 165, 190-3
  dos engenheiros, 243
 religiosa
  católica, 35, 41-6, 56-61,
   139, 164-5
  protestante, 17, 24, 28-30,
   57, 258
   pietista, 37-41
   puritana, 15-6, 22
Etnocentrismo, 186-7
Experimento, 20
Fatores de existência, 96
Financiamento
 da pesquisa, 218-9, 247
 da ciência, 218-9, 247
Funções
 latentes, 117, 200, 227
 manifestas, 117, 254
Grupos sociais
 desconfiança, 111, 113
Hierarquia, 9, 146, 226, 257, 259,
 266, 269
Historicismo, 97-8
Idade Média, 23, 33, 98

Ideias, 95-9, 102, 106-8, 112-5,
 119-24, 135-7, 141-7, 227-9
 sistemas de, 144
Ideologia, 59, 101-2, 104, 109, 112-
 4, 116, 119-20, 127-31, 141-5,
 167, 187, 189, 268
Inovação, 10, 238, 244, 248, 257
Instituições
 científicas, 103, 160, 164-5, 175,
  218, 222
 políticas, 174-5, 245
 religiosas, 35-6, 175
 sociais, 57, 62, 177, 268
Intelectuais
 Intelligentsia, 102, 126
Interesses, 9, 15-7, 22, 24, 27, 29,
 38-9, 41, 43, 45, 47-51, 55-6,
 58, 61, 66, 68-9, 71, 77-9, 81, 87,
 90-1, 97-8, 100-1, 105, 107-8,
 110, 112, 116, 119-20, 122, 133-4,
 138-9, 141-4, 155, 158, 163-4,
 166-7, 169-70, 172, 176, 182,
 187, 190, 193-5, 199, 215, 229,
 234, 240, 248, 250-1, 259, 262,
 264, 268
Investigação empírica, 134, 146,
 151, 158
Marxismo
 sociologia marxista, 194
 marxismo-leninismo, 187
Mecânica, 34, 66, 73, 76-7, 86, 174,
 196, 255, 257
Medicina, 66, 83, 91, 157, 162, 191
Nacionalismo, 187
Nazismo
 dogma da pureza racial, 161
Norma, 103, 162, 185, 188, 192, 195,
 225, 228, 264-5

Ensaios de sociologia da ciência

Obliteração por incorporação (OBI), 229

Ordem social, 11, 104, 146, 159, 169, 173, 262, 268

Organização social, 107, 123-4, 135-7, 146, 153, 157, 233, 240-1, 256-8, 260, 263, 269

Padrões
estruturais, 235-241
institucionais, 217, 235

Paradigma, 10, 115-6, 118, 151, 253

Paradoxo das consequências, 52

Papéis, 119, 154, 210, 269-70

Pensamento
positivo, 107
chinês, 124

Poder
estrutura de, 116, 121-2, 144, 157

Prêmio Nobel, 202-3, 219, 224

Problemas sociais
latentes, 215
manifestos, 215

Processos compensatórios, 200, 220-1

Profecia autorrealizada, 202, 214

Profissionalização, 270

Propriedade intelectual (ver comunismo na ciência)
privada
segredo, 21, 192, 230
patentes, 191, 193-4
simbólica
citações, 187, 202-3, 209-11, 227-9, 265, 267, 269
plágio, 226, 228
prioridade, 191, 195, 205, 207, 230

Público, 90, 150, 169, 174, 192, 194-6, 200, 202, 224, 230, 240, 262, 267

"Raça", 98, 121-2, 161, 165, 167, 173, 186, 189, 196, 261, 264

Racionalismo
medieval, 22
neoplatônico, 23
puritano, 22-3

Reconhecimento
crédito, 201-4
pelos pares, 205-6, 211, 224-5, 229, 265
social, 257

Recompensa, 200, 210, 213, 217-8, 226, 229-30, 244, 249, 257, 265-7

Relativismo, 99, 103, 134, 136

Religião
catolicismo, 61, 258
protestantismo, 24, 27-9, 36, 47-8, 50, 54-8, 61
puritanismo
moderado, 31, 49
radical, 48
quakers, 49-50
pietismo, 11, 15, 30, 37-41, 48
seitas religiosas, 48-9, 54, 58, 61, 98, 116, 123, 135

Rússia Soviética, 187

Secularização, 23, 55

Senso comum, 173-4, 196-7

Sociedade
círculos sociais, 150-1
condições sociais, 111, 136
liberal, 9, 165, 176
totalitária, 164-6, 168, 176, 198

Sociedade Real de Londres, 17, 36,
45-6, 75, 88, 184, 259
Sociologia
da ciência, 9-10, 183, 207, 223,
253, 268, 271-2
do conhecimento, 9, 11, 95-7,
102-3, 105, 107-9, 111, 114-7,
118, 131, 145-6, 151, 158, 261
Trabalhadores da indústria
desemprego tecnológico, 234
emprego, 234-6, 238, 244, 250
estabilidade, 104, 117
habilidades, 114
organização política, 245
Técnica militar, 63, 65, 67, 89
Tecnologia
consequências sociais, 108, 234-
5, 243
pesquisa das, 108, 234-5,
250
de automação, 234-6, 250
mudança tecnológica, 234-5,
241, 258, 262-3
Totalitarismo, 168, 257
Universalismo
da natureza, 187
etnocentrismo, 186-7
particularismo, 186
Universos de discurso, 103, 111, 247
Utilitarismo, 21, 32, 37, 47, 52, 55
Utopia, 101-2, 122, 167, 262
Validade
do conhecimento científico,
164, 264
do pensamento, 95, 98, 117,
130-1, 261-2
Valores

científicos, 35-9, 47-50, 159-
68, 181-198
comuns, 59, 113
culturais, 16, 25, 116, 159-60,
176, 182-3
econômicos, 160
escala social de, 172
políticos, 81, 99-103, 120-9,
156, 160-7, 175-6, 190
religiosos, 28, 36, 50, 58, 61
sistema de, 23
Vantagem cumulativa, 199-200,
208, 217, 222, 266, 268
desvantagem cumulativa, 217
Wissenssoziologie, 95, 109-10, 112,
118, 167

Índice de nomes

Academia de Berlim, 46, 184
Academia de Ciências de Paris, 45-6, 66
Academia Morton, 33
Academia de Northampton, 34
Adrian, E. D., 169
Agnew, D. C. A., 35
Allison, P. D., 208, 210-1
Anderson, N., 169
Anderson, R., 70, 89
Bacon, F., 18, 20, 33
Baeumler, A., 162, 165-7
Bain, R., 159, 169
Barber, B., 53, 57, 153, 208, 225
Barber, E., 158, 221
Barclay, R., 21
Barnes, H. E., 158
Barrow, I., 25, 222
Bavink, B., 74
Baxter, R., 21-3, 30
Bayet, A., 183-4
Beck, L., 64
Beck, T., 66
Becker, F. B., 158
Becker, H., 158
Ben-David, J., 269-70
Benoit-Smullyan, E., 139
Berelson, B., 53
Bernal, J., 153, 158, 192, 194
Bernoulli, D., 65, 70
Bernoulli, J., 66
Binning, T., 70
Birch, T., 67-8, 72, 82-3
Biringuccio, V., 65

Blair, J. D., 204
Blondel, Mons., 70
Bloor, D., 270
Borel, E., 41-2
Borkenau, F., 71
Bourchenin, P., 35
Bourdieu, P., 267
Bourne, W., 70
Boutroux, E., 35
Boyle, R., 16-9, 22, 25, 29-30, 49, 52, 59-60, 67-9, 191, 208
Brady, R. A., 196
Buckle, H. T., 28, 42
Bukharin, N., 131
Burke, K., 16
Burtt, E. A., 26-7
Bush, V., 194
Calvino, 24-7, 62
Candolle, A. de, 45-6, 55-6
Carlos II, 61, 184, 188
Carlyle, 193
Carroll, J. W., 58, 61
Chevalier, J., 35
Child, A., 141
Chubin, D. E., 208, 218
Clark, G. N., 19, 90-1
Clark, R. W., 204
Clerke, A. M., 60
Clowes, W. L., 64
Cohen, I. B., 158
Cole, J. R., 208, 212, 216, 218, 268-9
Cole, S., 208, 211-2, 216, 218, 268-9
Comenius, J. A., 32-4, 36-8
Comte, A., 24

ÍNDICE DE NOMES

Conant, J. B., 49
Cooper, H. M., 214
Cooper, J. M., 57
Cotes, R., 78
Cragg, G. R., 48
Cron, L., 44
Crowther, J. G., 153
Dahlke, H. O., 109, 121
Dannefer, D., 205, 208
Dantec, F. Le, 187
Darmstaedter, L., 53
Deleeck, H., 204
Descartes, R., 65
Dewey, J., 244
Dickson, W. J., 237
Dilthey, W., 32, 147
Drury, M. O'C., 205
Dubois, M., 268
Duhem, P., 188-9
Durkheim, É., 115, 118, 123-4, 133, 135-7, 146, 153, 175
Edleston, J., 78
Elashoff, J. D., 214
Eldred, W., 70
Ellis, H., 45
Engel, E., 44
Engels, F., 113, 118-20, 127-30, 141-5
Etzkowitz, H., 230, 268
Facaoaru, J., 46
Faia, M. A., 210
Fanfani, A., 47
Feldhaus, F. M., 65-6
Felmlee, D., 218
Felmlee, H., 218
Fitzpatrick, J. P., 57
Fleck, L., 253
Fontaine, W. T., 157

Forsyth, A. S., 77
Francke, A. H., 37-41
Francke, K., 38, 40
Frank, W., 162, 166-7
Frantz, A., 42
Freud, S., 111-2, 156
Fromm, E., 155-6
Galilei, G., 70
Gardner, M., 196
Garfield, E., 208-9, 229
Gaston, J., 208, 218
Geilker, C. D., 205
Gemss, W. G., 44
George, C. H., 48
Gibbons, M., 271
Gieryn, T. F., 271
Gilbert, G. N., 218
Gilbert, Lord Bishop of Sarum, 18-9
Gillispie, C. C., 52
Ginsberg, M., 15
Gittler, J. B., 153
Goering, H., 167
Goldstone, J. A., 208, 218
Good, T. L., 214
Goodrich, H. B., 56-7
Gosse, E., 207
Granet, M., 124, 137-8
Gré, G. D., 151, 153
Greaves, J., 68
Gregg, A., 212-4
Grew, N., 25
Gronau, J. F. W., 71
Grünwald, E., 95-7, 109
Günther, S., 40
Haak, T., 30, 33
Hagstrom, W. O., 201, 208, 218, 268
Halévy, E., 75
Haller, W., 17, 48

Ensaios de sociologia da ciência

Halley, E., 71, 73-5, 77-8, 87, 89
Hamilton, W., 157, 194
Hans, N., 52-5
Hardin, G., 225
Hargens, L., 208
Harkness, G., 29
Hartlib, S., 32-4, 36-7
Hartshorne, E. Y., 154, 157, 159-63
Harvard College, 34, 36-7, 219-20, 261
Hauksbee, F., 69
Hayward, F. H., 33
Heath, A. E., 26
Hecht, P. K., 218
Hecker, J. J., 41
Henderson, P. A. W., 30
Hessen, B., 65-6, 84, 90-1, 131, 153
Heubaum, A., 38-40
Hindle, B., 50
Hobbes, T., 75, 163
Hoddeson, L., 268
Hoffman, F., 39
Hooke, R., 67, 69, 71-2, 83, 227
Hooykaas, R., 49-50
Hubby, J. L., 202-3
Hunt, J. G., 204
Hutton, C., 69, 79
Huxley, A., 193
Huxley, J., 158, 171
Huyghens, C., 31, 76-7
Ingalls, J., 68
Jacobson, L., 214
Jaensch, E. R., 162
Jähns, M., 65-6, 70
Keller, S., 53
Kellermann, H., 188
Kelsen, H., 124
Kepler, J., 18

Kherkhof, K., 188
Knapp, R. H., 56-7
Knight, F. H., 174
Knorr, K. D., 208, 210
Knox, R., 205
Kocher, P. H., 51
Koestler, A., 155
Krauze, T., 208, 210
Krieck, E., 155, 162, 165-7
Kuhn, T. S., 218, 253, 271
Lankester, E., 18
Latour, B., 270
Lazarsfeld, P., 151, 224
Leeuwenhoek, A., 68
Leibniz, G., 65-6, 130, 184, 192
Lenin, V. I., 131
Leudet, M., 187-8
Levy, H., 167
Lewontin, R. C., 202-3
Leydesdorff, L., 268
Lieb, J. G., 40
Lilley, S., 55-6
Lissak, O. M., 69
Locke, J., 75
Long, J. S., 208, 210
Lotka, A. J., 209
Ludewig, J. P., 40
Luhmann, N., 254
Luís XIV, 61, 184
Lukács, G., 141
Lundberg, G. A., 169
Lutero, M., 24, 62
MacIver, R. M., 15, 161
MacPike, E. F., 75-6, 89
Malinowski, B., 138-9
Mallet, C. E., 37
Mandelbaum, M., 134

300

ÍNDICE DE NOMES

Mannheim, K., 95, 100-7, 111, 118, 123, 131, 145-6, 155, 158, 167, 262

Marinha Real Inglesa, 64

Mariotte, E., 67, 71, 75, 77

Marquis of Worcester, 70

Marx, K., 97, 101, 113, 115, 118-20, 122-3, 127-31, 141-4, 152, 225, 228

Marx, L., 55

Mason, F. S., 50

Masson, D., 37

Maturana, H. R., 255

Mather, C., 37

Mather, I., 36

Maupertuis, P. L., 65-6

Mauss, M., 123, 268

Maxwell, J. C., 147, 156, 163, 193

McLachlan, H., 52

McNeill, J. T., 48

Melanchton, P., 24

Merret, C., 31

Merriam, C. E., 174

Mersenne, 71

Mettermeir, R., 208, 210

Michaelis, J. D., 11, 40

Michels, R., 155

Miller, P., 55

Miller, W., 53

Mills, C. W., 53, 141, 151, 155, 157, 208

Milton, 32, 37

Mitroff, I., 264-5

Morange, M., 268

Moray, R., 30, 68-9, 78

Morison, S. E., 36

Morland, S., 30

Morton, C., 33-4

Mueller-Freienfels, R., 155

Mullins, N. C., 208, 218

Mullinger, J. B., 33

Mumford, L., 64-5, 71

Myrdal, G., 154

Needham, J., 48

Newton, I., 26-7, 30, 65-6, 70-1, 73, 75-8, 90, 130, 149, 189, 191-3, 222, 227

Nicholas, M., 35, 208

Nye, M. J., 268

Ockenden, R. E., 193

Odin, A., 45

Offenbacher, M., 43-4

Oppenheim, M., 64

Oughtred, W., 17-8

Pagel, W., 25

Papin, D., 30, 65-6, 68-9

Parker, I., 33-4, 37, 52, 54

Parsons, T., 126, 159, 186, 194, 253-5

Pascal, B., 35

Pastore, N., 156

Paulsen, F., 38-41

Pedro, o Grande, 184-5

Pelseneer, J., 48

Perrin, P. G., 36

Petersilie, A., 41

Petit, G., 71, 187-8

Petty, W., 29, 32, 37

Pinson, K. S., 39

Platt, G. M., 254

Price, D. J. de S., 208-9, 211, 220

Priestley, J., 52

Pope, W., 30

Ragouet, P., 253, 271

Raistrick, A., 50

Ramus, P., 34, 36-7

Ray, J., 16-9, 21-2, 25-6, 30, 60
Reskin, B., 208, 216
Reyniers, J. A., 57
Richardson, C. F., 31
Rigaud, S. J., 18
Robin, J., 194
Robins, B., 66, 69-70, 76-8
Roethlisberger, F. J., 237, 245
Rohr, J. B. von, 40
Rosen, G., 48
Rosenberg, A., 161, 167
Rosenthal, R., 214
Rost, H., 44
Russell, B., 155
Rust, B., 164, 167, 189
Samuelson, P., 231
Sanderson, R., 60
Sandow, A., 155
Sarton, G., 81-2, 193-4, 199, 218, 227
Schaffer, S., 260
Scheler, M., 82, 95, 98-100, 106, 115, 118, 121-3, 127, 131-5, 146-8, 153, 156, 183
Schelting, A. von, 95, 104-5
Schillp, P. A., 121
Schmitthenner, P., 63
Schreiber, H., 37
Shapin, S., 260
Shipton, C. K., 36
Shryock, R. H., 157, 191
Sigerist, H. E., 157, 184
Sociedade Real de Londres, 17-20, 22, 29-32, 36, 45-6, 50, 61, 67-9, 72, 74-5, 82, 86, 88-9, 184, 188, 259-60
Soddy, F., 171
Sombart, W., 63-4

Sonnichsen, C. L., 17
Snow, R. E., 214
Sorokin, P. A., 53, 55, 63, 89, 91, 111, 118, 124-6, 134, 139-41, 148-9, 153, 158-9, 261
Speier, H., 141
Sprat, T., 17, 20-2, 30, 69
Stahl, E., 39
Stark, J., 161, 189
Starkenburg, H., 128
Stern, B. J., 157, 194
Stern, N., 216
Stewart, J. A., 208, 210-1
Stimson, D., 31, 36-7
Storer, N. W., 208, 218
Strachey, J., 170
Stryk, S., 39
Sumner, W. G., 183
Swammerdam, J., 26
Sydenham, T., 30
Tartaglia, N., 65-6, 70
Taylor, B., 78
Thomasius, C., 38-9
Thompson, S. P., 209
Thompson, B., 79
Thorner, I., 55
Tiumeniev, A. I., 131
Tocqueville, A. de, 184
Tolles, F. B., 49
Tönnies, F., 63
Torricelli, E., 65-6, 70-1, 75, 89
Towneley, R., 67
Troeltsch, E., 29, 42, 135, 147
Tsai, S. L., 204
Turner, S. P., 208
Universidade de Altdorf, 39
Universidade de Cambridge, 33, 37, 168, 171, 222

ÍNDICE DE NOMES

Universidade de Durham, 33
Universidade de Freiburg, 37
Universidade de Göttingen, 39
Universidade de Halle, 39-41
Universidade de Heidelberg, 39, 162
Universidade de Könisberg, 39
Universidade de Oxford, 37
Usher, A. P., 65
Varela, F. J., 255
Veblen, T., 154, 181, 245
Villanova, A. de, 25
Voltaire, 96
Walberg, H. J., 204, 208
Wallis, J., 17, 29-30, 70, 73, 75-6
Weber, A., 15, 132
Weber, H., 27-8
Weber, M., 16, 24, 26, 38, 42, 47-8,
    51, 57-8, 74, 104, 119, 145, 147,
    159, 166, 245, 258
Weise, C., 39
Whewell, W., 66, 71

Willughby, F., 17, 19, 60
Whitehead, A. N., 26-7
Wilkins, J., 17, 19, 22, 25, 29-30, 33,
    60, 73
Willey, B., 52
Wilson, J., 66, 69, 77
Wilson, L., 154, 195
Winthrop, J., 36
Wirth, L., 100
Wolf, A., 67
Wolf, J., 41
Wolff, K. H., 126
Woodward, H., 33
Wren, C., 30, 76
Wundt, W. M., 270
Young, R. F., 33, 36
Znaniecki, F. W., 135, 150-1, 154
Ziegler, T., 36, 40-1
Zuckerman, H., 10, 201-2, 208, 211,
    217-20, 228

Este livro foi composto em Filosofia
com CTP do Estúdio ABC
e impressão da Bartira Gráfica e Editora
em papel Pólen Soft 80 g/m^2
em março de 2013.